Pour ?

que l'amour et l'amitié
t'apportent toute l'énergie
afin que tu puisses
continuer de sourire

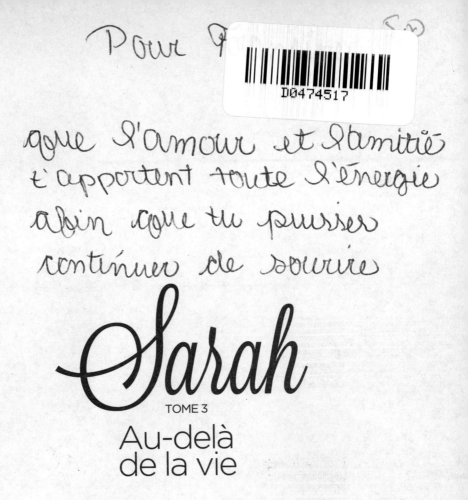

Sarah

TOME 3

Au-delà
de la vie

et de rire aux éclats!

Bonne lecture!
xxx

Aurélaine

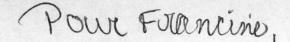

Guylaine Daigneault

Sarah

TOME 3

Au-delà de la vie

éditions **p**ratiko

Déjà parus :

© 2014 Éditions Pratiko inc

1665, boul. Lionel-Bertrand
Boisbriand (Québec) J7H 1N8

ISBN 978-2-924176-37-5 (version papier)
Sarah Tome 3 Au-delà de la vie (Guylaine Daigneault)

Édition électronique : La boîte de Pandore
Illustration de la couverture : La boîte de Pandore

Dépôt légal : 4ᵉ trimestre 2014
Bibliothèque nationale du Québec
Bibliothèque et Archives Canada

Imprimé au Canada

Chapitre 1

— Bonne fête Sami ! Bonne fête Sami ! Bonne fête, bonne fête, bonne fête Sami !

— Je peux souffler maintenant ?

— Un moment.

Sarah recula.

— Clic !

Sami ferma les yeux, aveuglé par le flash de la caméra.

— Je peux ? redemanda-t-il, le sourire édenté.

— Vas-y ! dit Jordan.

— Oh là bonhomme ! Ce n'est pas toi qui commandes ! répliqua Lina.

— Ça va, ça va ! fit Sarah en tapotant la main de sa meilleure amie.

— Je peux prendre la voiture en sucre rouge ? demanda Jordan.

— Oh là fiston ! C'est le gâteau de Sami. Du calme ! dit Angelo retenant son fils par les épaules. L'air boudeur, Jordan recula.

— Tu le veux ? demanda Sami en tendant le chiffre huit couvert de glaçage.

— Ouais ! cria le petit qui s'étira jusqu'à se coucher sur la table.

— Assis petit homme ! dit Lina en retenant de nouveau son fils.

— Je peux avoir un gros morceau ? demanda-t-il à genou sur sa chaise.

— Le fêté a priorité ! Quelle partie désires-tu Sami ? demanda affectueusement Sarah.

— Celle avec la maison !

— Je prends celle avec la voiture ! s'écria aussitôt Jordan.

— Patience ! dit Lina exaspérée.

Jordan l'ignora, les yeux rivés sur la voiture en sucre.

— Voilà! Une maison pour mon grand Sami de huit ans et une voiture pour toi Jordan! Tout le monde est heureux? demanda Sarah le sourire aux lèvres.

— Je prendrai le chemin menant à la maison! dit Angelo à la blague.

— Et moi la pelouse! continua Lina en ricanant.

— Il y a un mouton aussi! continua Sarah, riant aux éclats.

Elle se servit une généreuse part et se lécha les doigts pendant que Lina s'affairait à distribuer des serviettes de table colorées.

— Ce qu'il grandit vite ce petit Sami! s'exclama Lina, regardant affectueusement son filleul.

Elle mordit goulûment dans le délicieux gâteau que Sarah avait pris soin de cuisiner elle-même.

Ah, ma belle Sarah! Voilà bien longtemps que j'ai posé le regard sur votre vie à toi que j'aime énormément ainsi que notre fils. Si vous saviez combien Sami et toi êtes merveilleux à mes yeux. Huit ans! Déjà huit ans. Ce qu'il a grandi notre fils! Pas étonnant de le voir si heureux, entouré d'une maman si dévouée. Dommage que je n'aie jamais eu cette chance de ressentir tout cet amour que vous vous portez l'un l'autre. Une famille, c'est ce que nous aurions été tous les trois. Tu es merveilleuse. Tu le sais? Tu as travaillé des jours à confectionner des sucreries que tu as déposées avec tant d'amour et de précaution pour garnir le gâteau de notre fils. Je ne voulais manquer ce moment pour rien au monde.

Même si ce n'est que pour ce très court laps de temps, je tenais à être présent afin de célébrer les huit ans de ce fils que je n'ai malheureusement point connu.

Ce soir, j'ai cette chance de te voir si heureuse, entourée de tes fidèles amis, Lina et Angelo ainsi que leur petite tornade, Jordan. Malgré mon absence, je vois combien tu es comblée d'amour et cela me réconforte. Si tu savais combien je suis fier de la mère que tu es pour Sami. Il n'aurait pu avoir une meilleure maman. Je t'aime. Je t'aime ma Sarah. Malgré mon si bref passage dans ta vie, je continuerai de t'aimer.

— Tu parles ! Huit ans déjà ! J'ai l'impression que c'était hier lorsque j'accouchais.

— Il est adorable ! dit Angelo.

— Plus il grandit et plus je découvre combien il est généreux. Depuis les premières secondes où on l'a posé au creux de mes bras, je l'ai aimé. Je n'aurais jamais cru que l'on pouvait aimer autant. J'ai un fils exceptionnel, dit-elle les yeux brillants.

— Il est si affectueux et calme. Rien à voir avec Jordan ! compara Lina qui dégusta avidement sa dernière bouchée de gâteau tout en s'essuyant la commissure des lèvres de son auriculaire.

— À deux ans, Sami était aussi turbulent ! Tu ne te souviens pas ? répliqua Sarah tout en s'épongeant les lèvres avec sa serviette de papier.

— Je ne me souviens pas de l'avoir vu courir, grimper et s'agiter autant que Jordan ! Juste à y penser, je suis à bout de souffle !

— Tu ne t'en souviens peut-être plus, mais je te rappelle que tu étais enceinte et que lorsque tu as accouché, je tentais par tous les moyens de garder Sami tranquille.

— En lui lisant un livre ou lui faisant visionner une vidéo d'animation ! Trop facile, répliqua Lina en riant.

— Je suis convaincu que Sami était beaucoup moins turbulent. Que veux-tu, Jordan tient de sa mère, dit Angelo en regardant sa femme du coin de l'œil.

Elle lui sourit en lui faisant un clin d'œil complice.

— Les huit dernières années ont filé à une vitesse folle. Il me semble n'avoir rien fait d'autre que de m'occuper de Sami.

— Tu oublies la réhabilitation ? Tu as su prendre soin de toi-même, poursuivre avec rigueur les suivis avec toute une gamme de professionnels qui t'ont aidée à recouvrer presque totalement tes habilités. Ça n'a pas été de tout repos. Tu en as fait des progrès, bien plus que ce que le médecin prédisait et tout ça en plus de t'occuper d'un poupon. Tu es mon idole ! lança Lina admirative.

— Tu as raison, répondit Sarah pensive.

— C'est fou tout ce que tu as fait pour ton fils et toi-même, ajouta Angelo.

— C'est vrai que par moments ce n'était pas de tout repos. J'avoue

que j'y ai mis beaucoup de temps, d'effort et d'énergie, dit-elle en fixant le mur comme si elle regardait le film d'une vie passée.
— Sami naissait alors que Michael mourrait, ajouta-t-elle du bout des lèvres.

N'oublie jamais combien tu es forte et combien tu es exceptionnelle. Tu as toute mon admiration. Perdre son amoureux et accoucher d'un fils au même moment, tout cela après t'être sortie d'un traumatisme suivi d'une longue convalescence.

Lina prit son amie par l'épaule.
— Tu réalises combien tu as un beau garçon ? Et combien tu es débordante de santé aujourd'hui ?
— J'ai eu de la chance. J'ai été choyée de vous avoir tous les deux près de moi durant les deux premières années.
— Si tu vois cela comme de la chance ! répliqua Lina avec humour.
— Vous avez été mes meilleurs piliers, tous les deux.
— C'était un plaisir et un privilège d'être témoin de l'arrivée de Sami dans nos vies. Le temps a filé si rapidement depuis ! Tu te souviens, nous avions convenu de n'être présents que pour quelques mois après ton accident ! En fin de compte, nous avons littéralement abusé de ton hospitalité et envahi les lieux, dit Angelo en riant et se prenant la tête à deux mains.
— C'était merveilleux de vivre tous ensemble, constata Sarah en prenant un air nostalgique.
— Je prépare du café. Qui en veut ? demanda Lina.
— Laisse, j'y vais dit Sarah.
Elle prit son assiette, sa fourchette et se leva en se dirigeant vers la cuisine.
— Tu veux que je desserve ? demanda l'invitée.
— Dring.
— Tu veux que je réponde ? questionna Lina.
— Ça va je le prends, répondit Sarah qui s'éloignait déjà.
Elle se libéra les mains en déposant tout sur le comptoir. Elle fit trois pas et décrocha le téléphone mural au long cordon.
— Allo ?

— Sarah ?

— Qui parle ?

— Je peux vous voir ?

— Qui parle ? répéta-t-elle.

— Quelqu'un qui vous connaît.

— Désolée, mais je ne vous reconnais pas.

— C'est normal, je n'avais que onze ans la dernière fois que nous nous sommes vus.

— Qui êtes-vous ?

— J'ai près de vingt ans maintenant.

— C'est fini les devinettes ? Qui êtes-vous ? répéta-t-elle.

Un silence meubla les trois ou quatre secondes qui suivirent. Elle resta immobile, le regard perdu vers la fenêtre. Elle s'apprêta à raccrocher.

— Euh, moi… entendit-elle d'une voix lointaine.

Elle rapprocha le récepteur de son oreille droite.

— Qui ? demanda-t-elle.

— Francis.

— Francis ! Je ne connais aucun Francis.

— Le fils de Gabriel.

Elle échappa le récepteur qui pendit au bout du fil tordu.

Chapitre 2

— Mais à quoi as-tu pensé?

— Je voulais prendre des nouvelles.

— Pourquoi?

— Elle a connu notre père et je veux en savoir plus.

— Tu en as parlé à maman?

— Jamais de la vie.

— Vaut mieux qu'elle ne le sache jamais! répliqua Marie.

— Tu veux la voir?

— Qui ça?

— Ben, Sarah, répondit Francis.

— Je ne sais pas. Elle a demandé à nous voir?

— Non. J'ai raccroché avant.

— Tu n'as pas fait cela? Et si elle rappelle? Et si c'est maman qui répond?

— Ne t'inquiète pas, dit le grand frère d'un ton calme.

— Elle piquera une colère terrible.

— Je suis un adulte. Je peux faire ce que je veux.

— Parle pour toi.

— Tu as seize ans tout de même.

— Je viens tout juste de les avoir, répliqua Marie.

— Seize ou vingt ans, tu n'es plus une fillette, continua Francis agacé.

— Je te rappelle que nous vivons toujours avec maman! précisa-t-elle.

— Ah, les filles. Pourquoi êtes-vous toujours aussi compliquées?

— Réalistes tu veux dire?

— Nuance. Tu compliques tout!

— Alors monsieur je sais tout. Quel est ton plan ?

— Je vais la rappeler, dit Francis.

— Très brillant, une semaine plus tard !

— Faut bien lui laisser le temps d'y penser ? répliqua-t-il.

— Et que lui diras-tu ?

— Que nous voulons la rencontrer !

— Ne m'entraîne pas dans tes folles idées.

— Tu ne veux pas la connaître ? poursuivit-il.

— Elle a hérité de tout ce que papa possédait.

— Ce n'est pas de sa faute.

— Maman la déteste, rétorqua-t-elle d'une voix plus aigüe.

— Pas nous.

Marie le regarda. Elle sembla réfléchir puis se leva difficilement du divan moelleux qu'elle partageait avec son frère. Marchant de long en large, elle porta les doigts à sa bouche.

— Arrête, tu m'étourdis, dit Francis.

— Que veux-tu savoir sur papa, demanda-t-elle l'air songeur.

— Tout.

— Maman nous a déjà tout dit, continua-t-elle.

Elle s'approcha de son frère et bondit près de lui sur le divan.

— Pas Sarah, répliqua-t-il.

— Quelle importance ?

— Je veux savoir, dit-il d'un ton décidé.

— Ils ne se sont fréquentés que quelques mois ! s'exclama Marie.

— Justement. Sarah a sûrement des choses à nous raconter.

— Mais que veux-tu donc savoir de plus ?

— Je ne sais pas… des choses !

Il hésita. Son regard se fixa sur un coussin rouge près de lui.

— Ça ne sert à rien, dit-elle en renversant la tête vers l'arrière.

— Nous aimait-il ? Pourquoi a-t-il quitté Sarah s'il était amoureux jusqu'à lui léguer tout ce qu'il avait ? Avait-il l'intention de nous faire venir dans sa maison ? Avait-il des projets pour nous ? continua-t-il, ignorant la remarque de sa sœur.

— Et qu'est-ce que ça changera ?

— Ça nous aidera à comprendre.

— Il n'y a rien à comprendre. Papa est parti avec une autre femme et

maman lui en veut. Il a détruit notre famille et ne nous a rien légué.
Malgré son air absent, il continua à répliquer, ignorant les réponses et
le raisonnement de sa sœur.

— Un instant. Tu crois vraiment ce que tu viens de dire? continua
Francis.

— Certain, maman...

— Tu as tout faux, coupa-t-il.

— C'est toi qui as inventé une histoire pour défendre papa! poursuivit
Marie.

— Tu n'avais que sept ans quand tout cela est arrivé.

— Je me souviens très bien de la colère de maman.

— Tu ne comprenais pas tout ce qui se passait.

— Tu insinues que maman mentait?

— Je n'ai pas dit cela.

Il se tourna vers sa sœur assise à sa gauche.

— De toute façon, je veux voir Sarah. Je veux connaître la vérité. Je
veux l'entendre de sa bouche.

— Et tu crois qu'elle te la dira? demanda-t-elle l'air inquiet.

— Elle a toujours été gentille avec nous.

— Comment peux-tu dire cela? Nous ne l'avons vue que deux ou trois
fois! s'exclama-t-elle contrariée.

— Je l'appelle demain. Alors tu viendras avec moi si elle accepte? lui
demanda-t-il d'un ton décidé.

— Tu es complètement fou.

— J'irai visiter la maison.

— Maman ne te laissera jamais y aller.

— Elle n'est pas obligée de le savoir.

— Je lui dirai! dit Marie l'air triomphant.

— Pas un mot, tu m'entends? Ce sont mes affaires! répliqua-t-il d'un
ton autoritaire.

Il se leva d'un bond. Sans un mot, il jeta un regard désapprobateur à
sa sœur et pointa un index dans sa direction en guise d'avertissement.
Elle se recroquevilla feignant de se camoufler dans le divan.

Chapitre 3

— Bonne journée mon bébé !

— Maman ! J'ai huit ans !

— Tu seras toujours mon petit bébé !

— Pas devant mes amis ! insista Sami.

— C'est seulement entre nous ! dit-elle, le taquinant tout en lui caressant les cheveux.

Il eut un léger mouvement de recul.

— Il y a du chocolat dans ma boîte à lunch ?

— Dring ! fit la sonnerie du téléphone, les interrompant.

Elle lui signifia positivement de la tête et décrocha le récepteur. Il se sauva en l'embrassant rapidement sur la joue.

— Allo ? répondit-elle au moment où elle lui envoya la main en guise d'au revoir.

Il courut du plus vite qu'il le put et traversa le petit pont, se dirigeant vers l'unique chemin, perdu dans le décor féerique, qui le menait tout droit vers son bus scolaire. Comme tous les matins de la semaine, elle observa son fils quitter pour l'école d'un regard attendrissant. Distraite, elle approcha rapidement le récepteur de son oreille alors que des paroles inaudibles résonnaient du récepteur.

— Que feras-tu ?

— Hein ? Lina ! Ça va ?

— Tu es là ou quoi ?

— Sami vient de quitter pour l'école.

— Et la proposition ?

— Quelle proposition ?

— Celle du fils de Gabriel ?

— Ah ! Tu parles de Francis ? Il devrait me rappeler aujourd'hui. Tu crois que je devrais accepter ?

— Il t'a rappelée ? demanda Lina.

— Il a laissé un message spécifiant qu'il me rappellerait aujourd'hui. Il me demande si je veux le rencontrer.

— Tu le feras ?

— J'hésite, répondit Sarah pensive.

— Pourquoi ?

— Ça fait si longtemps, répondit-elle en soupirant.

— Sami a huit ans, donc ça fait quoi, onze ans ?

— Si tu parles du temps que nous nous fréquentions Gabriel et moi, c'est à peu près cela.

— Tu crois qu'il est de mèche avec Julia ?

— Que non ! Je suis certaine que sa mère n'en sait rien.

— Alors tu le rencontreras ?

— Bip, fit la sonnerie du téléphone.

— Tu m'attends Lina ? J'ai un autre appel.

Elle coupa la communication sans attendre la réponse de son amie.

— Allo ?

— Sarah ?

— Qui parle ?

— Francis. Vous allez bien ?

— J'accepte.

— Vous acceptez que j'aille vous rencontrer ? demanda-t-il surpris de la rapidité de la réponse.

— Aujourd'hui te conviendrait-il ? proposa-t-elle.

— Je serai libre en fin d'après-midi, répondit-il avec enthousiasme.

— Tu viendras à la maison ?

— Si vous n'y voyez pas d'inconvénient.

— Tu es le bienvenu.

— J'y serai vers seize heures, dit-il, le sourire dans la voix.

— À plus tard alors.

— Merci Sarah, c'est vraiment sympa de votre part.

— Tu peux me tutoyer s'il te plaît ?

— D'accord. À plus !

Elle éloigna rapidement l'appareil de son oreille puis appuya sur un bouton.

— Tu es toujours là Lina ?

— À qui parlais-tu ? s'empressa-t-elle de lui répondre.

— Francis !

Un silence se fit.

— Oh !

— Je le rencontre cet après-midi ! confirma Sarah.

— Super ! Tu veux de la compagnie ?

— Merci, mais je préfère le rencontrer seule, répondit-elle sans hésiter.

— Tu me raconteras tout alors ?

— Maman ! J'ai oublié mes espadrilles ! cria Sami essoufflé.

La porte à moitié ouverte, il entra au pas de course.

— Je te laisse Lina ! Sami cherche ses chaussures.

Sarah raccrocha et observa son fils revenant vers elle à bout de souffle. Il prit d'un geste rapide ses espadrilles laissées sur le seuil de la porte.

— Tu préfères que j'aille te reconduire à l'école ?

— Non, non, répliqua-t-il en tentant de reprendre son souffle.

Il sortit, ferma la porte et repartit aussitôt au pas de course. Elle s'empressa de rouvrir la porte.

— J'irai te reconduire si tu manques ton bus, cria-t-elle alors qu'il était déjà loin.

Songeuse, elle referma la porte et s'arrêta devant le téléphone mural.

— De quoi veut-il bien discuter ? Si cela concerne son père, que peut-il bien vouloir tant savoir ? Que pourrais-je bien lui raconter qu'il ne sait déjà ? se questionna-t-elle à mi-voix.

Chapitre 4

— Attendez! Attendez-moi! cria Sami en courant derrière l'autobus qui reprenait sa route sur le chemin principal.

Les phares arrière devinrent rouges. Les freins de l'autobus grincèrent, immobilisant le véhicule orange et noir. Dans un ultime effort, Sami courut jusqu'à la porte qui s'ouvrit. Haletant, il monta avec difficulté les trois marches, son sac à dos se balançant de gauche à droite. Une boîte à lunch dans une main, un sac contenant ses espadrilles dans l'autre, il entra dans l'autobus sans s'agripper à la rampe.

— Sois prudent mon petit bonhomme lorsque tu cours sur le côté de la route. Les voitures filent rapidement, dit le chauffeur avec en lui adressant un demi-sourire.

Sami se dirigea au centre de l'autobus déjà en marche et choisit un siège à sa droite. Il fit un bond et s'assit près de la fenêtre, déposant son sac et sa boîte à lunch près de lui.

— Tu es nouveau? demande une petite voix derrière lui.

Il reprit lentement une respiration normale. Une fois bien installé, il se tourna, apercevant le petit visage rond de son interlocutrice qui le dévisageait. Il lui fit spontanément un sourire qu'elle lui rendit aussitôt.

— Non, finit-il par dire.

— Moi oui, répliqua-t-elle rapidement.

Il se détourna et reprit sa position assise en regardant par la fenêtre.

— Toc, toc, toc, fit la petite fille aux longs cheveux noirs en tapant avec son minuscule index trois coups sur l'épaule de Sami.

Il sursauta puis se retourna brusquement. Il s'assit de côté, une jambe repliée.

— Tu as des sœurs? lui demanda-t-elle.

— Non.

— Je me cherche de nouvelles amies.

— Nous pouvons être amis? lui proposa-t-il spontanément.

—Tu es un gars.

Perplexe, il reprit sa position en se tournant vers l'avant.

— Tu as des frères? lui demanda-t-il sans se retourner.

— Non. Comment t'appelles-tu?

— Sami.

—Ton vrai nom? redemanda-t-elle.

— Sami.

— Ça, ça s'appelle un surnom. Quel est ton prénom?

— Sami! répéta-t-il pour la troisième fois en se retournant vers elle.

— Sami qui? articula-t-elle rapidement.

— Donovan.

— C'est ton deuxième prénom? dit-elle l'air préoccupé.

— C'est mon nom de famille! Je m'appelle Sami Donovan.

— Charlene, dit-elle en ricanant.

— C'est ton nom de famille? répliqua-t-il du tac au tac.

Ils éclatèrent de rire.

—Tu pourrais être mon ami? lui proposa-t-elle.

— Je ne suis pas une fille, répliqua-t-il.

— Mais je le sais!

— Alors je ne peux pas être ton ami, continua-t-il tout en retenant son envie de rire.

Charlene resta silencieuse et perdit son sourire. Elle se tourna vers la fenêtre. Ne pouvant se contenir une seconde de plus, il pouffa de rire. Elle le jaugea du regard puis un magnifique sourire illumina son petit visage en forme de pleine lune. Ses yeux très noirs et en amande brillaient tout comme l'éclat de ses dents blanches entre ses lèvres rosées.

—Ta maison devrait être située près de la mienne.

— Nous n'avons pas de voisins, dit Sami.

— Je suis montée dans l'autobus juste avant toi, ce qui veut dire que je demeure près de chez toi! dit-elle en haussant les épaules et levant les bras.

— Impossible !

— Tu peux demander au chauffeur ! répliqua-t-elle, cherchant une approbation.

— Depuis quand habites-tu ici ? lui demanda-t-il.

— Une semaine. C'est une nouvelle maison. Elle est très grande, tu sais !

— Pas aussi grande que la mienne, dit-il avec assurance.

— Il y a onze pièces en plus d'une piscine, lui mentionna-t-elle.

— Oh ! Mais chez moi, il y a un grand escalier et deux étages.

— Nous aussi ! ajouta-t-elle avec un air vainqueur.

— Moi j'ai un grand jardin, des arbres hauts comme trois maisons, un lac et aussi un pont.

— Un lac ? s'exclama-t-elle intriguée.

— Avec des poissons en plus !

— Wouah !

— Et quand il fait très chaud, je peux me baigner et nager ! ajouta-t-il fièrement.

— Avec les poissons ?

— Euh oui ! Pourquoi ? Tu as peur ?

— Je n'aime pas les poissons ! avoua-t-elle en grimaçant.

— Ils sont inoffensifs. Ils s'éloignent lorsqu'on se baigne.

— Tes poissons sont gentils ?

— Je les connais depuis que je suis né !

— Ils sont vieux ! C'est pour cela qu'ils s'écartent quand tu nages !

— Tu veux venir les voir ?

Elle lui adressa un sourire rayonnant.

— J'aimerais bien ! répondit-elle excitée.

— Demain, vendredi après l'école, tu pourras venir.

— Je dois apporter une ligne à pêche ? demanda-t-elle l'air sérieux.

— Je n'ai pas dit que je t'invitais pour les manger, mais plutôt pour les observer ! spécifia-t-il.

— Il faut les sortir de l'eau pour les voir non ?

Sami éclata de rire.

— Allez les enfants, nous y sommes. Tout le monde descend ! annonça le chauffeur.

Sami saisit sa boîte à lunch et le sac contenant ses espadrilles. Son sac à dos resté sur ses épaules sembla lui peser lourd. Il tenta à deux reprises de se lever avant de réussir. Il finit par sortir tant bien que mal de son banc. Charlene le devança. Elle portait un petit sac mauve sur ses épaules et sa boîte à lunch rose dans la main gauche.

— J'ai une nouvelle amie! dit Sami en passant devant le chauffeur.

— Moi aussi, rétorqua Charlene.

Elle regarda Sami en lui adressant son plus grand sourire.

— Bonne journée les enfants!

Chapitre 5

Il conduisait prudemment. Les deux mains bien serrées sur le volant, il empruntait les courbes à basse vitesse tout en se mordillant, par moments, la lèvre inférieure. Le regard attentif sur la route, une chanson du groupe Nickelback jouait en sourdine. Il tâta le bouton de la radio et en augmenta le volume tout en gardant les yeux fixés droit devant : « ... and I miss you, been far away for far too long. I keep dreaming you'll be with me and you'll never go, stop breathing if I don't see you anymore... »

Ses yeux s'emplirent de larmes à l'écoute des paroles chantant le manque de l'autre, l'amour enfui. Ses mains se décrispèrent sur le volant, ses épaules s'affaissèrent.

— P'Pa. Tu me manques, dit-il en soupirant.

Il renifla.

— Si tu savais combien tu me manques encore aujourd'hui. Si tu savais. Tu es si loin depuis trop longtemps. Ton absence m'est encore bien difficile par moments. Je sais, tu ne reviendras pas, mais je me permets encore de rêver quelquefois de ce que nous serions devenus, ensemble, père et fils. Ma vie continue, mais sans toi. Je ne t'oublie pas, raison pour laquelle je veux tant rencontrer Sarah. J'en ai tellement besoin. D'une certaine manière, c'est un peu ma façon de tenter de me rapprocher de toi. J'espère y découvrir des détails, des choses que j'ignore et qui m'apprendraient à te connaître un peu plus autrement qu'en tant que père. J'aimerais connaître l'homme que tu as été, murmura-t-il.

Il s'essuya le coin de l'œil rapidement.

— « ... I'd give it all, I'd give for us, give anything, but I won't give up...» fredonna-t-il, accompagnant la voix du chanteur.

— Ne jamais s'arrêter, ne jamais lâcher, c'est ce que tu étais n'est-ce pas ? Un gagnant ? Ma vie continue. Elle se poursuit sans ta présence près de moi, près de nous. Je vais vers Sarah afin de tenter de te découvrir un peu plus. Tu me manques p'pa. Tu me manques tellement.

Sous un soleil radieux, il continua sa route. Arrivant enfin près de la voie de service, il activa le clignotant et tourna vers la gauche, empruntant le chemin privé menant à la maison de Sarah.

— Est-ce normal que les battements de mon cœur s'accélèrent et que mes yeux ne soient plus assez grands pour tout voir ?

Il scruta l'horizon en tournant la tête de gauche à droite.

— Ça fait dix ans ! Dix années que j'y suis venu. Je n'avais pas souvenance de la beauté de ce lieu magnifique. Le pont, oui, le petit pont, je me souviens. Et la maison ! Oh là ! Maman et Marie étaient tout aussi surprises, je me souviens, dit-il émerveillé en se parlant à lui-même.

Il roula lentement jusqu'à la porte d'entrée principale où il immobilisa sa voiture. Les mains légèrement tremblantes, il coupa le moteur et inspira profondément. Il ouvrit la portière d'une main ferme et décidée. Il s'immobilisa pour contempler à nouveau l'œuvre de son père. Il marcha jusqu'à la haute porte blanche qui s'ouvrit au même moment.

— Oh, dit-il en sursautant à la vue de Sarah apparaissant sur le seuil.

— Bonjour Francis, dit-elle en l'accueillant d'un sourire chaleureux.

— Bonjour Madame Sarah. Vous allez bien ?

— Tu peux me tutoyer ? Je ne suis pas si âgée après tout.

— C'est que vous avez l'âge de mes parents, spécifia-t-il timidement.

— Je préfère que tu m'appelles Sarah. Oublions le vouvoiement d'accord ?

Les joues empourprées, il hocha la tête de haut en bas.

— C'est pour vous, euh pour toi, dit-il en en lui offrant un sac plastifié couvrant un bouquet de fleurs.

La surprise se lut sur le visage de Sarah. Elle prit les trois roses bleues qu'il lui tendit. À son tour, son teint prit une couleur plus rosée.

— Je voulais vous, je voulais te remercier pour l'invitation, exprima-t-il gauchement.

— Ce n'était vraiment pas nécessaire.

— Ça me fait plaisir.

— Elles sont magnifiques. Tu sais que ton père m'en offrait ? osa-t-elle.

— Tel père, tel fils, dit-il, la fierté dans le regard.

Elle parut mal à l'aise devant la spontanéité et le sourire naissant sur le visage de son jeune visiteur. Au départ intimidé, il releva aussitôt la tête, visiblement heureux de son initiative. Elle tourna les talons et entra dans la maison suivie du fils de celui qu'elle avait tant aimé.

— Mon père vous, euh t'apportait des roses bleues ? demanda-t-il, tentant de meubler maladroitement la conversion.

Elle lui fit un signe affirmatif de la tête. Une fois entrés, elle referma lentement la porte derrière son invité ébahi. Au moment où il leva les yeux, sa bouche s'entrouvrit à la vue du majestueux hall d'entrée. Son regard passa du salon au grand escalier d'acajou menant au deuxième étage. Elle le laissa apprécier le chef-d'œuvre.

— C'est mon père qui a construit tout cela ?

— Je crois que oui.

— C'est très beau, finit-il par articuler d'une voix tremblante.

— Gabriel a pensé à tout.

— Du peu que je me souvienne, Papa travaillait de façon remarquable, ajouta-t-il très ému.

— Tu veux visiter ?

Il haussa timidement les épaules. Elle se dirigea vers la cuisine.

— Ici la cuisine, la salle à manger, le solarium quatre saisons, décrivit-elle.

— C'est magnifique, dit-il l'air ébloui.

Les yeux écarquillés, Francis détailla du regard avec émerveillement les pièces en suivant Sarah pour revenir vers le salon avec le foyer à trois faces.

— Mon père a vraiment construit tout cela ? s'informa-t-il à nouveau tout en poursuivant sa visite, s'arrêtant par moment pour admirer les détails de chacune des pièces.

— Je ne pourrais te confirmer s'il a tout fait lui-même, mais une chose est certaine, il y a certains détails dans cette maison qui reflètent littéralement sa signature.

— Des détails? demanda-t-il, se tournant vers son hôtesse.

— Je dirais qu'il a apposé sa signature personnelle à certains endroits particuliers.

— Ah oui?

— Viens.

Il la suivit quelques pas en arrière. Ils montèrent l'escalier impeccable et brillant. Il toucha discrètement le bois ciré. Ils se dirigèrent vers la salle de bain. Il eut un moment d'hésitation avant d'y pénétrer. Elle lui fit signe de la main l'invitant, à la devancer.

— Tu remarques quelque chose de spécial? lui demanda-t-elle, levant les bras en direction des murs.

Il fit une dizaine de pas et se retrouva au centre de la salle de bain. Il détailla d'abord les fenêtres puis la magnifique baignoire blanche aux pattes dorées. Il considéra ensuite les lavabos et finit par incliner la tête vers le plancher. Comme il ne sembla rien remarquer de spécial, il releva le menton. Ses yeux s'élevèrent en direction du plafond, s'attardèrent aux lampes d'éclairage et à la finition impeccable des poutres et du carrelage. Tournant de quarante-cinq degrés sur lui-même, il remarqua le mur à sa droite. Ses yeux s'agrandirent, se transformant en deux billes rondes. Les larmes lui montèrent instantanément en apercevant les lettres incrustées dans la céramique. Il s'avança un peu plus près, étonné et ému. Il leva le bras et posa sa main gauche entre les lettres G et S, son pouce touchant à peine la lettre G bien incrustée dans la céramique blanche.

— G pour Gabriel et S pour Sarah, murmura-t-il.

Elle le lui confirma du regard. Touchée et émue, elle mit la main contre ses lèvres en s'abstenant de tout commentaire face à la réaction de Francis. Il resta immobile. Seul son index tremblant glissa lentement sur la lettre G qu'il effleura comme s'il la dessinait. Deux pas derrière, Sarah attendait immobile, observant avec émotion le fils de Gabriel.

— Ça va? osa-t-elle demander.

Il retira sa main qu'il fourra dans la poche de son jeans et se racla la gorge.

— Ouais.

Elle fit demi-tour et sortit de la salle de bain. Il resta à regarder la lettre G quelques secondes avant de sortir et la suivre. Ils terminèrent la visite du premier étage en regardant avec attention l'entrée de chaque chambre. La visite du premier étage terminée, ils retournèrent vers le grand escalier.

— Il y a d'autres signes? demanda Francis visiblement à la recherche d'autres traces de son père.

— Aussi évident que celui-ci? Non.

Il parut déçu.

— Il y a le lac, les fleurs, le jardin, ajouta-t-elle.

Elle s'avança vers le grand escalier qu'elle descendit. Fasciné, il la suivit en regardant tout autour, à la recherche d'autres éléments qui lui rappelleraient son père. Ils retournèrent vers la cuisine, jusqu'au solarium vitré offrant une vue imprenable sur la cour. Des arbres et des fleurs de toutes sortes s'agençaient harmonieusement tant par leurs couleurs que leurs formes minutieusement cultivées et entretenues par la propriétaire des lieux.

— Mon père a planté ces arbres? demanda-t-il contemplatif.

— Chaque plante, chaque vivace ainsi que l'aménagement paysager sont entièrement son œuvre. Chaque détail a été soigneusement réfléchi et aménagé.

— Je ne lui connaissais pas ce talent, ajouta le fils subjugué par tant de beauté.

L'émotion était palpable. Tous deux admirèrent sans mots l'architecture agricole.

— Il aimait jouer avec nous, lança-t-il.

— Il vous aimait beaucoup, répliqua-t-elle surprise de cette confidence.

— Il nous a appris à ma sœur et moi comment prendre soin des fleurs, comment faire du jardinage. Je me souviens, lorsque j'eus huit ans, nous avons planté un arbre tous les trois, confia-t-il du bout des lèvres.

— Vous l'avez toujours? lui demanda-t-elle d'une voix douce.

— C'était un simple petit bouleau. Aujourd'hui, il doit sûrement faire dans les cinq mètres. Il couvre entièrement d'ombre la galerie, dit-il les yeux brillants.

— Tu veux de la limonade ? lui demanda-t-elle, évitant son regard.

— Je prendrais de l'eau.

— Tu préfères une bière ?

Il rougit.

— Vous en prendrez une aussi ?

— Pardon ?

— Tu en prendras une aussi ? se reprit-il.

Elle lui sourit et marcha jusqu'à la cuisine. Alors qu'elle s'éloignait, il s'approcha de la fenêtre du solarium. Ses épaules retombèrent. Il contempla le paysage garni des nombreuses variétés de fleurs aux tons de rouge, rose, mauve et jaune. Les arbres commençaient à peine à perdre leurs feuilles et arboraient déjà les couleurs de l'automne. Le regard perdu dans autant de beauté face à cet aménagement paysager, il n'entendit pas Sarah s'approcher et sursauta lorsqu'il l'aperçut près de lui, lui tendant une bière.

— Santé ! dit-elle en levant sa bouteille.

Il leva la sienne et prit une gorgée.

— Je peux m'asseoir ?

Elle acquiesça. Ils prirent place chacun sur une chaise en osier blanc. Les coussins confortables aux teintes d'oranger et de jaune se mariant à merveille avec le paysage devant eux, elle se tourna vers lui.

— Alors Francis, pourquoi tenais-tu à me rencontrer ?

Chapitre 6

— Marie, Francis, le souper est prêt.

— Je n'ai pas faim.

— Je n'ai pas cuisiné durant tout ce temps pour manger seule.

— Grrr. J'arrive dans deux minutes, grogna Marie.

— Tout de suite, ordonna Julia en déposant les assiettes appétissantes. Marie sortit de sa chambre située au sous-sol. Elle grimpa l'escalier deux marches à la fois. Un crayon dépassait de son chignon. Essoufflée, elle s'assit à la place de Francis.

— Où est ton frère?

— Je ne sais pas, répondit Marie en haussant les épaules.

— Est-il au centre d'achat?

— Je ne sais pas.

— Chez un ami?

— Je ne sais pas maman! répondit-elle exaspérée.

— Appelle-le s'il te plaît.

— Nul besoin de l'attendre. Mangeons, proposa-t-elle en évitant le regard de sa mère.

Julia la considéra.

— Qu'est-ce que tu me caches?

Faisant fi de la question de sa mère, elle se tourna pour voir qui entrait dans la cuisine.

— Allo Zachary! lança Marie en apercevant son beau-père.

— Ça va ma belle? Je ne t'ai pas entendue de la journée. Tu étais dans ta chambre?

— J'étudiais.

— Marie! coupa Julia d'un ton autoritaire.

Elle lui tendit le téléphone sans fil. Marie le prit impatiemment des mains de sa mère et composa le numéro de cellulaire de son frère.

— Pas de réponse, dit-elle en raccrochant.

— Tu peux lui laisser un message? insista Julia qui servait Zachary. Marie recomposa le numéro et attendit les trois sonneries.

— C'est moi, rappelle-nous, dit-elle simplement en coupant la communication.

— Hum! Ça sent tellement bon. Qu'est-ce que c'est? demanda Zachary.

— Truite saumonée et pâtes au pesto, le tout cuisiné par moi-même, énonça Julia visiblement fière du repas.

Elle s'assit et observa Marie qui mangeait avec appétit.

— Tu peux me dire où il peut bien être allé? Et depuis quand est-il parti? demanda-t-elle à sa fille.

Marie prit une autre bouchée de sa truite, évitant de répondre la bouche pleine. Elle mastiqua lentement puis reprit avidement une autre bouchée.

— C'est à toi que je parle Marie.

— Je l'ignore, répondit-elle les joues empourprées.

Assise face à sa fille, Julia s'inclina un peu plus dans sa direction.

— Où est ton frère? lui demanda-t-elle en la dévisageant.

Marie s'arrêta net de manger. Elle posa sa fourchette et se leva d'un bond.

— Non, non jeune fille. Assieds-toi et dis-moi où se cache ton frère.

Marie fit comme si elle n'entendait pas et s'apprêtait à descendre l'escalier lorsque Julia se leva à son tour.

— Marie. Marie! Qu'est-ce qui se passe? Je veux simplement savoir où se trouve ton frère. Juste à te regarder, je te connais suffisamment pour comprendre que tu sais exactement où il se trouve. Alors, pourquoi refuser de me le dire? demanda Julia, prenant un ton plus doux.

— Tu me promets de ne pas te mettre en colère?

Julia soupira.

— Allez viens manger, dit-elle calmement.

Elles reprirent leur place. Tête baissée, Marie leva les yeux en direction de Zachary qui dégustait sa portion de truite saumonée. Elle prit à nouveau sa fourchette et piqua un morceau de poisson. Elle posa sa prise entre ses dents en prenant soin de retirer sa fourchette lentement. Assise aussi droite qu'un général au garde à vous, Julia observait sa fille sans mots dire. Marie posa sa fourchette, se leva et se dirigea vers le réfrigérateur. Julia continua de la scruter. Ses joues s'empourprèrent, mais elle demeura silencieuse. Marie revint et se versa doucement un verre de lait.

— Quelqu'un en veut?

— Non merci, répondit son beau-père.

Les lèvres pincées, Julia fixa sa fille.

— Il est chez Sarah, lança Marie dans un soupir.

— Qui?

— Sarah.

— Une nouvelle copine?

— Sarah Donovan, spécifia-t-elle d'une voix à peine audible.

— Donovan? Tu as bien dit Donovan? répéta Julia qui commença à s'énerver.

Marie confirma d'un signe de tête. Zachary échappa sa fourchette.

— Désolé, dit-il après avoir lui-même sursauté.

— Quoi? Il est parti chez Sarah Donovan? Dis-moi que je rêve? Il est parti chez cette... cette voleuse? Mais quelle idée lui a encore passée par la tête pour aller chez elle? C'est une blague? Ce n'est pas sérieux n'est-ce pas? demanda Julia rouge de colère.

Marie haussa les épaules.

— Tu en es certaine? osa Zachary tentant de calmer le climat de tension qui s'installait.

— Il m'a demandé de l'accompagner, expliqua Marie en s'adressant à son beau-père.

— Il t'a quoi? coupa Julia d'une voix aigüe.

— Maman, ne t'énerve pas comme ça.

— Ne pas m'énerver?

— Elle a raison, calme-toi Julia, ajouta Zachary.

— Toi, ne t'en mêle surtout pas. C'est une discussion entre ma fille et moi.

— Je fais partie de cette famille, répliqua-t-il.

— Il voulait lui parler, discuter avec elle, ajouta Marie qui devenait anxieuse.

Julia se leva et lança son assiette dans l'évier. Marie sursauta et se leva à son tour.

— Julia ! dit Zachary d'une voix forte.

— Il voulait lui parler, il voulait lui parler ! Mais de quoi donc ? Mais qu'est-ce qu'il a dans la tête ? Cette femme ne nous a pas assez fait de mal ?

— Julia ! répéta Zachary.

— Reste en dehors de tout ça tu veux ? cria-t-elle.

Marie laissa tomber sa fourchette et se leva pour courir vers l'escalier menant à sa chambre.

— Julia, tu te calmes.

— La ferme ! hurla-t-elle hors d'elle-même.

— Pas question. Calme-toi et écoute-moi pour une fois. N'as-tu pas assez d'un mort sur la conscience ? lança-t-il.

Marie s'arrêta net au milieu de l'escalier. Elle fit demi-tour et remonta jusqu'à la salle à manger.

— Un mort ? demanda Marie paniquée.

— La ferme, cracha Julia en pointant un index vers Zachary.

Marie se mit à trembler.

— Pas cette fois. Tu ne recommenceras pas. Laisse faire Francis. Il est assez mature pour faire ce qu'il veut. Reste en dehors de tout cela. Tu m'entends ?

— Mature ! Tu parles ! C'est mon fils et je lui défends d'aller voir cette Sarah Donovan.

— Il est majeur, précisa Zachary.

— Tant que je vivrai, je vous interdirai à tous de vous approcher de cette voleuse c'est clair ? cracha Julia.

— Qui est mort maman ? demanda Marie au bord des larmes.

— Personne.

— Elle a le droit de savoir, répondit Zachary.

— Tais-toi !

Il l'ignora et se tourna vers Marie affolée.

— Un bon, ou plutôt un ancien ami à moi a été engagé par

ta mère…

— Arrête Zachary, coupa Julia.

— … pour enquêter sur Sarah. Il s'est rendu jusqu'en Jamaïque pour…

— Elle n'a pas à savoir cela, l'interrompit Julia.

— … en savoir un peu plus sur ce qui s'était passé durant le voyage de Sarah et son copain ainsi que pour l'accident, mais…

Julia bondit et quitta la cuisine. Elle courut se réfugier dans sa chambre et claqua la porte.

— Tu n'es pas obligé de tout me dire Zach, dit Marie blêmissant et affichant un air coupable.

— Tu veux connaître le fond de l'histoire ou pas?

— Si tu veux.

— Non toi, est-ce que tu tiens à le savoir? demanda-t-il d'une voix posée, mais ferme.

Elle s'assit, poussa son assiette et mit ses coudes sur la table. Elle le regarda droit dans les yeux.

— Pourquoi est-il mort? Quel lien a-t-il avec ma mère?

— Elle a engagé quelqu'un, un de mes amis, pour faire des recherches sur Sarah. Frank était mandaté pour trouver des informations dans le but de les refiler à ta mère qui, elle, voulait tenter de les utiliser afin de récupérer la maison de Sarah et avoir la preuve que…

— De quoi est-il mort? coupa-t-elle.

— La police l'aurait capturé en croyant qu'il tentait d'obtenir des renseignements sur le gouvernement. Ils ont supposé qu'il était un espion, un agent double ou je ne sais quoi. Frank m'a téléphoné lorsqu'il était emprisonné. Il était nerveux, mais confiant de sortir dans les jours suivants. Deux jours plus tard, j'ai reçu un appel du service de police m'informant qu'il était mort.

— De quoi?

— C'est nébuleux, une bataille qui aurait mal tourné.

Elle se prit la tête à deux mains.

— Quelle histoire incroyable!

— Ils ont fait erreur sur l'intention. C'est malheureux.

— Tu en veux à maman?

— Frank savait ce qu'il faisait.

Il se leva et se dirigea vers le comptoir, l'air hagard. Il posa son assiette avec précaution, et revint s'asseoir. L'air sombre, Marie releva la tête, ses yeux reflétant une fureur teintée de tristesse.

— Je ne comprends pas.

— Que veux-tu dire ?

— Après tout ce qui s'est passé, pourquoi restes-tu avec maman ?

D'abord contrarié, son visage se changea en un air surpris. Il tendit le bras et prit la main de sa belle-fille.

— Même les gens que l'on aime font des choses qui nous déçoivent, mais nous continuons tout de même de les aimer.

— Je ne suis pas certaine de comprendre.

— Un jour, tu comprendras.

— L'on peut continuer d'aimer quelqu'un qui fait des choses méchantes ?

— Ce n'est pas forcément toute la personne qui est méchante, seulement une partie de son comportement qui peut l'être.

— Je n'y comprends vraiment rien de rien.

— L'amour nous fait accepter bien des choses, affirma-t-il l'air songeur.

L'air mitigé, elle haussa les épaules. Elle tira vers elle son assiette et recommença à manger. Elle avala deux bouchées et termina son repas. Il se leva et prépara le café. Tous deux ne virent pas le mince sourire sur les lèvres de Julia ni la porte de la chambre se refermer sans bruit.

Chapitre 7

Mal à l'aise, il n'était assis qu'au bord de sa chaise. Il regardait à travers l'immense fenêtre le paysage immobile.

— Digne d'une toile d'un grand peintre, dit-il maladroitement.

Sarah l'observa en versant sa bière dans une flûte. Voyant qu'elle prenait une gorgée, il l'imita, mais buvant directement à la bouteille. Se tournant vers Sarah, il se redressa.

— Parle-moi de mon père.

La rapidité de la question lui fit presque renverser le liquide jaunâtre.

— Qu'aimerais-tu savoir ?

— Tout.

Elle écarquilla les yeux.

— Tu sais, ton père et moi ne nous sommes fréquentés que quelques mois.

— Peu m'importe.

— Par moments, il me parlait de ta sœur et toi.

— C'est ce que je veux savoir. Que racontait-il ?

— Tu es toujours aussi direct ? demanda-t-elle les joues rosées comme si un vent du nord les avait fouettées.

— Désolé, dit-il l'air intimidé.

Elle se tourna vers le paysage, noyant son regard dans la beauté de la forêt. Elle se racla la gorge.

— Eh bien, que disait-il ? marmonna-t-elle à voix basse comme si elle réfléchissait.

— Je veux tout savoir.

Elle eut une légère hésitation.

— Il me… il me parlait de ce qui se passait à cette époque…

— De quoi parlait-il ? demanda-t-il anxieux.

— Surtout des détails de votre quotidien. Par exemple, le jour de votre rentrée scolaire, de vos réussites académiques, qui étaient vos amis, de vos balades à vélo, des châteaux de sable que vous construisiez…

L'air distrait, il observait l'envol d'un merle.

— Ça va Francis ? demanda-t-elle en voyant perler une larme au bord des cils du fils de celui qu'elle avait tant aimé.

— Que disait-il d'autre ? demanda-t-il en se ressaisissant.

— Qu'il vous aimait beaucoup !

Il soupira et couvrit ses paupières de sa main droite.

— Pourquoi est-il parti ?

— Il n'est jamais parti, répondit-elle d'une voix réconfortante.

— Ce n'est pas ce que ma mère raconte, dit-il en tourna la tête vers son interlocutrice.

Leurs regards se croisèrent. Elle se leva et s'approcha un peu plus de la grande fenêtre. Elle passa la main dans ses longs cheveux lisses et saisit une mèche qu'elle fit tourner entre ses doigts.

— Ton père ne vous a jamais abandonnés.

— Il a quitté ma mère pour toi.

— Aucunement.

— Pourquoi donc est-il parti subitement ?

— Ne devrais-tu pas poser ce genre de questions à ta mère ?

— Je les lui ai déjà posées à plusieurs reprises.

— Et ?

— Elle persiste à dire que mon père nous a quittés.

Sarah revint vers lui et s'accroupit de façon à lui faire face.

— Tu veux savoir la vérité ?

— C'est pour cela que je suis ici, dit-il en soutenant visuellement toute l'intensité qu'elle dégageait.

Elle inspira profondément, pencha la tête vers l'avant puis la releva. Elle le jaugea du regard.

— Ta mère avait un amant, lança-t-elle.

— Impossible.

— Il était très riche.

— Ce n'était qu'un ami, répliqua-t-il en prenant un air plus sombre.

— Un soir, après que ta sœur et toi étiez profondément endormis, elle a foutu Gabriel à la porte.

— Ce n'est pas possible.

— Elle lui a demandé de ne plus jamais revenir, lui disant qu'elle avait trouvé un homme qui pourrait subvenir aux besoins de ses enfants.

— Quoi?

— Elle lui a aussi avoué qu'elle n'éprouvait plus aucun sentiment pour lui, qu'elle était amoureuse d'un autre homme.

Il blêmit. Ses mains commencèrent à trembler.

— Mon père nous adorait.

— Je sais.

— Il jouait constamment avec nous. Mon père ne serait jamais parti si…

— Ta mère en avait décidé autrement, compléta-t-elle.

— Pourquoi ne nous a-t-il pas gardés avec lui?

— Ta mère…

— Mais elle n'avait pas le droit de faire cela? coupa-t-il la rage au cœur.

— Il venait de perdre son emploi, il était sans le sou, démuni. Il ne voulait que votre bien. Rien ne comptait plus que votre bonheur, et ce au détriment du sien.

— Je ne comprends pas…

— Il l'a fait contre son gré.

— Pourquoi n'est-il pas resté pour nous?

— La vérité te paraîtra cruelle, mais c'est ce que ta mère voulait.

— Elle n'avait pas le droit de nous éloigner de notre père, dit-il d'une voix trahissant sa peine.

— Tu te souviens de cet homme qui vous emmenait faire du ski, qui vous payait des fins de semaine dans des endroits de rêve?

— Tu parles de Bobby?

— Je ne connais pas son prénom. Je sais seulement qu'il était très riche et qu'il vous achetait tout ce que vous vouliez. Il vous emmenait ou plutôt il vous envoyait là où vous rêviez d'aller ta sœur et toi.

Il joignit les mains et croisa les doigts si forts qu'ils devinrent blancs. Appuyé sur ses coudes, il commença à se balancer d'avant en arrière.

— Je m'en souviens très bien. Pourtant, ma mère nous a toujours dit qu'il avait eu la générosité de nous prendre comme ses enfants, car mon père nous avait abandonnés, relata-t-il avec de la colère dans la voix.

— Et tu l'as crue ? demanda-t-elle l'air triste.

Il se mit à pleurer comme un enfant. Elle leva les bras au ciel et se prit les joues à deux mains. Ébranlée, elle eut une certaine hésitation puis posa la main sur l'épaule de Francis. Il leva aussitôt le bras, lui signifiant de ne pas le toucher. Elle retira aussitôt sa main.

— Nous étions sans nouvelles durant des mois. Nous ne le voyions qu'occasionnellement. Il aurait pu…

— Ton père a été très malade.

— Le cœur ? s'informa-t-il en reniflant.

— Il a fait un premier infarctus après la séparation. Il fut ensuite pris en charge par un service spécialisé.

— Ce qui veut dire que lorsqu'il est venu en convalescence à la maison, c'était un deuxième problème cardiaque ?

— Si on veut.

— Et tu étais avec lui ? lui demanda-t-il en la scrutant jusqu'au fond de l'âme.

— Bien sûr. J'étais auprès de lui lorsqu'il a eu sa deuxième attaque cardiaque. Tu connais la suite, il fut soigné par ta mère et son conjoint.

— Je m'en souviens. Alors vous n'en étiez pas au début de vos fréquentations à ce moment-là ?

— Nous étions ensemble depuis près de six mois.

— Ma mère nous a donc de nouveau menti en nous disant que tu venais de le rencontrer ?

— Elle ne devait pas savoir, mentit Sarah.

— Pourquoi es-tu si gentille à l'égard de ma mère ? Elle te déteste.

Elle répondit d'un haussement d'épaules. Elle retourna s'asseoir et se trempa les lèvres dans sa flûte à bière. Lorsqu'elle la posa sur la table, elle remarqua qu'il la dévisageait. Intimidée, elle tourna la tête en direction de la fenêtre. Pensive, elle sembla se perdre dans la splendeur du paysage automnal alors que la tristesse gagnait son visage basané.

— Vous étiez sa raison de vivre. Tu sais, lorsque j'ai rencontré ton père, il pouvait avoir un sourire des plus magnifiques en même temps qu'un visage trahissant une tristesse indescriptible qui le submergeait chaque fois qu'il parlait de vous, sa famille qu'il avait perdue.

— Et tu sais pourquoi il ne venait nous voir que quelquefois durant l'année?

— Parce que ta mère l'en interdisait, lança-t-elle.

— Il aurait pu faire valoir ses droits?

— Il a préféré acheter la paix. Il voulait à tout prix vous protéger. Il croyait que vous étiez plus heureux avec un homme qui pouvait vous offrir tout ce que vous pouviez lui demander. Il était sans le sou et un tel pourvoyeur devenait une mine d'or pour des enfants.

— Comment a-t-il pu croire à une telle chose?

— À un certain âge, ce que les enfants veulent est bien loin de l'idée de réclamer la présence de leurs parents. Ils préfèrent plutôt obtenir le dernier jeu électronique sur le marché, aller faire du ski et du snowboard avec des amis dans les sites les plus prestigieux, sortir avec des copains en ayant de l'argent plein les poches et…

Il la regarda avec amertume.

— Je m'en souviens très bien. Durant cette période de notre vie, il est vrai que Marie et moi avions tout ce que nous demandions et même plus que ce que nous désirions. Nous n'avions qu'à en parler et le lendemain nous l'obtenions. Je me souviens aussi que ma mère était très heureuse lorsqu'elle était avec Bobby. À elle aussi, il lui achetait tout ce qu'elle lui demandait.

— Et ton père te manquait à cette époque?

Il se renfrogna.

— Pas vraiment, reconnut-il tristement.

— Ne t'en veux pas. C'est quelque peu normal à cet âge.

— Si j'avais su qu'il partirait si vite…, grommela-t-il, l'air rempli de regrets.

— On ne peut prévoir de telles choses, continua-t-elle en tentant de le réconforter.

— Il me manque. J'aurais tant de choses à lui dire, avoua-t-il en se laissant tomber la tête.

Il hoqueta.

— Ton beau-père est gentil avec vous? osa-t-elle lui demander.

— Je n'ai rien à dire contre Zachary. Il a toujours été cool avec nous, mais il n'est pas notre père.

— Je comprends.

— Il te manque à toi? lui lança-t-il.

Étonnée de la question, elle rougit, laissant un sourire discret illuminer son visage.

— J'avoue que depuis l'arrivée de Sami, bien des choses sont différentes. Il fut un temps où il me manquait terriblement. Tellement que j'avais l'impression, par moments, qu'il se tenait tout près de moi.

— Moi aussi ça m'est déjà arrivé! lança-t-il pantois.

— Combien de soirées ai-je passées à me remémorer les moindres souvenirs, à regarder des photos de lui, de nous, à écouter des messages qu'il avait laissés sur mon répondeur…

— Tu les as toujours? l'interrompit-il, une lueur d'espoir dans les yeux.

— La cassette s'est brisée. Je les ai tous perdus.

La déception apparut aussitôt sur son visage à l'air enfantin.

— Ce jour-là, j'ai cru mourir de peine. J'ai eu l'impression que je venais de le perdre pour toujours, une seconde fois, ajouta-t-elle en buvant une gorgée de bière.

Il l'imita tout en levant la tête. Il se frotta le menton.

— Et pourquoi est-ce différent aujourd'hui? Il ne te manque plus.

— Aussi étrange que cela puisse paraître, non. Je ne le sens plus aussi présent qu'avant.

— Que veux-tu dire?

— Auparavant, je pouvais presque, ou plutôt je dirais que je sentais quasiment sa présence à mes côtés. Je crois même lui avoir parlé une fois.

— Parlé?

— Tu te souviens de l'accident et de mon hospitalisation?

— Certain! J'avais eu assez peur quand je t'ai vue alitée!

— Tu m'as vue?

— À l'hôpital. Tu m'as fait peur! répondit-il promptement.

— Que faisais-tu là?

— J'étais perdu et je suis entré dans ta chambre pour te saluer.

— Et je dormais ? demanda-t-elle étonnée.

— Tu étais dans le coma.

— Ah !

— Alors comment peux-tu dire que tu as parlé à mon père ?

Une certaine sérénité apparut sur son visage.

— Lorsque j'ai eu mon accident, l'on m'a raconté que j'ai perdu connaissance avant de sombrer dans le coma. C'est à ce moment qu'il est venu près de moi et qu'il m'a parlé.

— Tu as peut-être rêvé ? demanda-t-il sceptique.

— J'en ai parlé à mon amie Lina lorsque je suis sortie du coma.

— Peut-être as-tu rêvé de lui ?

— C'est ce que ma meilleure amie me disait également. Pourtant, je suis convaincue qu'il était là et qu'il m'a parlé.

— Ça alors !

— Une autre fois, j'étais à l'hôpital et je l'ai senti. J'ai senti sa présence. Il était là, si près…

Il l'observait d'un œil attentif revivre ces moments. Le regard aussi fixe qu'une somnambule, elle semblait ignorer Francis maintenant face à elle.

— Même si le médecin et mes amies me répétaient que cela était impossible, je les ai ignorés. J'avais et j'ai encore cette certitude que Gabriel était là, tout près. Ensuite, plus les jours passaient, plus je ressentais sa présence.

— Était-ce dû aux médicaments ?

— Je l'ignore. Toutefois, ce dont je suis convaincue c'est qu'il veillait sur moi. Je me répète, mais j'avais et j'ai encore la certitude qu'il voulait que je sache qu'il était présent.

— Et tu le ressens encore aujourd'hui ?

— Non.

— Moi non plus, avoua-t-il.

— Toi non plus ? C'est bien la première fois que quelqu'un me dit avoir ressenti une telle présence. Et tu ne ressens plus rien du tout ?

— Rien de rien ! Je vais au cimetière, je lui parle par moments, mais rien ne se passe, pas de vision, pas de réponse et rarement des rêves.

— Tu as rêvé de lui ? demanda-t-elle curieuse.

— Quelques fois, mais c'était toujours le même rêve.

— Raconte.

— Il me fait un sourire et m'envoie la main comme lorsque je quittais la maison pour aller faire une promenade à vélo.

Elle eut un sourire attendri.

— C'est aussi cette image qui me revient quand je me souviens de Gabriel. Avec le temps, la peine s'estompe et les souvenirs reviennent non pas pour nous attrister, mais plutôt pour nous rappeler les bons moments que nous avons partagés.

— Tu n'as plus de peine ?

— Non.

— Tu en as de la chance !

— Je dirais même que je ressens une certaine sérénité chaque fois que je pense à lui.

— Une sérénité ? Comment fais-tu ? Moi, chaque fois que je pense à mon père, j'ai de la peine. Il me manque terriblement. Comment fais-tu ?

— Avec le temps, la douleur s'en va.

— J'aimerais bien en être à ce point. Pour moi, plus le temps passe et pire c'est. Certaines fois, cela devient si intense que je pleure sans pouvoir me retenir. Je ne l'oublierai jamais. Jamais. Jamais.

— Je ne l'oublie pas non plus ; avec l'arrivée de Sami qui a pris une très grande place, pour ne pas dire toute la place !

— Allo Maman !

— Le voilà justement ! dit-elle en se levant pour accueillir son fils.

Il courut vers elle. Francis se retourna. En apercevant Sami, son visage se figea. Sami qui courait, s'arrêta net et faillit trébucher. Ses mains frôlèrent le sol alors que ses yeux restèrent rivés sur Francis. Elle les observa avec étonnement. L'intensité dans l'échange de leur regard était telle qu'elle glaça l'atmosphère. Sami resta figé debout sur le seuil du solarium alors que Francis se décida enfin à se lever en ne lâchant aucunement les yeux affolés du petit.

— Sami, je te présente Francis, un ami de maman, dit-elle en brisant le lourd silence glacial.

Tous deux restèrent immobiles comme s'ils étaient figés dans le temps. Ni l'un ni l'autre n'eut un geste de salutation. Au contraire, le visage de Sami pâlissait à vue d'œil contrastant avec celui de Francis qui tourna presque à l'écarlate. Glacé de peur, Sami glissa lentement d'un pas vers l'arrière comme s'il tentait de se sauver d'un réel danger sans toutefois affoler l'ennemi. Francis demeurait immobile, l'observant tel un animal traqué et surpris. Sami tournoya et se sauva à la vitesse d'une gazelle traquée par un tigre. Il escalada l'escalier, sautant les marches deux par deux, sans se retourner. Sarah se tourna et découvrit un Francis non plus écarlate, mais avec un visage livide comme s'il venait de voir apparaître un fantôme.

Chapitre 8

— Sarah aurait besoin de compagnie.

— Pourquoi dis-tu cela ? demanda Angelo, la tête appuyée contre les cuisses de Lina.

— Elle ne fait que s'occuper de Sami et ne sort presque plus.

— Elle est seule et ses priorités ne sont plus celles du temps où vous étiez célibataires !

— Nos sorties de filles me manquent.

— Appelle-la. Je garderai les enfants, proposa-t-il.

— Tu ferais cela ?

— Qu'est-ce que je ne ferais pas pour toi, dis-moi ?

— Tu es un amour !

— Ce sera une soirée entre gars !

— Tu sais que je t'aime ? lui dit-elle en se penchant pour l'embrasser sur la joue.

Il se blottit amoureusement contre elle. Elle passa ses doigts dans l'épaisse chevelure noire. Il se tourna face à elle en tendant les lèvres. Elle se pencha, l'embrassant tendrement.

— Maman ! cria Jordan.

— Un autre cauchcmar !

Elle repoussa la tête d'Angelo pour se libérer.

— Tu me quittes déjà ?

— Le devoir de mère m'appelle.

Elle se leva et gravit rapidement l'escalier. Entrant doucement dans la chambre, elle s'approcha.

— Qu'y a-t-il mon grand ?

— Des monstres.

— Mais non. Ils sont partis. Papa les a chassés.

— Ils reviennent toujours.

— Impossible. Papa les met au frigo et le matin venu, il les casse en petits morceaux, comme les cubes de glace. Tu sais comment on brise les cubes de glace ?

Jordan fit oui de la tête et se recoucha. Lina releva la douillette jusqu'au cou puis caressa la chevelure blonde.

— Maman ?

— Hum !

— Il en a attrapé combien ce soir ?

— Tu parles des monstres ?

— Hum, hum fit-il en hochant la tête.

Elle fit semblant de réfléchir en levant les yeux vers le plafond. Elle posa d'abord son index sur ses lèvres puis leva lentement chacun de ses doigts en démontrant qu'elle calculait. À voir ses petits yeux endormis s'écarquiller, l'inquiétude sembla le quitter en voyant autant de doigts s'élever.

— Onze. Oui, c'est bien exact. Le compte est bon. Papa a attrapé onze monstres.

Un grand sourire apparut sur le petit visage affichant maintenant un air rassuré. Il leva sa couverture au-dessus de sa tête et la redescendit. Avec tendresse, elle lui fit un signe de la main et un clin d'œil. Il enfonça sa petite tête blonde dans son oreiller et ferma aussitôt les yeux. Quelques secondes plus tard, elle repartit sur la pointe des pieds.

— Tu as travaillé fort ce soir ! dit-elle à Angelo en se calant contre lui.

Il s'allongea et reprit sa position, tête contre cuisses. Elle remit alors ses doigts dans l'épaisse chevelure de celui qui l'aimait plus que tout.

— Au contraire, je me suis reposé toute la soirée. Pourquoi dis-tu cela ?

— Onze monstres dans le congélateur !

— Quoi ? dit-il en éclatant de rire.

— Tu as attrapé, congelé et tu découperas en cubes onze monstres. Souviens-t'en lorsque notre fils te le demandera demain.

— Je suis un chasseur de monstres ?

— Nouveau travail, nouveau titre ! Cela fait partie des avantages d'être parents non ? Nous pouvons occuper plusieurs métiers à la fois !

— Et comment s'appelle ce titre?

— Exterminateur de monstres.

— Et c'est un travail rémunéré?

— Bénévole et de nuit exclusivement.

— Désolé, je ne travaille pas la nuit, blagua-t-il.

— Allez l'exterminateur, pendant que tu chasses, j'appelle Sarah, dit-elle en se levant et s'étirant pour prendre le téléphone sans fil.

— Reste auprès de moi, dit-il d'un ton avenant.

— Tes désirs sont des ordres, cher amour d'exterminateur. J'appelle Sarah! dit-elle en reprenant confortablement place.

— Je suis un homme délaissé! dit-il en prenant un air piteux.

— Demain serait une bonne journée pour faire du gardiennage? demanda-t-elle avant de composer le numéro de sa meilleure amie.

— Exterminateur de monstres, gardien, cuisinier, père… comment ferais-je pour accomplir tout cela?

— De la même façon que font les mamans, gardiennes, infirmières, psychologues, ménagères, cuisini…

— Ça va, ça va. Je suis disponible. Mais tu dois rentrer avant minuit!

— Quoi? La soirée débute à cette heure! continua-t-elle en lui chatouillant le lobe de l'oreille.

Trois sonneries se firent entendre avant que Sarah ne réponde.

— Allo Lina! Ça va? dit Sarah en ayant consulté l'afficheur.

— Ouais! En bonne compagnie avec mon chasseur de monstres.

Sarah éclata de rire.

— Il y a des monstres qui hantent ta maison?

— Jordan en voit toutes les nuits alors Angelo doit les chasser.

— Je comprends. Sale boulot!

— Tu as des plans pour demain?

— Tu veux venir souper? J'essayerais une nouvelle recette, proposa Sarah.

— Nous sortons!

— Quoi?

— Demain soir, je vais te chercher et nous sortons toutes les deux, dit Lina plus qu'enthousiaste.

— Je ne peux pas. Je n'ai pas de gardienne pour Sami et comme je ne le vois pas beaucoup durant la semaine…

— Angelo le gardera, coupa Lina.

— Tu as tout planifié à ce que je vois?

— Tu ne peux refuser.

— Que veux-tu faire?

— Un souper entre filles et ensuite nous irons danser.

— Je préfère rentrer tôt, contesta Sarah.

— Arrête! Depuis combien de temps ne sommes-nous pas sorties toutes les deux pour aller danser?

— Euh…

— Au moins huit ans!

— Tu exagères, s'exclama Sarah.

— Tu arrives demain vers dix-huit heures. Ça te convient?

— Ai-je le choix?

— Nah! Et apporte un pyjama.

— Quoi?

— Plutôt deux! continua Lina.

— Pourquoi?

— Un pour Sami et un pour toi.

— Pas question! Je reviens à la maison.

— À l'heure où nous rentrerons, je suis certaine que tu seras plus qu'heureuse de dormir à la maison. De toute façon, Sami pourra jouer avec Jordan dès l'aube ce qui te permettra de faire la grasse matinée.

— Tu penses à tout!

— À demain! termina Lina.

— Attends!

— Non! Pas question que tu changes d'avis. Je t'attends demain, dix-huit heures trente tout au plus.

— Si tu insistes.

— Que oui!

— Je capitule alors!

— Bye bye! Embrasse Sami pour nous.

— Il vient tout juste de s'endormir, pas facile ce soir.

— Ah non? Il refusait d'aller au lit?

— Pas vraiment. Il tremblait et était mort de peur.

— Il est pourtant si calme habituellement. Tu sais pourquoi il a agi ainsi? demanda Lina intriguée.

— Je te raconterai demain.

— D'accord alors à demain. Tu verras, ce sera une belle soirée ! conclut Lina.

— D'accord. Dis bonsoir à Angelo.

Alors que Lina replongeait sa main dans les cheveux d'Angelo, Sarah montait à l'étage vérifier si Sami dormait bien.

— Tu ne dors pas mon chaton ?

— J'ai peur.

— De quoi ?

— De Francis.

— Que dis-tu ? questionna-t-elle stupéfaite.

Visiblement inquiète, elle prit place auprès de lui. Il se releva et s'appuya contre la poitrine de sa mère, comme lorsqu'il était petit. Elle l'enlaça en le serrant contre elle.

— Il m'a regardé.

— Et c'est ce qui t'a effrayé ?

— Euh, oui. Il m'a regardé d'une façon bizarre. C'était trop étrange, articula-t-il péniblement.

— Et ?

— J'ai eu peur. J'ai peur de ton ami.

— Mais pourquoi ? Explique-moi. Tu le connais ? Tu l'as déjà rencontré auparavant ?

Il se recula pour la regarder. Il plongea ses petits yeux bleus, ronds comme des billes, dans ceux de sa mère.

— C'est étrange. Je ne sais pas.

Il se mit à trembler. Il détourna le regard et fixa la lumière du corridor comme s'il était ailleurs. Elle lui caressa la nuque, remonta jusque dans la chevelure blonde. Les petites épaules se détendirent à peine.

— Tu n'as jamais eu peur de qui que ce soit. Tu es le garçon le plus populaire de l'école et tu es de loin le plus courageux. Tu as plusieurs amis de tous genres et tu les acceptes tous tels qu'ils sont alors pourquoi crains-tu Francis ? dit-elle d'une voix qui se voulait rassurante.

— Il est différent.

— Différent ?

— Vraiment différent, répéta-t-il.

— Il se fait tard mon lapin. Ça te va si nous en reparlons demain après une bonne nuit de sommeil? proposa-t-elle.

Il se coucha puis se releva en secouant la tête en signe de négation.

— Je peux dormir avec toi ce soir?

Surprise de cette demande, elle le scruta un peu plus, remarquant qu'il était d'une pâleur inhabituelle.

— D'accord, cette nuit seulement à condition que nous reparlions de tout cela demain.

— Il est ici?

— Qui?

— Ton ami.

— Francis est parti mon ange. Tu peux dormir tranquille.

— Je vais dormir ici alors, dit-il en se recouchant.

— Tu n'as plus peur?

— Non.

— Bonne nuit. Tu sais que tu es brave?

— Je t'aime maman, dit-il en lui adressant un sourire reconnaissant.

Il tira sur sa couverture qu'il releva jusque sous son menton. Elle se pencha vers lui et le serra de nouveau contre elle. Il tourna la tête et l'embrassa sur la joue. Il se recroquevilla en se tournant sur le côté et s'endormit presque instantanément.

Je n'aurais jamais cru que l'on pouvait, ne serait-ce qu'une seconde, avoir cette impression de reconnaître quelqu'un de façon si inconsciente que le seul sentiment qui remonte à la conscience soit celui de la peur, la vraie. Tu es une mère exceptionnelle, ma Sarah, et notre fils en a de la chance d'avoir une maman si extraordinaire.

Elle borda son fils, l'air rassuré, un petit sourire naissant sur ses lèvres rosées.

— Ton père serait fier de toi, murmura-t-elle.

Chapitre 9

Sarah gara sa voiture derrière celle de Lina. Sami détacha sa ceinture en même temps que le moteur s'arrêtait. Il ouvrit la portière et courut appuyer sur le bouton de la sonnette. Sarah eut à peine le temps de sortir du véhicule et de verrouiller les portes que son fils pénétrait dans la maison de ses amis.

— Tu as encore grandi !

— Bonjour tante Lina. Jordan est là ? demanda-t-il en le cherchant du regard.

— Tu veux le rejoindre dans la salle de jeu ? proposa Angelo qui arrivait à son tour dans le hall d'entrée.

Sami courut de deux pas avant qu'Angelo ne l'attrape par le bras.

— Hey ! On ne dit plus bonjour à oncle Angelo ?

Sami s'approcha et lui fit une rapide accolade. Lorsqu'Angelo le lâcha, il s'élança telle une fusée, courant en direction de la salle de jeu.

— Salut les amoureux ! dit Sarah en saluant ses amis et en leur donnant l'accolade.

— Ce que tu es belle ! Tu sors ce soir ? la taquina Lina.

— Nous pouvons louer un film si tu préfères ! proposa Sarah.

— Pas question. Vous sortez ! Nous avons une soirée entre hommes, l'interrompit Angelo.

— Prenons l'apéro et ensuite sortons pour manger dans un chic restaurant, lança Lina excitée.

— Que puis-je vous servir mesdames ? demanda Angelo.

— Un Cinzano rouge pour moi, dit Sarah.

— Même chose, continua Lina.

— À vos ordres mesdames! dit-il en s'éloignant.

— Viens t'asseoir, lui indiqua-t-elle en se dirigeant vers la salle de séjour. Sarah s'exécuta en suivant sa meilleure amie de quelques pas. Elle posa son sac à main sur la table basse de l'entrée. Les tons de rouge, de brun et d'orangé offraient une ambiance chaleureuse à cette maison respirant le bonheur. Les meubles aux tons bourgogne se mariaient à merveille avec le manteau de foyer ainsi que le plancher de chêne beige.

— Vous avez changé les meubles? demanda Sarah en s'asseyant sur le canapé deux places.

— Une idée d'Angelo! soupira Lina, masquant maladroitement un sourire de satisfaction.

— Plutôt la tienne! Toi et ta folie du magasinage, je sais de quoi tu es capable, répliqua Sarah.

— Nous avons dû condamner Jordan à ne venir dans cette pièce qu'en présence d'un adulte!

— Voyons! Ce n'est pas un animal!, répliqua Sarah en riant.

— Il peut faire autant de ravages crois-moi!

— Les enfants grandissent si rapidement. L'on se réveille et ils sont déjà sur les bancs d'école!

— D'ici ce temps, c'est moi qui me dois de courir derrière lui et de l'attraper avant qu'il ne grimpe ou n'arrive avec des jouets pouvant endommager…

— Les précieux canapés, compléta Angelo.

Sarah scruta avec attention la pièce nouvellement décorée et s'installa plus confortablement sur le divan moelleux.

— J'ai du goût non? s'informa Lina en voyant son amie prendre ses aises.

L'air songeur, Sarah se tourna vers son amie.

— Ça me rappelle de si beaux souvenirs. En y réfléchissant, je suis heureuse que l'on puisse se revoir et sortir toutes les deux comme nous le faisions auparavant.

— Tu as des choses à raconter j'espère? lui demanda Lina espiègle.

— Patience, patience! Nous aurons amplement le temps de discuter plus tard. Profitons plutôt de la présence d'Angelo ! proposa-t-elle en le voyant porter un plateau sur lequel deux verres reposaient.

Il se pencha d'abord vers Sarah, puis Lina.

— Pour vous mesdames ! dit-il gentiment et en exécutant des gestes remplis de délicatesse et d'attention.

Elles prirent chacune leur verre de Cinzano.

— Digne d'un grand service ! À toi Angelo, puis à nous, dit Sarah en portant un toast.

Ils levèrent leur verre avant de siroter leur première gorgée.

— Il est toujours si serviable et attentionné, le décrivit amoureusement Lina.

— Après toutes ces années, serviable, galant ! Tu sais que tu en as de la chance ? renchérit Sarah tout en faisant un clin d'œil à son hôte.

Il laissa paraître un léger embarras avant de prendre place près de sa femme et boire une autre gorgée de sa bière allemande.

— Quel bonheur de nous retrouver tous les trois, dit-il en portant de nouveau la bouteille à ses lèvres !

— Tout comme avant ! compléta Sarah en levant son verre.

— Santé ! dirent-ils, trinquant avec joie.

Ils burent à petites gorgées jusqu'à ce que Lina éclate de rire.

— Bon ! Qu'y a-t-il ? demanda Sarah.

Lina se mit à rire encore plus fort.

— Quoi ? dit Angelo, la regardant l'air hébété.

À voir leur tête, elle se mit à rire encore plus fort.

— Mais qu'est-ce qu'il lui prend ? Tu as mis quelque chose dans son verre ? questionna Sarah.

Angelo haussa les épaules.

— Pourquoi une telle hilarité ? demanda-t-il à sa femme qui se tordait de rire.

— Ta ro…

— Que dis-tu ? demanda Sarah qui avait envie de rire en voyant son amie rire autant.

— Rob…

— Ma robe ? tenta Sarah.

Lina s'esclaffa, s'étouffant presque. Elle posa son verre sur la table à café et se mit à piétiner. Elle agita la main devant sa bouche comme si un liquide lui brûlait les lèvres. Elle finit par avaler sa gorgée et mit sa main sur sa poitrine en inspirant.

— Ouf! J'aime, je j'aime pouah, pouffa-t-elle.

Elle tourna les talons et se dirigea vers l'escalier. Perplexe, Angelo se tourna vers Sarah.

— Clac, clac clac clac, clac, clac, ils entendirent les pas rapides de Lina qui courait jusqu'à sa chambre au deuxième étage.

— Elle va bien? s'informa Sarah.

— Jusqu'à ce que je lui serve son verre, elle me paraissait normale! confirma-t-il.

Ils éclatèrent de rire à leur tour. Les bruits des pas de Lina résonnaient contre le plancher de l'étage. Le glissement d'une porte coulissante se fit entendre ainsi que le froissement de papier et de tissu suivi de quelques claquements de talons hauts.

— J'arrive! cria-t-elle de sa chambre.

Angelo leva les épaules en guise d'incompréhension, ce qui fit ricaner Sarah.

— Que diable fabrique-t-elle?

— Que lui as-tu versé dans son verre? lui redemanda-t-elle.

Les talons claquèrent sur chacune des marches, retenant une Lina vacillant sur ses souliers trop hauts. Lorsqu'elle apparût dans l'embrasure du salon, un fou rire instantané éclata en chœur.

— Mince alors! fit Sarah.

— Auriez-vous les mêmes goûts vestimentaires? riposta Angelo.

— Tadam! chanta Lina en sautillant.

— Tu n'as pas l'intention de porter cette robe? demanda Sarah, souriant à moitié.

— Certainement! affirma Lina.

— Tu n'es pas sérieuse! Elle est identique à la mienne en plus d'avoir la même couleur! dit Sarah qui commença à se questionner.

— Tu me connais! continua Lina d'un ton provocateur.

— Non, ce n'est pas vrai! Je n'ai pas le temps de retourner à la maison, ajouta Sarah contrariée.

— Raison de plus pour que je porte cette robe! continua Lina d'un air taquin.

— Et lorsque tu décides quelque chose, personne ne peut te faire changer d'avis, constata Sarah en prenant un ton de capitulation. L'air décontenancé, elle se tourna vers Angelo, vers Lina, puis revint à Angelo et encore à Lina.

— Maman, maman ! Oh ! Paweille ! Paweille robe Sawha ! bredouilla Jordan fier de sa remarque.

Ils pouffèrent de rire tous les trois.

— Qu'est-ce qu'il y a ? demanda Sami qui arriva en courant.

Il vit sa mère puis Lina, se tourna vers Sarah puis Lina.

— Maman ! Tu portes la même robe que tante Lina !

— C'est tante Lina qui porte ma robe, corrigea Sarah en éclatant de rire.

— Belle, belle maman, dit Jordan en s'approchant de sa mère.

Lina colla son fils contre elle. Elle lui caressa le dos. Il s'appuya contre ses cuisses et bava sur la jolie robe bleue.

— Maintenant nous sommes différentes ! se hâta de dire Sarah en voyant le lait qui coulait du gobelet et de la bouche du petit Jordan.

Lina ne vit rien jusqu'à ce que Sarah et Angelo éclatent. Elle se pencha en regardant son fils.

— Ah non ! Jordan ! Qu'est-ce que tu as fait ? Regarde la robe de maman ? Elle est foutue !

Il regarda sa mère avec un sourire angélique garni de bave et de lait.

— Paweille, Sawha. Paweille.

— C'est bien dommage, mais je crois que tu devras malheureusement te contenter d'une autre robe ! rigola Sarah, affichant l'allure de la victoire.

Bien que son sourire eut disparu, Lina était bonne joueuse. Elle fit une grimace en direction de son amie et prit son fils dans ses bras. Elle l'emmena à la cuisine.

— Merci Sami ! dit Sarah en regardant son fils.

— Hein ?

— Tu es toujours un ange pour ta mère ! dit-elle en lui pinçant la joue.

— Pourquoi ? demanda-t-il l'air perplexe.

— Je t'aime, dit-elle simplement en le serrant dans ses bras.

Il poursuivit l'étreinte, posant sa tête contre l'épaule de sa mère.

— Tu es grand maintenant. Tu prends soin de ta maman ? dit Angelo en s'approchant pour chatouiller Sami.

Il eut le temps d'éviter les grandes mains et revint en bondissant près de sa mère.

— Tu vois, elle est assise et je suis aussi grand qu'elle ! dit-il fièrement.

— Je suis vraiment fière de lui, dit-elle en l'étreignant un peu plus fort.

— Vous m'avez l'air si complice, remarqua Angelo.

Elle regarda son fils avec tendresse.

— Il est et sera toujours le plus beau cadeau que la vie m'ait donné.

— Et toi tu es la plus gentille, la plus merveilleuse, la plus intelligente maman du monde, dit-il en affichant un sourire édenté.

— Mais c'est l'amour fou, ça crève les yeux ! dit Angelo.

— Depuis le premier jour, affirma-t-elle en chatouillant son fils.

Il s'éloigna en criant de joie.

— Viens jouer Jordan, cria-t-il.

— Vous êtes magnifiques, un vrai délice de vous voir ! dit Angelo.

— Il est toute ma vie.

— C'est pareil pour Lina et moi envers Jordan.

— En n'ayant que Sami, la relation est différente. Je suis sa mère, mais aussi son père, s'il est possible d'être les deux à la fois ! Par moments, il m'arrive de penser que Michael n'a pas cette chance de le voir grandir.

— Vraiment dommage tout ce qui vous est arrivé à Michael et toi.

— Cela peut paraître étrange, mais le jour de sa naissance il est entré dans mon cœur et il a pris toute la place.

— C'est dans l'ordre des choses lorsque nous avons un enfant.

— Je l'ignore, mais je suis certaine d'une chose, depuis qu'il est entré dans ma vie, rien n'est plus pareil.

— À qui le dis-tu ! C'est toute notre vie qui se transforme.

— J'avoue que… elle s'arrêta.

— Quoi donc ? lui demanda-t-il curieux.

— Disons que, avec Sami, je sens qu'il y a quelque chose de plus.

— Que veux-tu dire ? demanda Angelo intrigué.

— Difficile à expliquer. C'est un lien si fort, une sensation que je qualifierais de….. autosuffisante.

— Lina m'a dit à peu près les mêmes mots lorsqu'elle a accouché de Jordan.

— Tu te souviens, au moment où Sami naissait, en prenant son premier souffle, Michael, lui, rendait son dernier.

— Tu parles si je m'en souviens. Quelle triste et magnifique journée à la fois !

— Ce qui est étrange c'est que quelques mois avant la naissance de Sami, j'avais constamment cette sensation que Gabriel rôdait autour de moi. Je pouvais sentir sa présence. Il était omniprésent, si présent que je me laissais aller à lui parler à voix basse et j'avais réellement l'impression qu'il m'écoutait.

— Peut-être était-ce dû à ta condition ? lui fit-il remarquer.

— Tu parles du coma et de la réhabilitation ? demanda-t-elle.

— Tu te souviens, tu disais que tu lui avais parlé lors de l'accident ?

— Et je le crois toujours ! Mais là où je veux en venir, c'est que depuis la naissance de Sami, je dirais qu'à partir de cet instant même, toute sensation ou émotion que j'ai pu ressentir ou éprouver pour Gabriel s'est enfuie.

— Comment peux-tu l'affirmer avec autant de précision ?

Sarah s'avança sur le bout du canapé.

— On se fait des confidences ? interrompit Lina.

— Tu peux retourner changer de vêtements ? répondit Angelo à la blague.

Lina repartit en ricanant. Ils la regardèrent, surpris de sa discrétion puis se tournèrent l'un vers l'autre.

— Donc à la naissance de Sami, tout sentiment, toute sensation de proximité avec Gabriel s'est dissipée.

— C'est bien étrange, constata Angelo, prenant un air plus sérieux.

— C'est comme si Gabriel avait disparu.

— Ça t'arrive d'y penser encore ? s'informa-t-il avec intérêt.

— À l'occasion. Par exemple le jour de sa fête ou de son décès, des souvenirs me reviennent, mais sans plus. Je ne ressens plus du tout sa présence auprès de moi.

— Il est mort. C'est normal non ? lança Angelo en buvant une gorgée de bière.

— Je sais que tu es sceptique à ce genre de chose. Cela peut te sembler étrange, tout ce que je te raconte, mais je te jure que même mort, il était présent. Gabriel et moi étions si amoureux, si près l'un de l'autre que même au-delà de sa vie, je le sentais bien vivant.

— Si je résume, tu y penses, mais tu ne le sens plus, clarifia-t-il.

— C'est à peu près cela. J'y pense lorsque quelque chose ou quelqu'un me le rappelle. Par exemple lorsque son fils Francis est venu me visiter.

— Ça va comme ça? demanda Lina, faisant irruption dans la salle de séjour.

— Très jolie robe! la complimenta Angelo en sifflotant.

— Le rouge te va à merveille, continua Sarah.

— Alors tu finis cet apéro qu'on aille faire la fête? demanda Lina tout en prenant une gorgée de son Cinzano.

Sarah l'imita en buvant la moitié de son verre.

— Ouf! Que c'est fort! s'exclama-t-elle les joues empourprées.

— Doucement les filles! Vous ne partirez pas tout de suite. J'ai préparé quelque chose! dit-il en se levant.

— Tu sais que tu vis avec l'homme parfait? affirma Sarah.

— Je suis très choyée. C'est pour cette raison que ce soir, nous partons à la recherche de ton bonheur.

— Ah non. Pas de ça Lina!

— Nous partons à la chasse, à la recherche de quelqu'un de très spécial pour toi.

— Pas question, répliqua Sarah du tac au tac.

— Regarde-moi et dis-moi que tu n'aimerais pas avoir un Angelo dans ta vie?

Sarah lui fit de gros yeux.

— Je suis bien avec Sami.

— Arrête! Tu ne me le fais pas à moi! Un enfant c'est bien beau, mais n'oublie pas que tu es aussi une femme.

— J'ai déjà eu deux «Angelos» dans ma vie. Je suis comblée.

— Tes «Angelos» comme tu dis, sont au paradis et, toi, tu es ici!

— Pas besoin d'avoir un homme à tout prix. Je vis bien seule!

— Nah! Je te sors ce soir! dit Lina en riant.

— Quelque chose me dit qu'il y a quelque chose là-dessous.

— Nous partons à la chasse à l'homme idéal ce soir! Grrr! fit Lina prenant la pause d'une tigresse.

— Pas question!

— À la pêche alors! Et c'est sans appel!

— Vous allez à la chasse ou à la pêche ? cria Angelo qui entendait la conversation de la cuisine.

— J'en discutais justement plus tôt avec ta chère tendre moitié.

— Ah ! C'était le sujet de vos fameuses confidences ! Tu lui racontais que tu cherchais désespérément un mec ? présuma Lina en prenant l'air victorieux.

— Tu as tout faux !

— Tu me fais marcher. Tu rêves de rencontrer quelqu'un, poursuivit Lina.

— Je lui disais combien, depuis sa naissance, Sami prenait toute la place. Alors que Gabriel...

— Arrête ! dit Lina exaspérée.

— C'est la même chose pour toi avec Jordan ? demanda-t-elle, ignorant l'air ennuyé de son amie.

— Que veux-tu dire ?

— Depuis qu'il est né, sens-tu que Jordan, comment pourrais-je dire... que ton fils est tout pour toi ? Qu'il te comble ?

Incrédule, elle regarda son amie.

— Pas du tout ! Que non ! clama-t-elle catégorique.

— Ah !

— J'adore mon fils, mais les sorties, le magasinage, mon Angelo me manquent également ! Pas toi ? Es-tu à me dire que ta vie tourne autour de ton fils ?

Sarah confirma d'un signe de tête.

— Je suis comblée. Sami est ma raison de vivre.

— Raison de plus pour que tu trouves un bel apollon rapidement, insista Lina.

— Je n'en ressens pas le besoin.

— Tu devrais penser un peu plus à toi. Tu approches la cinquantaine, tu sais !

— Arrête ! Pour ton information, je suis encore dans la quarantaine.

— Les chances s'amincissent d'année en année, ajouta Lina en se penchant comme si elle lui faisait une confidence.

— Mais qui a dit ça ? Serait-ce la très renommée supra, ultra, méga analyste Lina ?

Elles éclatèrent de rire.

— Allez, finis ton apéro, je te sors.

— Puisqu'il le faut ! soupira Sarah.

Elle prit une dernière gorgée et posa son verre sur la table vitrée. Lina n'avait bu que deux gorgées de son verre et le laissa sur la table. Elle enroula son foulard à son cou et enfila son manteau.

— Bye bye Sami ! Tu seras gentil avec Jordan ? Et tu écoutes tout ce qu'oncle Angelo te dit d'accord ? recommanda Sarah en haussant le ton pour se faire entendre.

Il se précipita vers elle. Il la serra à la hauteur de la taille alors qu'elle se débattait pour enfiler son imperméable bleu.

— Où vas-tu ? demanda-t-il à sa mère.

— Là où les garçons ne peuvent aller ! répondit Lina.

Angelo s'approcha. Il embrassa tendrement sa femme tout en tenant leur fils dans ses bras.

— Et ma petite entrée ? Ce sera prêt dans cinq minutes !

— Les minutes sont comptées. Les garçons vont se régaler, j'en suis certaine ! À plus tard mon amour ! dit Lina en l'embrassant à son tour sur la joue.

— Bonne soirée ! Amusez-vous et ne vous préoccupez pas de nous. Hein les gars ? Nous allons nous amuser tous les trois sans les filles !

— Oué ! s'écria Sami.

— Hé ! imita Jordan.

Telles deux collégiennes, elles sortirent le sourire aux lèvres, l'air heureux.

Tu mérites tant d'être heureuse et de connaître le bonheur d'une vie à deux.

Chapitre 10

— Où allons-nous? demanda enfin Sarah après une trentaine de minutes de route.

— Ici! répondit Lina en pointant l'enseigne d'un restaurant.

— Cupidon! lut-elle.

— Endroit idéal pour trouver la perle rare! continua la conductrice en riant.

— Tu veux bien arrêter! Je me sens très bien dans mon rôle de mère célibataire.

— On ne peut refuser l'amour qui se présente à nous! ironisa Lina.

— Je ne provoquerai rien si tu veux savoir!

— Justement! C'est aussi pour cela que nous sortons!

Elle gara la voiture dans le stationnement arrière. Elles descendirent et marchèrent d'un pas rapide. Un vent frisquet soufflait en cette soirée automnale.

— Tu veux bien me lâcher avec cette obsession que tu as de me trouver un amoureux à tout prix?

— C'est à cela que servent les amies non?

D'un seul regard, Sarah capitula.

— C'est un tout nouveau restaurant!

— Ça me semble très accueillant et joli en plus! dit à voix basse Sarah alors qu'elles pénétraient dans le hall d'entrée.

La décoration arborait des tons chauds de rouge et de noir. Quelques longs voiles blancs descendaient du plafond haut de deux étages magnifiquement décoré d'étoiles.

— On se croirait dans la nuit des temps! commenta Lina en ricanant. Les murs rouge foncé et noirs épousaient à merveille les tables rondes chaleureusement illuminées par de petits brûleurs diffusant une douce lumière.

— Tu es certaine que c'est un endroit convenable pour un souper entre amies? C'est fou ce que le romantisme et la chaleur dégagent de cet endroit! dit Sarah l'air émerveillé.

— Un restaurant est fait pour accueillir les amies non? Tu as vu un écriteau sur lequel était écrit «Réservé aux couples»? répondit Lina sarcastique.

— Pour deux personnes mesdames? demanda l'hôtesse qui les accueillit avec un sourire tout aussi chaleureux que la décoration.

— Les hommes gardent les enfants ce soir! Alors pour deux personnes, ce sera parfait! blagua Lina, ce qui fit sourire l'hôtesse.

— Veuillez me suivre s'il vous plaît, leur proposa la jeune hôtesse qui prit deux menus et les devança.

Parmi les étoiles garnissant généreusement le plafond, l'on pouvait reconnaître clairement les constellations d'Orion et de la Grande Ourse. Aux quatre coins se tenait bien accroché tout en se balançant légèrement, un immense Cupidon armé de son arc pointant vers les petites tables couvertes de nappes rouges brodées d'or.

— Cette table vous convient? demanda gentiment l'hôtesse en leur présentant l'une d'elles près du mur de brique rouge.

— Cupidon pointe bien sa flèche vers celle-là? demanda Lina en tendant le bras vers la table juste à côté.

L'hôtesse regarda en direction du Cupidon et confirma d'un signe de tête.

— Alors nous prendrons celle-là! proposa Lina tout en regardant son amie d'un air taquin.

Sarah lui assigna un léger coup de coude sur l'avant-bras.

— À votre convenance mesdames! Je vous souhaite un agréable repas. Un serveur viendra prendre votre commande pour l'apéro.

Elles tirèrent elles-mêmes leur chaise recouverte de tissu rouge. Sarah posa son sac à main sous la table alors que Lina posa le sien sur ses genoux.

— Que c'est magnifique! s'exclama Sarah à voix basse.

— L'endroit te plaît ?

— Il n'y manque…

— Qu'un homme extraordinairement amoureux assis face à toi, coupa Lina.

— Silence ! continua Sarah, murmurant entre ses dents.

— J'ai entendu parler de ce nouvel endroit, qui soit dit en passant, est l'endroit idéal pour tomber amoureux ou approfondir un amour déjà…

— Lina ! Ça suffit ! Nous sommes sorties pour nous changer les idées, pas pour changer le cours de ma vie ! Je te le répète, je suis heureuse avec Sami et je n'ai pas besoin de rencontrer qui que ce soit.

— D'accord ! D'accord ! J'arrête !

— Bonsoir mesdames. Je peux vous offrir un apéritif ?

Lina prit le menu entre ses mains et le consulta rapidement. Sarah fit de même.

— Vous avez une suggestion ? demanda Lina en levant les yeux vers le serveur.

— L'élixir d'amour est notre spécialité, proposa-t-il d'une voix posée.

Sarah eut un léger rictus. Elle regardait toujours la carte des vins tout en glissant l'index sur la page de gauche, celle des apéros.

— De quoi est composé cet élixir d'amour ? demanda Lina en adressant un sourire charmeur au serveur.

— Vin blanc, Cinzano et quelques ingrédients secrets. C'est très doux et rafraîchissant.

— C'est parfait pour moi, conclut Lina.

— Pour moi également, continua Sarah.

Elle referma le menu et le tendit au serveur sans le regarder.

— Il est charmant, dit Lina lorsqu'il quitta la table.

— Il me semble reconnaître cette voix, dit Sarah.

— Il est beau bonhomme tu sais !

— Je ne l'ai pas vu, dit Sarah en posant la serviette de table sur ses genoux.

Lina se pencha et posa son sac à main sous la table. Elle prit la serviette de table et imita Sarah en la posant sur ses genoux. Un autre serveur arriva et leur versa de l'eau.

— Merci, dirent-elles en chœur.

Le serveur leur adressa un timide sourire.

— C'est vrai qu'il est charmant, dit Sarah.

— Ce n'est pas le même! Attends de voir le nôtre! dit Lina d'un ton moqueur en lui adressant en clin d'œil.

— Tu mériterais que… Sarah se cacha le côté droit du visage et lui fit une grimace suivie d'un sourire niais.

Le premier serveur revint et posa un premier verre devant Lina puis l'autre devant Sarah.

— Voilà mesdames, votre Élixir d'amour.

Sarah leva les yeux. Elle vint pour prendre son verre et le renversa presque. Elle le retint de l'autre main. Le liquide coula. Le serveur sortit aussitôt une serviette et lui épongea doucement le poignet puis la paume. Elle l'observa, le laissant éponger le liquide puis baissa les yeux afin de lire le nom inscrit en lettres noires sur l'affichette dorée accrochée à son veston. Elle sourcilla puis croisa les yeux pétillants du serveur sous l'œil attentif de Lina.

— Cupidon vient de frapper? osa- t-elle d'une petite voix aigüe.

— Rafael? demanda Sarah entre deux souffles alors qu'il continuait de lui sécher le dos de la main à l'aide d'une serviette blanche.

— Sarah? dit-il en posant les yeux sur elle.

— Vous vous connaissez? demanda Lina tentant de s'incruster.

— Ça alors!

Émue, la bouche entrouverte de Sarah trahissait sa surprise et sa joie. Il la regarda longuement.

— Oh, excusez-moi, di-il, reprenant sa contenance.

— Tu es revenu? lui demanda Sarah.

— Depuis un an, répondit-il en soutenant son regard.

— Quelle coïncidence! réussit-elle à dire d'une voix à peine audible.

— Tu habites la région? osa-t-il.

— Tu n'as pas changé d'un iota! continua-t-elle ignorant la question.

Ils se regardèrent longuement, perdus dans le regard de l'autre.

— Je peux faire le service si vous voulez? dit Lina qui les observait depuis une dizaine de secondes.

— Excusez-moi, dit le serveur se reprenant de nouveau.

Il se redressa. Les joues plus rosées, les yeux plus pétillants, cachant difficilement sa surprise et sa joie.

— Vous pouvez prendre l'apéro avec nous, proposa Lina en riant. Les deux autres interlocuteurs rougirent.

— Mon nom est Rafael et je serai votre serveur pour la soirée. Si vous avez des questions, cela me fera un très grand plaisir d'y répondre, dit-il en soupesant ses mots.

— Vous êtes libre après votre travail ? lança Lina.

Il figea. Sarah asséna un coup de pied discret à son amie qui sursauta et grimaça un sourire forcé. Rafael s'enquit de son rôle de serveur en souriant poliment malgré le malaise visible sur son visage empourpré.

— Je vous laisse déguster votre apéro et je reviens d'ici quelques minutes, termina-t-il en prenant congé des deux amies.

— Tu n'arrêtes jamais ! dit aussitôt Sarah en foudroyant son amie du regard.

— Quoi ? Il te plaît c'est évident ! Et je dirais que tu ne le laisses pas indifférent du tout, ajouta l'amie espiègle.

Elle leva son verre pour porter un toast.

— À l'amour ! dit-elle en faisant tinter son verre contre celui de sa meilleure amie.

— Je le connais, balbutia Sarah.

— Aux retrouvailles alors ! dit Lina en profitant de l'occasion pour lever son verre bien haut.

Sarah leva le sien et l'approcha délicatement de ses lèvres. Elle but une petite gorgée qu'elle savoura, les yeux mi-fermés.

— Hum ! C'est délicieux ! dit-elle en rouvrant les yeux.

— Divin ! ajouta Lina, passant la langue sur sa lèvre inférieure alors que son amie prenait une deuxième gorgée.

— Exquis !

— Raconte !

— Quoi donc ?

— Comment se fait-il que tu connaisses le sexy Rafael ! demanda Lina surexcitée.

— C'est une longue histoire.

— Nous avons quelques heures devant nous ! insista-t-elle en posant ses coudes sur la table, telle une enfant attendant le récit d'un conte fantastique.

— Je l'ai connu alors que j'avais vingt ans. Il était…

—Vous aimez votre apéro mesdames ? demanda Rafael en s'approchant.

Sarah sursauta et devint écarlate comme si l'on venait de la surprendre à avouer un secret.

— L'effet fut instantané sur mon amie Sarah ! répondit Lina l'air enjôleur.

— Bien heureux de l'entendre, continua posément Rafael.

— Il est délicieux, se contenta de répondre Sarah, les joues rosées.

— Vous désirez commander maintenant ? demanda-t-il d'un ton calme.

— Que nous proposez-vous ? demanda Lina.

— Le péché mignon est excellent, proposa-t-il.

— Hum ! Je me délecte simplement à vous l'entendre dire. Qu'en est-il ? demanda Lina mielleuse.

— Un filet mignon avec accompagnement de votre choix, sur un lit de champignons et sauce au vin.

— Autre suggestion ? demanda Lina.

— Le nid d'amour.

— Décidément, tout est mis en place pour créer une ambiance amoureuse, remarqua Lina.

— C'est le cœur et la raison d'être de cet endroit. Le repas n'est-il pas une introduction aux plaisirs ? expliqua-t-il de belle façon.

Sarah garda les yeux rivés sur la liste des entrées. Elle fronça les sourcils. Rafael se pencha et approcha le brûleur afin d'éclairer son menu.

— Merci, dit-elle timidement.

— Qu'est-ce que le Spa aux douceurs de mer ? demanda-t-elle.

— Un lit de spaghettis recouvert de sauce au vin blanc et de fruits de mer.

— Et le lit de roses aux mille et un plaisirs ? demanda Lina qui commençait sérieusement à se bidonner.

— Des pâtes recouvertes de minuscules tomates en forme de roses accompagnées de légumes tels brocolis, piments colorés et cubes de veau. Le tout agrémenté d'une sauce rosée et d'épices quelque peu relevées, décrivit-il en usant d'un professionnalisme exceptionnel.

Malgré ses réponses polies aux questions de Lina, il n'avait d'yeux que pour Sarah.

— Tout me semble si appétissant, dit-elle en soupirant.

— Je peux vous offrir une entrée pour débuter ? leur proposa-t-il.

— Quels mots magiques nous soufflerez-vous pour nous présenter ces chefs-d'œuvre ? demanda Lina totalement séduite.

Il sourit, découvrant de superbes dents blanches. L'apercevant, Sarah lui offrit à son tour son plus beau sourire.

— L'île aux plaisirs est fort populaire.

Espiègles, Lina et Sarah se fixèrent.

— Et qu'en est-il ? demanda timidement Sarah.

— Des cœurs de palmiers garnis de petites tomates en forme de cœur le tout présenté telle une palmeraie miniature.

— Une palmeraie ? répéta Lina.

— Une plantation de palmiers ! expliqua Sarah.

— Exact, confirma Rafael.

— Et vous utilisez de la salade, des herbes ou autres légumes verts pour faire croire à une pelouse dans la palmeraie ? ajouta Lina retenant un fou rire.

— Exactement, le tout garni de minuscules baguettes de pain représentant le sable près de la mer.

C'en était trop.

— Wouah !

Lina éclata de rire. Mal à l'aise, Rafael sourit poliment et se tourna à nouveau en direction de Sarah qui avait les épaules qui tressautaient. Elle se retenait de toutes ses forces pour ne pas pouffer de rire à son tour.

— Et vous avez, vous avez… mouah…. Euh… hahahaha, vous avez quelque chose qui ressemble au coucher du soleil sur la mer ? demanda Lina en riant à gorge déployée.

Elle prit sa serviette de table, se cacha le visage, tapa du pied, se trémoussant sur sa chaise, secouant la tête de gauche à droite, les yeux camouflés dans la serviette blanche, riant tellement qu'elle se cogna le nez contre la table.

— Oh ! fit Sarah qui n'en pouvait plus de se retenir.

Elle pencha la tête et mit les mains devant son visage.

— Ex, ex, excucu, euh….. Wouah, hahaha, excusez-nous, finit-elle par articuler.

Elle s'essuya les yeux avec sa serviette de table alors que Lina utilisa le coin de la nappe et alla jusqu'à se moucher dans sa serviette de table.

— Lina ! chuchota Sarah en lui montrant la nappe tachée de mascara. Lina prit l'autre coin, déclenchant un déferlement de rire des deux amies.

— Je peux revenir si vous désirez réfléchir à tout cela, proposa Rafael en gardant une attitude et un sourire professionnels.

Pliées en deux, les deux amies ne purent lui répondre. Seule Lina réussit à lui faire un signe de la main, comme si elle chassait une mouche. Il interpréta le geste et s'éloigna. Elle lui refit un signe de la main lui indiquant de revenir. Il revint, d'un pas incertain tout en conservant sa prestance. Sarah ne se pouvait plus, le souffle complètement coupé à voir Lina et Rafael obéir aux commandements manuels.

— J'ai besoin, oh là là, je suis désolée ! Il y a longtemps que j'ai autant ri ! Je crois que nous avons besoin d'une pause, proposa Lina en frappant légèrement sur la table, étouffant un autre rire dans un coin de sa serviette de table.

— Je vous apporte une autre serviette ? lui offrit Rafael.

C'en était trop. Ni l'une, ni l'autre ne pouvait ajouter un mot, riant maintenant à gorge déployée, incapables de répondre à Rafael qui s'éclipsa presque sur la pointe des pieds, ce qui provoqua de nouveaux éclats de rire. Comme s'il partait en douce, il laissa les deux amies recroquevillées, nez contre la table. Lina se sécha à nouveau les yeux en utilisant sa serviette de table qu'elle lança ensuite près de son apéro. Elle prit son verre alors que Sarah la dévisageait en riant encore tellement que les larmes inondaient ses joues. Elle posa à son tour sa serviette de table près de l'assiette à pain et reprit son apéro. Recroquevillées, elles riaient, mais finirent enfin par se redresser.

— Aux palmeraies ! dit Lina en riant de plus belle.

Elles firent tinter leurs verres en pouffant de rire. Avec difficulté, elles finirent par porter l'élixir à leurs lèvres.

— Tu es folle ! finit par dire Sarah.

— Avoue que c'est spécial comme endroit, dit Lina en s'essuyant le coin des yeux de son auriculaire.

— Tu te vois ici avec Angelo ?

Elle gloussa.

— Euh, je crois. Je pense, je soupçonne…

Elle retint son souffle évitant d'éclater de rire à nouveau.

— Oublie ma question. De quoi pourrions-nous bien discuter?

Lina se tordait encore sur sa chaise en regardant sa meilleure amie qui déposa maladroitement sa serviette sur ses genoux. Elle jeta d'abord un regard à gauche puis à droite et finalement leva les yeux au plafond, là où la flèche de Cupidon pointait, directement sur leur table. S'apercevant de ce que venait d'observer son amie, Lina se tordit de rire, tellement qu'elle faillit basculer vers l'arrière avec sa chaise. Et plus Sarah tentait de reprendre son sérieux plus Lina riait.

— Tu crois qu'il est solide? demanda Sarah en pointant l'index vers le plafond en direction du Cupidon géant.

— S'il, s'il est, s'il est so, so so wouah, solide, s'il décroche, crois-moi que sa flèche piquera droit dans ton assi, ton assi, ton assiette, réussit-elle péniblement à articuler, encore pliée en deux.

— Ah! laissa bien involontairement s'échapper Sarah n'en pouvant plus de se retenir.

Le cri aigu ayant jailli spontanément du fond de sa gorge, elle porta les mains à sa bouche puis à son ventre. Rafael les mira de loin. Il hésita à venir s'informer s'il était temps de prendre la commande. Lina le remarqua et lui fit un signe de la main. Il retourna aussitôt vers la cuisine.

— Tu crois qu'il a peur de nous? dit-elle.

Sarah ne put répondre. Ses épaules sautèrent jusqu'au moment au Rafael réapparut devant elles. Il ne s'approcha pas tout de suite, voyant les deux amies qui s'esclaffaient encore. Lina s'aperçut que Rafael patientait en les observant du coin de l'œil. Elle leva les yeux un peu plus haut, vers Cupidon, et s'esclaffa en bougeant la tête vers, Sarah, puis Rafael puis Cupidon et revint vers Sarah, puis Rafael et encore Cupidon. Elle prit une, deux, trois grandes respirations et tenta de reprendre quelque peu de son sérieux.

— J'ai l'impression d'être au centre d'un triangle amoureux, s'enquit Lina.

— La ferme, dit Sarah entre ses dents.

Rafael repartit, leur faisant signe qu'il reviendrait plus tard.

— Décidément, cet endroit a quelque chose de magique, dit Lina portant son verre d'eau à ses lèvres.

— Ne serait-ce que pour le menu ! approuva Sarah.

— Je crois que c'est le tout. Les tables, les brûleurs, les étoiles, les cupidons ! Tu ne trouves pas que c'en est trop ?

— C'est romantique ! dit Sarah en soupirant.

— Plutôt hilarant ! Maintenant, un peu de sérieux. Alors, tu connais ce Rafael depuis plus de vingt-cinq ans ? Comment se fait-il que tu ne m'en aies jamais parlé ?

— C'est une vieille histoire.

— J'aime l'histoire ! blagua Lina.

— Quand même ! Tu exagères ! Ce n'est pas si lointain !

— Un quart de siècle !

— Vu de cette façon ! réalisa Sarah l'air perplexe.

— Alors, qui était ce Rafael ?

— Mon amoureux.

— Hein ? Ton amoureux ?

— Qu'y a-t-il d'anormal d'avoir été amoureux ?

— J'adore les histoires d'amour. Une parmi tant d'autres. Allez raconte !

— Au contraire, ce n'était pas une parmi tant d'autres, c'était lui.

— Lui ?

— C'était l'amour de ma vie.

— Qu'est-ce que tu dis ? Ce n'était pas Gabriel ? questionna Lina l'air surpris.

— C'était différent.

— Ou bien je supporte mal l'alcool ou bien je ne te suis plus du tout. Tu peux répéter ?

— Rafael est le premier homme que j'ai profondément aimé.

— Le premier ? Oh ! Monsieur Rafael était le premier. Le tout premier ?

— Pas du tout.

— Euh ! C'était le premier ou pas ? L'élixir fait effet, je crois !

— J'avais eu quelques amis auparavant. Mais lui, il était différent.

Elle se perdit dans ses souvenirs en prenant une attitude lunatique.

— Et pourquoi lui c'était différent ?

— Sa voix. Je l'ai entendu, je l'ai regardé et à ce moment, j'ai su que je l'aimais déjà.

— Voyons Sarah ! Je rêve ! Oui, il a un timbre de voix charmant, mais de là à tomber amoureuse. Comment peut-on être aussi certaine d'une telle chose en quelques secondes?

— Toi et ton esprit cartésien! C'est incompréhensible, je sais, mais peu importe, Rafael a été quelqu'un de très important dans ma vie affective. Et je t'avoue que je ne l'ai jamais totalement oublié.

— Tu oublies Gabriel? dit Lina sirotant son élixir d'amour.

— C'était différent.

— Tiens donc!

— De revoir Rafael aujourd'hui me donne une étrange sensation.

— Il te fait de l'effet?

— Comme si le temps n'avait jamais passé. Ce doit être cet élixir, se contenta-t-elle d'en déduire.

— Hey hey! Cupidon s'active! C'est une merveilleuse nouvelle non? s'exclama Lina telle une petite fille.

— Ne t'emballe pas trop vite!

— Toute une coïncidence, encore une fois! Si j'avais su, je t'aurais emmenée ici bien avant!

— N'est-ce pas ouvert que depuis environ un mois?

— Peu importe. Cupidon est à l'œuvre! Dix sur dix. Il fait son travail à la perfection. À toi mon gros Cupidon, salua Lina en levant son verre vers le Cupidon suspendu au plafond.

— À l'amour! ajouta Sarah avec un large sourire.

— Au grand, grand amour! continua Lina.

Rafael s'approcha alors que les deux amies terminaient leur apéro, buvant leur dernière gorgée en l'honneur du chérubin de l'amour.

— Ces dames sont prêtes à commander leur entrée?

— Votre palmeraie, elle contient assez de palmiers pour deux personnes? demanda Lina en rigolant.

— Bien sûr. Alors l'île aux plaisirs pour deux c'est bien cela? confirma le serveur.

— Vous pouvez ajouter des cocotiers aux palmiers? Nous sommes affamées! continua Lina.

Rafael se redressa et ignora la question.

— Et pour le repas principal, qu'avez-vous choisi? demanda-t-il poliment

— Le péché mignon pour moi, dit Sarah en appuyant le menu contre sa poitrine.

— Très bon choix. Et quelle cuisson désirez-vous ?

Les yeux encore brillants, il la regarda d'un regard perçant. Elle rougit et posa le menu sur la table tout en soutenant son regard. Elle l'observa avec tendresse, l'espace d'un instant.

— Clac ! fit la main de Lina au contact de la table.

Rafael et Sarah sursautèrent à peine.

— Clac, clac, clac, frappa-t-elle à répétition

Rafael tourna le regard vers Lina.

— Votre tour arrive Madame.

Elle se bidonna.

— Sarah ! Comment veux-tu la cuisson de ton filet ? Allez, réponds avant que le serveur ne s'impatiente !

— Euh, médium s'il vous plaît, répondit-elle déstabilisée.

Elle détourna les yeux et ne vit pas le sourire affectueux qu'il lui adressa avant de se tourner vers Lina.

— Et pour vous Madame ?

— Le nid d'amour ! dit Lina en pesant chacun des mots.

Elle fixa son amie en lui adressant un sourire niais suivi d'un clin d'œil coquin.

— Excellent choix. Je vous apporte notre salade maison avant votre entrée ?

— Et comment l'appelez-vous cette salade ? La feuille de gui ? Le champ de maïs des soupirs ? L'embuscade dans le champ de fraises ? improvisa Lina.

— Douce prairie, se contenta-t-il de répliquer.

Les rires instantanés des deux amies fusèrent. Il prit rapidement congé en jetant un dernier regard furtif en direction de Sarah. Elle le vit s'éloigner et soupira discrètement alors que Lina s'étouffait de rire.

— Tu soupires ! Ah ! Ah ! Ouais, il te fait encore de l'effet ! dit Lina, pointant l'index en direction de son amie.

— Il est tel que je l'ai connu, ni plus ni moins. Toujours aussi charmant, aussi calme que du temps où nous nous fréquentions.

— Seigneur ! Que l'on appelle un pasteur !

— Lina !

— Il y a longtemps que je t'ai vue dans cet état ! Je peux être ton témoin si tu veux.

Espiègle, elle attendit une réaction qui ne vint pas.

— Quoi? dit Sarah agacée en voyant l'air interrogateur de son amie.

— Il te plaît! C'est évident!

— Ce n'est pas une raison pour sauter aux conclusions.

— Et pourquoi pas?

— C'est de l'histoire ancienne. Cela fait si longtemps. Il est probablement marié et heureux.

— Il ne porte aucun jonc à l'annulaire, donc il est libre!

— Ça ne veut rien dire, continua Sarah en soupirant.

— Tu vois, tu soupires encore!

— Ça suffit la marieuse!

— Moi, je vais lui demander s'il est libre.

— Ce n'est ni l'endroit ni le moment, objecta Sarah qui commença à s'énerver.

— Je m'en occupe!

— Pas question! Ne fais rien. S'il te plaît, ne fais rien de rien. Promets-le-moi. D'accord? l'implora Sarah.

Lina se contenta de sourire avec assurance.

— Voilà votre douce prairie, dit Rafael en déposant délicatement les assiettes de salade devant ses deux clientes.

— Dites-moi, commença Lina.

Sarah se crispa.

— Vous avez du poivre noir, coupa-t-elle.

Les épaules de Sarah redescendirent.

— Bien sûr. Je reviens de suite, répondit-il en s'éloignant d'un pas rapide.

Sarah s'inclina vers la table, la mâchoire serrée.

— Lina, je t'avertis! Pas un mot! marmonna-t-elle entre ses dents.

— Ce que tu peux être…

— Poivre mesdames? demanda-t-il en pointant la poivrière en direction d'une des deux assiettes.

Elles firent signe que oui. Il servit d'abord Lina puis s'attarda à regarder le visage de Sarah au lieu du plat de salade.

— Merci, dit-elle intimidée.

— Bon appétit! dit-il en lui adressant un sourire charmeur.

Elles prirent leur fourchette et commencèrent à manger.

— Tu as l'air d'une adolescente !

— Et toi d'une vielle tante !

— On dirait un premier rendez-vous amoureux !

— Pourquoi ?

— Tu rougis lorsqu'il te regarde, tu murmures quand tu lui parles ! Tu baisses les yeux s'il te regarde plus de deux secondes.

Sarah fit un demi-sourire et piqua dans son assiette.

— Tu as remarqué comme la présentation est jolie ! Je n'ose enlever quoi que ce soit pour ne rien défaire, dit-elle en retirant délicatement un morceau de salade.

— On dirait un champ avec de petites fleurs au bout de longues tiges, continua Lina en piquant sa fourchette directement dans la verdure.

— Du grand art ! continua Sarah en prenant une bouchée du paysage défait de son assiette.

— Tu veux le fréquenter à nouveau ? lança Lina.

Sarah faillit s'étouffer en avalant sa bouchée. Elle posa sa fourchette, prit une gorgée d'eau, puis une deuxième.

— Tu n'arrêtes jamais !

— Le temps file trop vite pour le perdre à penser que peut-être il serait temps de peut-être réfléchir et peut-être commencer à rêver que peut-être…

— J'ai compris, mais laisse-moi un peu de temps ! coupa Sarah.

— Tu l'aimes ! Alors quel est le problème ?

Sarah figea.

— Comment peux-tu affirmer une telle chose ?

— Tu ne te vois pas les yeux ! On dirait des étoiles brillant dans un ciel clair !

— Je suis heureuse de le revoir. Pour le reste…

— Je l'invite, coupa Lina.

— Quoi ?

— Je l'invite pour la soirée !

— Pas question ! contredit fermement Sarah.

— Il peut venir nous rejoindre après son travail non ? proposa Lina d'un air espiègle.

— Tu fais tout trop rapidement !

— Que veux-tu ? C'est dans ma nature !

— Voici votre île aux plaisirs pour deux, dit Rafael en déposant une assiette ronde au centre de la table.

Les deux amies regardèrent la présentation exceptionnelle de leur entrée.

— Elle vous plaît? demanda-t-il.

— Mais où sont passés les cocotiers? questionna Lina.

Il la regarda comme s'il venait de commettre une erreur.

— Euh, c'est que…

L'air déçu, elle fixa son amie puis leva rapidement la tête en direction de Rafael. Elle le vit mal à l'aise.

— Comment font-ils? demanda Lina en gardant l'air sérieux.

— Comment font-ils pour agencer le tout si parfaitement? demanda Sarah tentant d'écourter l'inconfort de Rafael.

Lina sourit.

— C'est magnifique. Vraiment. Tu as vu Sarah? Les palmiers garnissent toute l'assiette en forme de cercle. Le centre est relié par le pain, le sable. C'est comme si nous avions une vue aérienne d'une petite île ronde décrivit Lina l'air impressionné.

— Superbe, dit Sarah charmée.

— Rien de moins pour accompagner de si jolies dames, rajouta poliment Rafael.

Le malaise étant passé, Sarah parut moins intimidée. Il la toisa d'un œil chaleureux.

— Bienvenue au paradis mes chéris! lança Lina en levant les bras au ciel alors que Sarah et Rafael ne se quittaient plus des yeux.

— Bon appétit mesdames, finit-il par dire en s'éloignant.

— Tu es amoureuse!

— Il est charmant.

— Tu viens faire les boutiques pour ta robe de mariée!

— C'est absurde! dit Sarah gênée.

— Il te plaît, c'est évident.

— Tu l'as déjà dit! Arrête un peu!

— Pourquoi refuses-tu de l'admettre?

— Je suis surprise de le revoir. Tout se bouscule en moi. Le passé refait surface, mais tout a changé.

— Qu'est-ce qui a changé?

— J'ai un enfant.

— Et ?

— Il est ma priorité.

— Sarah ! Tu peux avoir un amoureux et t'occuper de Sami.

— Je ne sais pas. Depuis huit ans, toute ma vie est centrée sur mon fils. Je l'aime et ne veux pas l'abandonner.

— L'abandonner ? Parce que tu penses que d'être amoureuse fera de toi une mère indigne ? L'un n'est pas incompatible avec l'autre. Au contraire, il est un bon complément. Tu es une mère exceptionnelle, pourquoi ne serais-tu pas une amoureuse extraordinaire ?

— Peut-être. Tu sais que Sami est toute ma vie et je ne veux pour rien au monde le priver de quoi que ce soit. Je veux tout lui donner.

— Raison de plus pour lui faire de la place dans ta vie. L'amour d'un homme n'empêchera en rien l'amour que tu portes à ton fils. Au contraire, il sera multiplié et Sami aura une figure parentale masculine à laquelle s'identifier. Que peux-tu désirer de plus ?

— Je n'en suis pas convaincue, répondit Sarah pensive.

— Prends exemple sur Angelo et moi. Crois-tu que Jordan manque d'affection ou de soins parce que ses parents sont amoureux ?

— C'est très différent. Vous êtes ses parents.

— Jordan a deux fois plus de soins et d'attention. Un enfant a besoin de voir ses parents heureux, tu sais ? Sami ne sera que plus heureux de partager votre bonheur, poursuivit Lina tout en ignorant le commentaire de son amie.

— Le père de Sami est décédé, je te rappelle.

— Raison de plus pour offrir une présence masculine à Sami. Crois-tu que Michael aurait voulu que tu restes seule toute ta vie ? Penses-tu sérieusement qu'il n'aurait pas aimé qu'un homme comme Rafael prenne soin de son fils ?

— Nous n'en sommes pas là. Et à vrai dire, je n'en sais rien, commenta Sarah.

Son visage prit soudain un air sombre, voire triste.

— Allez ! C'est notre sortie de filles ! Ça fait si longtemps. Ne gâchons pas cette belle soirée en ressassant le passé ? Nous sommes ici pour nous amuser. Tu viens de renouer avec un grand amour du passé. Il y a de quoi célébrer non ? dit Lina en tapotant la main de son amie.

— Tu as raison. Nous sommes ici pour nous amuser, répondit Sarah, les yeux humides.

— Tu prendrais un verre de vin ?

— Un bon rouge ? proposa Sarah, affichant un mince rictus.

— Ah ! Je préfère ce sourire !

Lina leva le bras, attirant l'attention de Rafael qui accourut vers elles.

— Que puis-je faire pour vous mesdames ?

— Nous servir un vin rouge corsé ? demanda Lina.

— Vous avez un merlot ? demanda Sarah.

— Bien sûr. Je vous sers le vin maison ou vous désirez consulter la carte des vins ?

— Le vin maison, dit Sarah sans hésiter.

— Je reviens, dit-il tout en replaçant la serviette blanche sur son avant-bras.

— Il a un charme fou, dit Lina en tapant le poignet de son amie.

— Encore plus qu'il y a vingt-cinq ans, ajouta Sarah.

— S'il est libre, tu le reverras ?

— J'aimerais bien.

— Alors tu lui laisses ton numéro de téléphone avant de quitter, ordonna Lina.

— Je sais où il travaille alors…

— Pas question que tu perdes cette chance. Tu veux que je m'en occupe ?

— Quand même ! Je suis assez grande pour m'occuper de cela moi-même.

— Je crois que tu manques d'expérience !

— Tu sais qu'elle est la différence entre toi et moi ?

— Je suis plus expérimentée ! dit Lina en riant.

— Tu veux tout, tout de suite, alors que moi, je prends le temps de réfléchir.

— Et tu perds de bonnes occasions !

— J'évite de faire des gaffes en précipitant les choses !

— Tu es la tortue, je suis le lièvre ! compara Lina en ricanant.

— Et nous arriverons au même point !

— Je sais que je me répète, mais le temps file rapidement !

— Je préfère en profiter lentement que de toujours courir après !

— L'important, c'est d'être heureux ! finit Lina.

Rafael revint avec une bouteille de merlot.

— Nous avons commandé le vin maison, rectifia Lina.

— C'est la maison qui vous l'offre, ajouta-t-il d'une voix posée.

Les deux amies se regardèrent, agréablement surprises.

— C'est la première fois que le vin maison signifie que c'est la maison qui offre le vin ! commenta Lina.

Pour la première fois, ils sourirent tous les trois.

— En quel honneur ? osa demander Sarah.

— Celui de servir deux charmantes dames. C'est votre première visite si je ne me trompe ?

— Et pas la dernière, confirma Lina.

— Goûtez ce vin.

Élégamment, il ouvrit la bouteille et versa soigneusement le liquide rouge dans la coupe de Sarah.

— Je peux également ? demanda Lina en levant la sienne.

Rafael s'exécuta avec la même attention. Elles inclinèrent leurs coupes, activèrent d'un geste rotatif leur poignet produisant un tournoiement faisant glisser le vin contre les parois du verre. Elles observèrent la robe bourgogne, humèrent et goûtèrent simultanément en fermant les yeux. Emplissant leurs papilles gustatives, le précieux liquide provoqua un regard d'extase aux deux amies lorsqu'elles ouvrirent les yeux.

— Hum ! Quel délice ! Il goûte le ciel ! s'exclama Sarah.

— Normal, nous sommes au paradis, répliqua Lina.

— Qu'est-ce que c'est ? s'informa Sarah éprouvant de la difficulté à lire l'étiquette.

— Un merlot décima Aurea Veneto.

— Quel millésime ? s'informa Lina

— 2000.

— Italien ? continua Sarah.

— Exact. Vous aimez ? demanda-t-il visiblement fier de son choix.

— C'est de la folie ! s'exclama Sarah.

— Rien n'est trop fou pour deux ravissantes femmes comme vous ! continua-t-il tout en ayant d'yeux que pour Sarah.

— Merci, merci, merci, dit Lina en déposant sa coupe sur la table.

Elle se permit de poser la main sur l'avant-bras du charmant serveur. Il eut un léger mouvement de recul. Elle retira sa main et se contenta de lui lancer un regard enjôleur. Il leur versa un peu plus de vin, emplissant les coupes à moitié. Les deux amies levèrent leur verre en le saluant.

— Au plus charmant serveur ! dit Lina.

Sarah la fixa voulant lui faire comprendre de cesser de tenter de faire l'entremetteuse. Les apercevant, Rafael rougit. Elles burent une petite gorgée et émirent un soupir de satisfaction face à l'excellent choix de leur serveur dévoué.

— Délectez-vous mesdames. Je reviens d'ici quelques minutes. N'hésitez surtout pas si vous avez besoin de quelque chose.

Elles lui sourirent. Encore une fois, il n'eut d'yeux que pour Sarah.

— Il est craquant, lança-t-elle.

— Je crois que tu lui plais !

— C'est si étrange. Après tout ce temps, mes sentiments sont demeurés intacts, aussi beaux, aussi profonds qu'ils l'étaient à l'époque. Crois-tu que c'est réciproque ?

— À la façon dont il te regarde, je n'ai aucun doute ! conclut Lina.

Elles dégustèrent l'assiette de cœurs de palmier, de légumes et de pain, buvant quelques gorgées d'eau et de vin. La lumière tamisée et la musique en sourdine diffusant des airs de Diana Krall créaient cette ambiance propice à la tendresse et aux rapprochements. Elles eurent à peine le temps de terminer leur dernière bouchée qu'il revint près d'elles.

— Alors mesdames. L'île aux plaisirs vous a plu ?

— C'était exquis !

— Je dirais même jouissif ! commenta Lina qui fit rougir ses deux interlocuteurs.

— Puis-je me permettre une question ? leur demanda-t-il posément.

— Tout ce que vous voulez et même plus, cher serveur ! répondit Lina d'un ton mielleux.

Sarah adressa de gros yeux à son amie.

— Est-ce que votre proposition de sortir ce soir tient toujours ?

Un large sourire s'étira sur le visage de Lina en regardant Rafael, puis se transforma en grimace en se tournant vers son amie. Intimidée,

Sarah inclina la tête.

— Vous avez surpris notre conversation ? Petit coquin va ! Mais vous êtes plus que le bienvenu. N'est-ce pas Sarah ? Nous irons danser au Elevenfifteen. Vous vous joindrez donc à nous ? chantonna Lina avec enthousiasme.

— Ce sera avec plaisir, si le plaisir est mutuellement partagé ! ajouta-t-il tout en interrogeant Sarah du regard.

Elle se contenta de confirmer en relevant légèrement le menton. Surexcitée, Lina applaudit avec ferveur.

— Génial ! Nous vous y attendrons impatiemment !

— Rafael ? dit Sarah.

— Oui ?

— Je suis très heureuse que tu aies accepté.

Il quitta la table le sourire aux lèvres alors que les yeux de Sarah brillaient d'un nouvel espoir.

Chapitre 11

— Je veux du chocolat !

— Moi aussi, moi aussi ! continua Sami.

— Oh non ! Bientôt il sera l'heure d'aller dormir. Allez, enfilez vos pyjamas ! leur demanda Angelo.

Les garçonnets coururent bruyamment en direction de l'escalier puis montèrent jusqu'à leur chambre à la recherche de leurs vêtements de nuit.

— Télé ? cria Jordan du haut de l'escalier.

— Si vous descendez d'ici deux minutes, cela pourrait être possible, acquiesça Angelo d'une voix forte.

À la vitesse de l'éclair, les deux garnements enfilèrent leur pyjama. Ils revinrent en simulant une course et d'un élan, sautèrent pour atterrir sur le grand sofa.

— Je, je, je peux dormir ici ? demanda Jordan essoufflé.

— Tu sais ce que ta mère en pense.

Il fit la moue.

— Maman pas là. J'ai peur. Beaucoup de monstres dans ma chambre. Ici pas monstres ! dit-il à son père.

— Et pourquoi n'y aurait-il pas de monstres ici ?

L'air de dire que c'était l'évidence même, il leva les bras puis les épaules en tournant les mains vers son père.

— T'es là ! répondit le fiston, certain de détenir l'argument nécessaire.

Angelo fit mine de réfléchir en posant sa tête entre ses deux mains. Les coudes appuyés sur les genoux, il devint immobile. À l'affût, son fils l'observa, bouche entrouverte. Angelo releva la tête. Fixant son fils, il se pencha vers lui en bougeant les yeux de gauche à droite, tel un gangster s'assurant que personne ne l'observe avant de révéler un secret d'État ! Il s'approcha un peu plus de la petite oreille tendue.

— Hum, fiston, c'est d'accord, dit-il d'une voix égaillée.

— Oué ! cria Jordan à pleins poumons.

— Hey, hey ! On se calme, tranquille jeune homme. Si tu t'installes sagement ici, tu pourras écouter la télé avec nous, termina-t-il en pointant le divan.

Puis, il lui fit signe de s'approcher plus près de lui. Jordan tira sa petite couverture bleue et posa sa tête sur les cuisses de son père. L'air rassuré, il s'étendit de côté, faisant face à l'écran plat du téléviseur.

— Surveiller monstres papa ? demanda-t-il encore inquiet.

Angelo lui tapota la cuisse tout en l'enroulant confortablement dans sa couverture.

— Bien sûr. Tu peux dormir tranquille. En plus, Sami est avec nous. Tu n'as vraiment rien à craindre, pas vrai Sami ? Tu n'as pas peur des monstres n'est-ce pas mon grand ?

— Bien sûr que non, répondit Sami en se gonflant le torse.

— Tu n'as peur de rien ? lui demanda Angelo à la blague.

— Non, de rien.

— Tu vois Jordan lorsque tu auras huit ans, tu seras grand et brave tout comme Sami.

Jordan se contenta de les observer en silence, les yeux déjà mi-clos. Sami se rapprocha et prit place lui aussi près d'Angelo.

— Ça va Sami ?

— Euh oui, répondit-il hésitant.

— Qui a-t-il ? Tu me sembles troublé. Il s'est passé quelque chose ?

Sami se contenta de hausser les épaules. Angelo glissa son bras derrière la petite nuque et le tira contre lui.

— Allez, dis-moi ce qui se passe. Je vois bien qu'il y a quelque chose qui te tracasse.

Sami se redressa et se retourna vers celui qu'il appelait affectueusement son oncle. Il croisa les jambes en les tirant vers lui et agrippa ses genoux à deux mains.

— Bien, c'est que… que l'autre jour, j'ai eu peur, bredouilla-t-il.

— Peur. Tu sais tout le monde a peur à un moment ou un autre.

— C'est vrai ? demanda Sami quelque peu rassuré.

— De quoi as-tu peur ?

— Tu ne riras pas ?

— Bien sûr que non.

La main droite posée sur la tête de son fils, Angelo regarda avec tendresse son filleul qui se redressa, le dos très droit.

— L'autre jour, alors que je revenais de l'école, je suis entré et j'ai aperçu maman avec un étranger et, et… euh bien c'est que…. j'ai eu peur de lui, lança-t-il gêné.

— Tu as eu peur de lui ?

— Oui.

— Il t'a fait quelque chose ?

— Non.

— Il t'a menacé ?

— Non. Il était avec maman.

— Tu l'avais déjà vu auparavant.

Sami ne dit mot. Voyant qu'il s'était refermé, Angelo mit sa main sur le pyjama couvrant les petites jambes bien croisées.

— Bon. Alors si j'ai bien compris, tu as eu peur de lui.

— Hum.

— Et il était avec ta mère.

— Hum, hum.

— Connaissant bien ta mère, s'il était avec elle, ça ne devait pas être quelqu'un de mauvais, tu ne crois pas ?

— Je ne sais pas, dit-il en haussant les épaules.

Son visage changea.

— Tu connais son prénom ?

— Je ne me souviens plus.

— Et tu es certain que c'était un ami de ta mère ?

— Je ne sais plus, répondit-il les yeux larmoyants.

— Hey, hey, viens là, dit Angelo en le tirant vers lui alors que Jordan dormait déjà la tête appuyée sur les genoux de son père.

Quelque peu restreint dans ses mouvements, Angelo réussit à le serrer contre lui. La tête appuyée contre le torse rassurant de son parrain, Sami soupira.

— Il m'a regardé, balbutia-t-il.

— Et ? Qu'y a-t-il d'effrayant à se faire regarder ? Il t'a parlé ? répliqua Angelo qui tentait de dédramatiser.

— Je ne me souviens plus.

— Oh ! Et que s'est-il passé ensuite ?

— Je me suis sauvé dans ma chambre.

— Hum. Et ?

— C'est tout.

Perplexe, il scruta le petit visiblement effrayé.

— C'est tout ? se contenta-t-il de répéter.

— Ouais.

— Tu as une idée de la raison pour laquelle cela t'a effrayé au point de te sauver dans ta chambre ?

— Non.

— Ce sont ses yeux ?

Sami se mit à trembloter.

— Je l'ai déjà vu, dit-il dans un filet de voix.

— Quoi ?

— Je l'ai déjà vu, répéta-t-il à mi-voix.

— Tu le connais ?

Il fit signe que non et se pressa contre l'épaule réconfortante.

— C'était à l'école ?

— Non.

— Au parc ?

— Je ne vais pas au parc.

— Oh ! Au centre commercial alors ?

— Hum hum, fit Sami en signe de négation.

Angelo l'étreignit. Songeur, il fixa le mur blanc et serra un peu plus Sami qui s'agitait.

— Ziz, sifflota Jordan dormant à poings fermés, la tête toujours appuyée contre les cuisses de son père. Sami passa ses doigts dans les cheveux blonds du petit dormeur.

— Tu crois que je suis encore un bébé ?

— Pourquoi dis-tu cela ?

— Parce que j'ai eu peur.

— Tout le monde a des peurs.

— Même toi?

— Même moi!

— Et de quoi as-tu peur?

— Tu ne riras pas? demanda Angelo en grimaçant.

— Non! dit Sami retrouvant le sourire.

— Tu me promets de ne pas rire?

Sami éclata de rire.

— Je ne peux pas. Tu riras de moi. J'aurai l'air ridicule comme un clown, rajouta Angelo en se cachant le visage entre les mains, secouant la tête de gauche à droite.

— Non, non, je ne rirai pas. Allez dis-moi de quoi as-tu peur?

Angelo fit mine de réfléchir, se tortilla un peu, leva les yeux vers le plafond puis feignit un visage effrayé, la bouche croche, les paupières mi-closes. Sami éclata de rire.

— D'accord alors si je te dis de quoi j'ai peur, tu me diras pourquoi tu as eu peur?

— Promis, dit le filleul en levant la main droite.

Angelo tapa dans la petite main tendue vers lui.

— J'ai peur des chats.

— Quoi?

— J'ai peur des chats. Des minets!

Sami se tordit de rire.

— Je savais, je savais, fit Angelo simulant d'être offensé.

— Ha, ha, ha, tu as peur des chats?

Angelo fit la moue.

— Même les petits?

Il fit timidement signe que oui de la tête.

— Même les petits, petits, petits chatons qui peuvent tenir dans la main?

Il continua, l'air à la fois incrédule et effrayé à balancer la tête de haut en bas et haussa les épaules en affichant un air dépourvu. Sami riait maintenant aux éclats alors que Jordan ronflait.

— Tu veux que je te montre?

— Me montrer quoi? demanda curieusement Angelo.

— Te montrer comment ne plus avoir peur des chatons.

— Tu pourrais faire cela? demanda le parrain intéressé.

— Ouais, répondit-il fièrement.

— Ça alors! Incroyable. Tu es certain que tu peux faire cela? Et comment tu t'y prendras? dit Angelo en amplifiant son étonnement.

— Je vais te montrer doucement comment on le prend, comment on le tient contre soi. Tu verras tu n'auras plus peur! Et plus tard, tu pourras même prendre les gros chats!

— Même les tigres?

— Euh! Peut-être!

— Et tu es certain que je n'aurai plus peur des chats, des chatons, des boules de poils à quatre pattes?

— Tu les laisseras même te caresser, ajouta Sami en ricanant.

— Super! Magnifique! Marché conclu, mais à une condition, proposa Angelo.

— Une condition?

— Si tu peux m'aider à ne plus avoir peur des chats, que dirais-tu si je tentais de t'aider à ne plus avoir peur du jeune homme qui était avec ta mère?

Aussitôt, Sami reprit un air sérieux. Hésitant, il se recula de façon à bien saisir la moindre expression sur le visage de son parrain. Il soupira fortement.

— D'accord.

— Génial.

— Comment feras-tu?

— D'abord, tu dois me dire… de quoi as-tu si peur?

Sami se raidit. Le dos bien droit, la mâchoire serrée.

— Je l'ai déjà vu.

— Je sais, tu me l'as dit.

— Mais je ne l'ai pas vu comme je te vois.

— Tu l'as vu ou pas? demanda Angelo confus.

— Je l'ai vu, mais pas en vrai.

— Tu as vu un fantôme?

— Non! Ça n'existe pas les fantômes!

— Tu as raison, continua Angelo qui ne voulut pas le contredire.

— Tu me promets que tu ne riras pas?

— Je te le promets, affirma le parrain, posant une main sur son cœur en signe d'honneur.

— Je l'ai vu dans un rêve, lança Sami.

Il attendit la réaction, aux aguets comme lorsque l'on guette une proie. Angelo resta de marbre alors que Sami commençait à s'énerver.

— Dans un rêve ? finit par dire Angelo, ne bougeant que les lèvres.

— Pas seulement un.

— Ah non ? fit-il, prenant un air étonné.

— Plusieurs rêves ! continua Sami un peu plus confiant.

— Ça veut dire combien de fois, plusieurs ?

— 30 fois.

— 30 fois ? Tu les as comptées ?

— Depuis que je suis petit, je fais des rêves et il est souvent là.

Dérouté, il dévisagea son filleul.

— Tu es certain que c'est bien lui ?

— Certain. Il est toujours pareil, confirma Sami.

— Que veux-tu dire par pareil ? questionna Angelo visiblement troublé.

— Il est comme il est. Il a toujours le même visage. Parfois il est jeune, parfois plus vieux.

Angelo passa sa main sur son front, remonta jusqu'à sa tête et fit glisser ses doigts jusque sur sa nuque, dans son abondante chevelure.

— Ça alors !

— À quoi songes-tu ? demanda Sami soulagé.

— Tu le vois jeune, puis vieux ?

— Et parfois plus vieux.

— Vieux comment ?

— Euh, vieux comme toi.

Les yeux sortant presque de leur orbite, Angelo pâlit à son tour.

— Je comprends que tu aies eu peur.

— Alors je ne suis pas un bébé ?

— Pas du tout. C'est plutôt apeurant de voir quelqu'un devant soi lorsqu'on l'a vu trente fois dans ses rêves !

— Toi, aurais-tu peur ? s'informa Sami de plus en plus rassuré.

— Tu parles ! Je serais mort de peur !

— Bien, j'ai eu très peur, mais pas pour mourir !

— Dis-moi, que fait-il dans tes rêves ? le questionna-t-il, visiblement dépassé par cette affirmation.

— Il est gentil. Il veut toujours me parler.

— Te parler ? Mais de quoi ?

— Je ne sais pas. Je me sauve chaque fois !

— Tu te sauves ?

— Je te l'ai dit, j'ai peur de lui.

— Même s'il est gentil, tu te sauves dans tes rêves ?

— Bien, ouais, murmura-t-il.

— Tu en as parlé avec ta mère ?

— Pas vraiment.

— Tu lui en parleras ?

— Je ne sais pas. Tu m'aideras à ne pas avoir peur si je le revois ? lui demanda-t-il d'un ton presque implorant.

Perplexe, Angelo réfléchissait en se grattant la tête.

— Tu te rappelles s'il s'appelait Francis ?

La petite mâchoire tomba instantanément.

— Oui, c'est ça ! C'est bien ça. Francis. Il s'appelle Francis, dit-il comme dans un état second.

— Je le connais.

— Tu le connais ? C'est un ami ? demanda Sami sidéré.

— Seulement une connaissance, le fils d'un copain de ta mère.

— Il est gentil ?

— Je ne le connais pas vraiment.

— Pourquoi alors lorsqu'il m'a vu, il ne m'a que fixé et rien dit ? lui demanda Sami avec insistance.

— Peut-être a-t-il eu peur lui aussi ?

Dérouté, Sami se mit à le regarder d'une différente façon.

— Pourquoi aurait-il peur de moi ?

— Je l'ignore. Peut-être a-t-il rêvé à toi lui aussi ? Et lorsqu'il t'a vu, il a figé ou il a eu peur, tout comme toi, tenta maladroitement de lui dire Angelo.

— Tu crois que c'est possible ?

— Je n'en ai aucune idée. Une chose est certaine, tu devrais en parler à ta maman. Elle aurait peut-être une explication, rétorqua le parrain totalement dépassé par tant d'informations inexplicables.

— Je ne veux pas lui faire de la peine. C'est son ami.

— Les mamans peuvent tout comprendre. Tu peux lui en parler.

— Est-ce que je peux dormir près de toi tout comme Jordan ?

demanda-t-il l'air fatigué.

— Viens là, répondit Angelo d'un ton paternel et rassurant.

Il s'allongea et s'appuya contre la cuisse libre. Voyant les deux petites têtes posées contre ses deux cuisses, il releva le menton. Perdu dans ses pensées, abasourdi des propos que son filleul venait de lui révéler, il frissonna.

— Clac.

Il sursauta. Le bruit lui fit brusquement tourner la tête vers la fenêtre où il tenta de voir sans succès ce qui venait de s'y frapper.

Chapitre 12

— Tu crois qu'il viendra ?

— Tu parles ! C'est comme si tu demandais à un chien s'il voulait un os ! Ça crève les yeux ! Il n'a d'yeux que pour toi.

— Peut-être a-t-il changé d'idée ?

— Vraiment, tu sous-estimes les pouvoirs de Cupidon ! dit Lina en pinçant la joue de son amie.

— Bonsoir mesdemoiselles, dit le portier en les invitant à entrer.

— Oh ! Oh ! Les mesdemoiselles sont heureuses ce soir ! répliqua Lina particulièrement excitée.

Elle leva la main telle une diva.

— Il n'y a que des hommes, remarqua Sarah alors qu'elle balayait la place du regard.

Accoudée au bar, la clientèle masculine les dévisagea puis les reluqua de la tête aux pieds.

— Tu crois qu'ils nous avaleront toutes crues ? cria Lina tant la musique résonnait fort malgré la tranquillité des lieux.

Appuyés contre l'un des trois bars, deux hommes les dévoraient des yeux. Timidement, Sarah se retourna et se dirigea vers un autre bar, situé à leur droite. Deux jeunes femmes discutaient en gesticulant exagérément, tentant désespérément d'attirer l'attention.

— Je crois qu'elles n'apprécient pas, commenta Lina en voyant l'air déçu des deux femmes qui les voyaient s'approcher.

Faisant fi de leur changement d'attitude, Lina s'assit exprès juste à côté de l'une d'elles. Elle adressa un sourire espiègle à Sarah qui cherchait déjà Rafael.

— Laisse-lui le temps de se faire une beauté! s'égosilla Lina

— Il a peut-être…

— Avec les yeux brillants comme tu les as, il te trouverait même au milieu d'une chambre noire!

— Buvons! proposa Sarah cessant de chercher désespérément son cavalier absent.

— Bonne idée! La belle aurait-elle besoin de se calmer les nerfs?

— C'est fou comme je me sens nerveuse.

— C'est plutôt excitant!

Elles s'installèrent plus confortablement, tirant un haut tabouret et s'asseyant près du bar. Le barman les lorgna puis les accueillit d'un sourire curieux.

— Que puis-je servir à ces deux jolies demoiselles? dit-il d'une voix charmeuse.

— Vous avez quelque chose de fort? demanda Sarah.

— Tout ce que vous désirez. Un cognac, un whisky? lui offrit-il tout en la reluquant ouvertement.

— Oh! Pas si fort!

— Vous avez du café? demanda Lina.

— Rien à voir à un cognac, mais j'en ai, répondit-il l'air surpris.

— À moins qu'on y mélange les deux! continua-t-elle.

— Un café cognac? proposa-t-il.

— Vous faites le brésilien? demanda Sarah.

— Tout ce que vous désirez belle dame, répondit-il d'une voix qui portait tout en lui faisant les yeux doux.

— Ce sera donc un brésilien pour moi, commanda Sarah.

— Même chose, continua Lina.

— Alors ce sera deux cafés brésiliens pour les deux plus belles femmes de la place. Vous les boirez ici au bar? leur demanda-t-il en se penchant sensuellement vers elles.

— Oui! Oh oui! répliqua Lina d'une voix trop aigüe.

Il leur adressa un sourire satisfait.

— Nous pourrions nous éloigner un peu? proposa Sarah.

— Et risquer de manquer Rafael? Et de parler avec un séduisant barman? Pas question!

— C'est que lui… dit Sarah en pointant un doigt en direction du barman.

— Quoi? Il est charmant non? Au cas où Rafael ne serait pas assez entreprenant, ce beau barman mettra du piquant non?

— Et si c'était le contraire? S'il décidait de partir?

— Eh bien, nous danserons!

— Il déteste la danse!

— Alors il boira! Quoi de mieux que d'être assis près d'un bar! Tu devras lui faire la conversation, dit Lina en rigolant.

— Et de quoi vais-je lui parler?

— Mais qu'est-ce qui t'arrive? Relaxe un peu! Tu as toujours eu la parole facile et en plus, tu le connais déjà. Tu commences par ressasser de bons souvenirs puis tu le demandes en mariage!

— Lina!

— Tu es trop sérieuse. Arrête d'angoisser tu veux?

Sarah parut se détendre un peu.

— Oh, mais regarde. Regarde de ce côté. Tu as vu? Regarde! Ça te calmera un peu!

— Oh là! s'exclama Lina lorsqu'elle aperçut deux hommes qui entraient.

Élégants, vêtus de chemises décontractées et de pantalons noirs, ils marchaient d'un pas assuré dans leur direction. Lina se redressa. Sarah, quelque peu intimidée, se détourna.

— Aïe! Que fais-tu? cria Sarah qui se frotta le bras.

— Tu as vu les deux mecs?

— Difficile de ne pas les voir!

— Le Bon Dieu existe!

— Retiens-toi un peu!

— La mère d'Apollon n'est pas morte! Et en plus, elle a eu des jumeaux!

— Seigneur! Tu es mariée!

— Admirer la beauté n'est pas un crime!

— La dévorer des yeux pourrait le déclencher!

— Ils sont charmants non? dit Lina qui feignit de s'évanouir.

— Ne tente pas le diable!

— Le diable, le diable, pourquoi a-t-il toujours ses plus beaux atouts?

— Pour que tu succombes à la tentation!

Lina pouffa de rire tout en continuant de suivre du coin de l'œil les deux jeunes hommes.

— Voici vos cafés brésiliens mesdames.

— Bon ! Il a laissé tomber les mesdemoiselles ! Jaloux va ! le taquina Lina.

Ignorant le commentaire, le barman déposa les tasses remplies à ras bord devant les deux amies et repartit servir les deux autres clients.

— Santé ! salua Sarah en levant sa tasse avec précaution.

— À l'amour retrouvé !

Elles cognèrent à peine leur tasse et burent à petites gorgées.

— Délicieux !

— Et chaud ! dit Lina en posant l'index sur sa lèvre inférieure couverte de sucre.

— Vous parliez de moi mesdames ? Gino ! À votre service ! intervint promptement le barman.

Lina s'étouffa presque en pouffant de rire alors que Sarah rougit d'inconfort. Le visage du barman afficha un large sourire figé. Sa tête oscillait de gauche à droite, reluquant avidement ses deux nouvelles clientes.

— Tu sors tout droit qu'une BD toi ? On dirait Roger Rabbit avec ce sourire ! lança Lina.

Sarah ne put se retenir et éclata de rire à son tour. Surpris, le serveur redevint sérieux et s'affaira à essuyer le comptoir du bar.

— Tu l'as sûrement vexé ! chuchota Sarah.

Ses épaules sursautaient. Lina se tourna vers le barman.

— Je t'ai vexé mon chou ?

Il s'éloigna du bar et alla servir un nouveau client.

— Continue et ce sera du poison qu'il ajoutera à ton deuxième café brésilien !

— Tu viens danser ? proposa Lina déjà debout.

— Alors on danse ! Alors on danse ! Alors on danse ! chante Stromae dans les six haut-parleurs de la discothèque.

— Quelle heure est-il ? demanda nerveusement Sarah.

Dansant à côté de son tabouret, secouant la tête d'un côté et de l'autre, Lina l'ignora.

— Alors on danse ! chanta-t-elle en prenant la main de son amie qui demeura assise.

— Pas tout de suite. Tu sais l'heure ? redemanda Sarah.

— Vingt-trois heures, dit Lina en pointant l'index et le majeur vers l'horloge au-dessus du bar.

Elle se trémoussa sans gêne, oubliant son amie.

— Il ne viendra pas, dit Sarah.

— Alors on danse !

— Il n'y a personne !

— Alors on danse !

— Raison de plus ! Nous aurons toute la place seulement pour nous, chantonna Lina en secouant toujours la tête, sa chevelure frappant le visage de Sarah.

— Alors on danse !

— Et tout le monde pourra bien nous remarquer !

— Et puis… ?

— Alors tu danses ! chantonna Sarah en riant.

Déchaînée, Lina se déhanchait en haussant les épaules, levant les bras, balançant la tête de haut en bas, de gauche à droite.

— Alors on danse !

La chanson terminée, elle s'arrêta net de danser. Sortie de sa bulle, en sueur, elle se rassit.

— Quelle chanson ! Tu l'as entendue ?

— Difficile de ne pas l'entendre avec tous ces décibels !

— Quelle chanson ! Tu manques le meilleur de la danse !

— Je préfère déguster mon brésilien.

— Tout est à votre goût mesdames ? s'informa le barman prenant une attitude plus distante.

— Avant de déguster un Raf…

— Ça suffit Lina !

— Vous voulez déguster un St-Rafael ? proposa le barman.

Lina se tordit de rire sur son tabouret.

— Combien vous dois-je ? demanda Sarah écarlate.

— C'est déjà réglé, répondit-il.

— Quoi ? s'exclamèrent-elles, surprises.

— Ces deux hommes ont déjà réglé pour vous, spécifia le barman en pointant les deux gentlemans arrivés quelques minutes plus tôt.

Lina prit son café et les salua, levant sa tasse dans leur direction. Les deux hommes firent de même avec leur bière. Alors qu'ils leur adressaient de larges sourires, Sarah se détourna.

— Tu ne les remercies pas? insista Lina en la frappant de nouveau du coude.

— Nous ne les connaissons pas!

— Raison de plus pour faire leur connaissance!

Au même moment entra un autre homme encore plus élégant que les deux premiers. Son aisance et sa prestance attirèrent l'œil des deux jeunes dames puis des deux amies. Vêtu d'un jeans noir et d'une chemise bourgogne tombant jusqu'à la mi-cuisse il marcha d'un pas certain. Même les hommes se retournèrent pour le regarder entrer. La bouche de Sarah s'entrouvrit. Les yeux de Lina s'agrandirent.

— Dieu du ciel! C'est bien lui? demanda Lina oubliant les sourires des deux premiers hommes.

— Il est… il est si… il est magnifique, dit Sarah le souffle court.

— Tu parles! Il s'est métamorphosé!

— Il est… il est… beaucoup trop…

— Peut-être qu'en l'embrassant il se changera en crapaud? lança Lina qui fit sourire nerveusement son amie au moment même où Rafael les repéra.

Il s'approcha avec assurance, un demi-sourire sur les lèvres.

— Bonsoir mesdames, dit-il les yeux pétillants.

— Bonsoir! le salua Sarah rayonnante.

Sans hésiter, il s'avança pour l'embrasser sur la joue droite. Gauchement, Sarah présenta l'autre joue, effleurant presque ses lèvres. Lina se mit à applaudir telle une enfant en voyant Sarah mal à l'aise.

— Bonsoir! Lina si je me souviens? dit-il d'un ton posé.

— Bingo! Ça va? dit-elle joyeusement excitée.

Elle s'avança et tendit les joues l'une après l'autre obligeant Rafael à l'embrasser à son tour. Sarah lui fit de gros yeux auxquels son amie répondit d'un clin d'œil espiègle.

— Vous venez régulièrement ici? commença-t-il.

— Ça fait au moins huit ans que Sarah n'est pas sortie!

Sarah la fixa à nouveau, mais cette fois-ci d'un air menaçant. Lina rétorqua en tirant la langue.

— C'est une première pour moi, je n'ai pas l'habitude de ce genre d'endroits, dit-il.

— Je peux te tutoyer, lui demanda Lina.

— Bien sûr.

— Sarah m'a dit que tu étais un très bon danseur !

Il se tourna vers Sarah qui ne fit que hausser les épaules.

— Elle doit faire erreur sur la personne ! répondit-il l'air quelque peu intimidé.

— J'ai plutôt dit que tu détestais danser, corrigea Sarah.

— Je suis rassuré ! Et ces cafés ? Ils sont buvables ? demanda-t-il en regardant leur tasse à moitié vide.

— Délicieux, répondirent-elles en duo.

— Je reviens.

Élégamment, il marcha en direction des toilettes. Lina le fixa et émit un sifflement d'admiration.

— Tu as vu le….

— Chut ! coupa Sarah.

— Je l'aime bien, dit-elle dévorant Rafael des yeux.

— Hey, hey, hey, doucement là ! Je ne voudrais pas que tes niaiseries le fassent fuir.

— Voyons ! Je ferai tout pour venir en aide à Cupidon. N'aie crainte, je saurai m'éclipser au moment opportun.

— Ne me laisse pas seule s'il te plaît, insista Sarah.

— Je ne te reconnais plus.

— Ça fait si longtemps !

— Laisse-toi aller un peu. Tu le connais ! Il est super gentil, super sexy, super sympathique, méga séduisant. Il descend tout droit du ciel ! Un ange ! Tu n'as vraiment rien à craindre !

— Tu crois que je m'énerve pour rien ?

— Relaxe !

— J'essaie !

— Essaie plus fort alors !

L'allure décontractée et d'un pas certain, Rafael revint, une bière à la main. Lina se leva d'un bond et poussa son tabouret.

— Tu as été remplir ton verre aux toilettes ? blagua-t-elle en pointant le liquide jaune dans le verre.

Il se contenta de rire et de lever le bras.

— À votre santé-dit-il.

Elles l'imitèrent et burent simultanément.

— Tu es ravissante, murmura-t-il à l'oreille à Sarah qui se trémoussa.

— C'est un frisson que je vois apparaître sur ton bras?

Sarah jeta un regard désapprobateur à son amie.

— Je reviens, dit Lina en s'éloignant en direction des deux hommes installés à l'autre bar.

— Excuse-la. Elle a l'habitude d'en ajouter, expliqua gauchement Sarah.

Il en profita pour se rapprocher en prenant place sur le tabouret qu'occupait Lina. Il s'accouda au bar et posa sa bière sur le comptoir.

— Ça fait si longtemps, dit-il affectueusement.

— Désolée, dit-elle, lorsqu'elle frissonna et recula au contact de la cuisse de Rafael qui lui effleura le genou.

— Dis-moi, cela fait combien d'années? lui demanda-t-il en la fixant amoureusement.

— Vingt ans? Vingt-cinq ans?

— Peu importe, tu es toujours aussi belle, la complimenta-t-il en s'approchant un peu plus.

— Toi aussi, tu n'as pas changé d'un iota.

— Comme si le temps ne s'était point écoulé. Tu as seulement embelli, la décrit-il en la caressant du regard.

— Et que dire de toi? Tu es…

— Tu es si belle. Tu l'as toujours été, la coupa-t-il, en pesant ses mots.

Du bout des doigts, il osa lui caresser la joue.

— Tu habites près d'ici? dit-elle, tentant de détourner la conversation.

Il recula à peine en lui souriant avec tendresse.

— Après vingt ans dans la vieille capitale, j'ai décidé de revenir.

— Pourquoi?

— Tout et rien. Et toi, que deviens-tu ma belle Sarah?

— Difficile de résumer un quart de siècles en quelques mots!

— Tu es mariée?

— Non. Mais j'ai un fils.

— Oh!

— Tu es déçu? lui demanda-t-elle aussitôt, croyant voir diminuer la lueur dans les yeux de son premier grand amour.

— Non. Pas du tout. Donc tu n'es pas seule? insista-t-il en tentant de masquer son embarras.

— Oui et non.

— Oui ou non?

— Il a huit ans. Il s'appelle Sami.

— Je me trompe où il me semble que tu ne devais jamais avoir d'enfants?

— C'était vrai, selon les tests d'infertilité. Il faut croire que les miracles existent!

— Et quel miracle! dit-il avec une certaine tristesse dans la voix.

Il but une gorgée de sa bière.

— Il est ma raison de vivre. C'est pourquoi je lui ai consacré les huit dernières années de ma vie. Même si je ne sors plus comme avant, je suis très heureuse.

— Tu es en couple?

— Non.

— Amoureuse?

— Non plus!

— Et le père, il a disparu?

— Si on veut.

— Désolé. Je suis trop indiscret.

— Pas du tout.

— J'avoue que je suis tellement heureux de te retrouver que j'ai cru un moment que tu pouvais être libre.

— Je le suis.

La lumière réapparut dans ses yeux.

— Et le père dans tout cela?

— C'est une longue histoire, mais en résumé, Sami n'a jamais connu son père.

— Difficile d'élever un enfant seul. Dommage que les gens ne prennent pas leurs responsabilités.

— Il est décédé le jour de la naissance de notre fils.

— Qu'est-ce que tu racontes ? Le même jour ? clarifia-t-il abasourdi.

— Au même moment. Lorsque Sami naquit, Michael rendit son dernier souffle.

— Je suis désolé. Quelle triste histoire, s'excusa-t-il déconcerté.

Il posa délicatement la main sur l'épaule de celle qu'il aimait depuis si longtemps.

— Je me répète, mais je peux dire qu'aujourd'hui je suis très heureuse. Ces dernières années consacrées à mon fils me procurent une joie indescriptible.

— Et durant ces huit années, tu n'as pas tenté de faire des rencontres ou de refaire ta vie ?

— Pas du tout.

— C'est mon jour de chance alors ! Et pourquoi donc cette sortie ce soir ?

— C'est une idée de Lina. Pour être franche, je n'avais aucune envie de sortir.

Il recula de quelques centimètres.

— Et maintenant ?

Spontanément, elle plongea son regard dans le sien.

— J'avoue que je suis vraiment très heureuse de te revoir, dit-elle le visage illuminé de bonheur.

Elle porta élégamment sa tasse à ses lèvres. De nouveau, il se permit de lui caresser la joue du bout des doigts.

— Et toi ? Tu es marié ? En couple ?

— Je n'avais pas trouvé la bonne personne !

— N'avais ? J'en déduis donc que tu viens de rencontrer quelqu'un ?

— Elle est juste devant moi.

— Tu es trop gentil.

— Si tu savais combien de fois j'ai rêvé de ce moment.

— Comment se fait-il qu'un homme, plutôt qu'un bel homme comme toi soit encore célibataire ? se reprit-elle en pesant ses mots.

— Trop facile de rencontrer des femmes.

— Tu sors régulièrement ?

— Occasionnellement, mais pas dans ce genre d'endroits. Je suis un peu blasé de ces rencontres qui se terminent souvent après quelques mois sous prétexte qu'il y a trop d'incompatibilités. Nous sommes uniques et différents! Normal que nous ayons des incompatibilités! Les gens n'ont plus cette volonté de l'engagement à long terme ne trouves-tu pas?

— Rien n'est parfait ici-bas! se contenta-t-elle de lui répondre

Elle croisa les jambes.

— Oh! Excuse-moi! Je t'ai fait mal? s'excusa-t-elle après lui avoir involontairement asséné un coup de pied sur le tibia.

Elle se pencha et lui frotta le genou. Il la retint par les épaules et l'aida à se redresser.

— Les femmes comme toi sont une denrée rare.

Elle se figea, s'étouffant presque en avalant la dernière gorgée de son café. Elle déposa sa tasse et s'essuya les lèvres avec la petite serviette de papier blanc posée sur la table. Étonnée, elle se contenta de lui adresser un magnifique sourire.

— Merci, dit-elle simplement.

— Je ne fais que complimenter une superbe femme.

— Tentes-tu de me séduire?

— Aimerais-tu que nous nous revoyions? demanda-t-il en ignorant sa question.

— Tu ne perds pas de temps! C'est ce qui s'appelle aller droit au but.

— En présence d'une femme aussi exceptionnelle, on ne peut se permettre de la perdre une deuxième fois, coupa-t-il.

Ébahie, elle se redressa l'air heureux.

— Je ne sais que répondre.

— Ne laissons pas passer une telle chance. La vie est trop courte.

Elle se pencha vers lui.

— J'aime bien prendre le temps.

À son tour, il s'avança vers elle et mit sa main droite sur son genou.

— Prendre le temps, mais surtout savoir saisir l'occasion, continua-t-il en prenant le ton de la confidence.

— C'est que mon fils prend tout mon temps, se défendit-elle.

— Il fréquente l'école non?

— Bien sûr! dit-elle l'air surpris.

— C'est ce que je disais, tu as du temps libre!

— Tu es toujours aussi direct?

— Lorsqu'on est aussi convaincu d'avoir retrouvé la bonne personne, on ne se pose même pas la question à savoir si on devrait attendre.

— On peut dire que tu es sûr de toi !

— Je suis convaincu. Alors on se reverra ?

— Tout dépendra de cette soirée ! dit-elle d'un air enjôleur.

— Tu veux danser ? lui demanda-t-il.

Il se leva et lui tendit la main.

— Tu danses ? s'exclama-t-elle plus que surprise.

— Non !

— Pourquoi me l'offrir alors ?

— Parce que je sais que tu aimes danser !

— Ce que tu es adorable ! Tu es toujours aussi attentionné ?

— Seulement avec une femme exceptionnelle !

— C'est vraiment très gentil ! Mais tu sais quoi ? Je préfère de beaucoup continuer à discuter.

— À votre guise chère dame, dit-il en levant sa bière et la saluant.

Il but une gorgée et déposa son verre. Il se leva, repoussa le tabouret et s'approcha d'un pas. Posant un coude sur le bord du comptoir, il s'immobilisa et soutint son regard. Un sourire complice se dessina sur leurs lèvres. Il lui prit la main, la porta à ses lèvres et lui fit un baisemain bien senti. Elle se raidit. Il releva la tête et se perdit dans son regard. La gêne du début disparut au contact de ses lèvres sur le dos de sa main. Elle resta ainsi, sa main dans la sienne, les yeux dans ses yeux. De l'autre bar, du coin de l'œil, Lina aperçut la scène. Elle tenta d'attirer l'attention de son amie qui n'avait d'yeux que pour son cavalier.

— Il y a si longtemps…, dit-elle ivre de bonheur.

— Et ce n'est qu'un prélude ma belle.

— C'est rapide non ? dit-elle en retirant délicatement sa main.

Son malaise était palpable. Il recula d'un pas.

Sarah, Sarah ! Ne perds pas cette belle occasion. Le temps file trop rapidement. Saisis ce cadeau qui t'est offert. La vie est trop courte, nous le savons que trop toi et moi. Saisis ta chance mon amour. Tu dois continuer la vie. Huit ans déjà, huit belles années que tu vis seule avec notre fils. L'amour est trop précieux pour le laisser passer. Tu connais bien Rafael. Il t'aime comme peu d'hommes savent aimer. Fonce, ne crains rien. Je veille sur toi...

— Rapide ?

— Je veux dire, euh, je ne suis pas prête.

— Hey ! Ce n'est qu'un baiser sur la main. Ne va surtout pas te faire d'illusions.

Elle rit de bon cœur et se détendit au son de la musique qui s'élevait de plus en plus que les gens entraient.

— Comment vont les amoureux ? leur demanda Lina, bondissant près d'eux.

Sursautant, Rafael sourit à pleines dents alors que Sarah devint écarlate.

— J'aimerais rentrer bientôt, dit-elle précipitamment.

Étonné, Rafael se tourna vers Lina.

— Pas question ! Nous venons à peine d'arriver, s'opposa-t-elle.

— Elle a raison. Je viens à peine d'arriver, renchérit Rafael.

— C'est que je suis fatiguée, dit Sarah d'un air las.

— Tu n'es pas plutôt contrariée ? observa son amie.

— Arrête ! répliqua-t-elle promptement.

Surprise d'une telle réaction, Lina prit l'air de quelqu'un qui vient de se faire réprimander. Elle leva les bras en guise d'incompréhension et fit la moue.

— Que veux-tu ! À cet âge, l'on se couche tôt ! abdiqua-t-elle.

— Ce qui veut dire qu'elle est matinale ? s'informa-t-il visiblement déboussolé de la tournure de la soirée.

— Tu as tout compris !

— Tu es libre pour le déjeuner ? trouva-t-il rapidement à lui proposer.

— Bien sûr ! répondit Lina pour son amie.

— Alors je t'invite, demain huit heures au restaurant L'Oeil matinal. Tu connais ?

Avant même que Sarah puisse prononcer un mot, Lina secoua la tête en guise d'approbation pour son amie.

— Je regrette Rafael. Je dois m'occuper de Sami demain matin.

— Il est le bienvenu !

Elle resta sans mots.

— Angelo et moi garderons Sami toute la journée ! renchérit Lina.

Inconfortable, Sarah prit son sac à main et fouilla à l'intérieur. Elle sortit un petit carnet et un crayon.

— Mais qu'est-ce que tu griffonnes là? demanda Lina qui tentait par tous les moyens de lire ce que sa timide amie écrivait.

Sarah détacha avec assurance la feuille lilas du bloc-note qu'elle tendit à Rafael.

— Voilà mon numéro. Appelle-moi cette semaine. Nous pourrions prendre un café?

Il tenta en vain de cacher sa déception. Il prit le bout de papier.

— C'est bien ton numéro? Sincèrement, cela me rendrait bien triste de te perdre à nouveau. Je considère que c'est une chance de nous être retrouvés ce soir, dit-il l'air déçu.

Lina s'approcha. Elle se colla presque le nez sur la petite feuille.

— C'est bien exact, confirma-t-elle en frappant affectueusement le bras de Rafael.

Il fit un pas vers Sarah. Malgré le dépit qui se lisait sur son visage, il prit la main de son premier amour.

— Je veux que tu saches que je ne veux aucunement t'obliger à me revoir. Ce sera seulement si toi tu en as envie. Tu sais combien tu es importante pour moi et je ne voudrais jamais te forcer à faire des choses simplement pour me faire plaisir. Tu comprends?

Du dos de la main, elle lui effleura le visage puis glissa ses doigts sur les joues fraîchement rasées.

— Rafael, ce sera un plaisir de te revoir si tu es libre cette semaine.

Il releva la tête, un magnifique sourire illuminant son visage.

— Tu viens danser? lui demanda Lina.

— Je vais rentrer. Le repos me sera bénéfique.

Il termina sa bière et se leva. Sarah repoussa sa tasse vide et reprit son sac à main.

Il salua Lina en lui donnant deux baisers hâtifs sur ses joues humides.

— Je t'attends dans le hall d'entrée, dit-elle à Sarah.

Il avança aussitôt d'un autre pas.

— Elle est charmante, commenta-t-il en la suivant des yeux.

— Trop entreprenante par moments!

— Elle t'aime, cela transparaît. Elle ne veut que ton bonheur, c'est évident!

— Ce fut un plaisir de te revoir, coupa-t-elle.

— Tu n'as pas idée…

Il tenta de s'approcher un peu plus. Elle mit la main sur son torse, l'empêchant d'aller plus loin.

— Tu m'appelleras cette semaine ? lui demanda-t-elle.

Il recula, évitant la pression de sa main.

— Je ne veux aucunement forcer les choses, tu sais ?

— Hum.

— Alors, sois à l'aise lorsque je t'appellerai. Si tu as changé d'idée, je comprendrai, dit-il la voix chargée d'émotion.

Émue, elle avança d'un pas et mit la main sur son avant-bras.

— J'ai vraiment envie de te revoir.

— Super, dit-il l'air rassuré.

— Je ne m'attendais pas du tout à cette rencontre. Depuis le départ de Michael, je n'ai eu qu'un seul but, celui de prendre soin de notre fils.

— Tu crois qu'il serait heureux de te savoir avec moi ?

Elle baissa les yeux.

— Connaissant le tempérament fougueux de Michael, j'ai le sentiment qu'il me pousserait à être heureuse…

Bingo ! Tu as tout compris !

— Donc qu'est-ce qui t'empêche de…

— Laisse-moi un peu de temps tu veux ? Crois-moi, je suis agréablement surprise, je dirais même très surprise !

— Et moi donc ! Tu sais…

Elle se pressa contre lui. Il l'étreignit avec précaution.

— Quoi donc ? dit-elle, la tête appuyée contre son torse.

— Je veux que tu saches que je ne t'ai jamais oubliée.

Elle ne put lire l'émotion qui montait dans son regard.

— C'est vrai ? bredouilla-t-elle d'une petite voix.

Il posa ses deux mains sur les épaules dénudées. Ses yeux devinrent brillants comme le feu d'un brasier.

— Je suis encore sous le choc de réaliser qu'après toutes ces années, rien n'a changé. Et lorsque je dis rien, je parle de mes sentiments. Ils sont exactement les mêmes, comme s'ils s'étaient figés dans le temps. Ce soir, je comprends tellement pourquoi j'ai eu raison de te garder secrètement dans un recoin de mon cœur. Je suis si heureux d'avoir gardé l'espoir, malgré la distance, qu'un jour je te retrouverais. Si tu savais combien de fois j'ai pensé à toi…

— J'ai tenté de savoir ce que tu devenais, lui confia-t-elle.

La joie apparut instantanément sur son visage serein.

— Ah oui? Et pourquoi? demanda-t-il l'air heureux.

— Simplement pour savoir ce que tu devenais.

— C'est tout! s'enquit-il en riant nerveusement.

— Oui!

— Que voulais-tu savoir exactement?

— Simplement ce que tu devenais. Je ne voulais en rien déranger ta vie. J'ignorais si tu étais marié ou avais une famille, des enfants.

— Si j'avais su! dit-il étonné.

— Au fait, et toi, pourquoi pensais-tu à moi? demanda-t-elle.

— Je me répète, je ne t'ai jamais totalement oubliée. J'ai toujours entretenu cet espoir secret qu'un jour je te retrouverais. Je, hum, je t'ai toujours aimée, depuis le premier regard….

Elle recula, le regarda puis s'approcha pour l'embrasser sur la joue. Il la prit par la nuque et posa son front contre le sien. Elle l'étreignit, effleurant de ses lèvres le bas de sa joue.

— Merci d'avoir insisté, lui murmura-t-elle.

Elle ne vit pas les deux grosses larmes de joie qui tombèrent des yeux de celui qui l'aimait depuis plus d'un quart de siècle.

Prends-en bien soin Rafael.

Chapitre 13

— Maman. Maman. Maman ! répéta-t-il.

— Hum ?

— Maman ! Tu me donnes la confiture s'il te plaît ?

Sans lever les yeux, elle prit le pot et le donna à son fils. Elle croqua une bouchée de sa rôtie beurrée et garnie de morceaux de pomme. Elle découpa un autre quartier, le plaça sur le pain grillé et croqua une deuxième bouchée. Elle recommença et découpa un autre morceau. Francis reluqua sa mère qui l'ignorait. Il étendit de la confiture de fraise sur sa tranche de pain non grillée. Elle but une gorgée de café. Il croqua dans le pain moelleux.

— Tu vas m'ignorer encore longtemps ? osa-t-il tout en mastiquant une bouchée de sa tartine.

Sa mère se leva et se servit une deuxième tasse de café.

— Tu veux m'en servir une ? demanda-t-il gentiment.

Elle ne lui répondit pas, mais sortit une tasse qu'elle emplit après s'en être d'abord servie une. Machinalement, elle ouvrit la porte du réfrigérateur, agrippa la pinte de lait, la déposa sur la table suivie des deux tasses. Elle se rassit.

— Merci, dit-il en terminant sa tartine.

Elle se releva et déposa son assiette dans l'évier.

— Maman. S'il te plaît. Viens t'asseoir. Je vais tout te raconter.

Sans façon, elle le lorgna.

— Allez, viens. Écoute-moi. Je te dirai tout ce qui s'est passé chez Sarah.

Elle hésita. Impatiemment, elle reprit son assiette, la plaça dans le lave-vaisselle et retourna vers le comptoir. Il pivota sur sa chaise, faisant face à sa mère.

— Tu ne vas pas me bouder durant toute la semaine ? Ça fait trois jours que tu ne m'adresses plus la parole. Je n'ai commis aucun crime à ce que je sache ? Je ne suis qu'allé discuter avec Sarah. Où donc est le mal ? dit-il en haussant la voix.

— Tu aurais dû m'en parler avant ! dit-elle en serrant les dents.

Il sourit d'avoir trouvé le moyen de la faire réagir.

— Ce n'est pas après que tu aies fait ce que tu voulais que ça va changer quelque chose, dit-elle irritée.

— Je te raconte tout en détail si tu le veux. Viens ici ! Viens près de moi, insista-t-il, tendant une main vers sa mère.

Elle resta immobile.

— Profitons-en pendant que nous sommes seuls, tenta-t-il en prenant un ton posé.

Elle inspira d'impatience et s'approcha. Elle s'assit, évitant le regard victorieux de son fils. Elle prit sa tasse de café fumant et but à petites gorgées.

— Elle m'a tout expliqué, se lança-t-il.

— Elle n'était au courant de rien, alors ce qu'elle a pu raconter…

— Je sais que ce n'est pas papa qui est parti, coupa-t-il.

— Menteuse ! Comment a-t-elle osé ? cracha-t-elle.

— Tu l'as chassé.

— Cela ne te regarde pas ! Cette histoire ne regarde que ton père et moi.

— J'ai le droit de savoir.

— C'est à moi que tu aurais dû t'informer.

— J'ai eu les réponses aux questions qui me rongeaient depuis plusieurs années, rétorqua-t-il.

— Tu es content ? répliqua-t-elle furieuse.

— Oui. Très content. Je me sens mieux et je veux te dire que je ne t'en veux pas, dit-il avec un élan de tendresse.

Pour la première fois depuis plus de trois jours, elle daigna le regarder. Ses yeux passèrent de la colère à la tristesse.

— Je comprends que tu aies voulu nous épargner Marie et moi. Mais pourquoi nous avoir menti ? demanda-t-il calmement.

— C'était mieux ainsi.

— Pour qui?

Elle hésita un moment.

— Pour nous tous.

— Pour nous tous? répéta-t-il en s'énervant.

— Surtout pour ta sœur et toi.

Il se raidit.

— Tu savais combien papa nous aimait? Tu devais aussi savoir combien cela lui ferait du mal de se séparer de nous, ses enfants avec qui il passait le plus clair de son temps?

— C'est ce que toi tu percevais! répliqua-t-elle cyniquement.

Décontenancé, il dévisagea sa mère d'un air incompréhensible.

— Pourquoi tant de haine? dit-il la voix brisée.

— Je ne voulais plus le voir.

— Et nous? Tu as pensé à Marie et moi?

— Plus que tu ne peux l'imaginer, dit-elle en le défiant du regard.

— Tu étais amoureuse de ton nouvel amant?

Elle fit signe que oui.

— Et c'était une raison pour le chasser comme tu l'as fait? demanda-t-il d'un ton accusateur.

— Je ne l'ai pas chassé, se défendit-elle.

— J'ai vingt ans. Je ne suis plus un enfant.

— Ceci ne te regarde pas. C'était une affaire…

— … entre mon père et toi, compléta-t-il.

— Tu as tout compris! dit-elle d'un ton provocateur.

— Alors, pourquoi nous avoir fait croire qu'il ne voulait plus de nous, qu'il nous avait abandonnés?

— Cela valait mieux, dit-elle mi-souriante.

— Et pour qui? demanda-t-il la rage dans la voix.

— Ça suffit. Dis-moi pourquoi tu as été voir cette Sarah Donovan? coupa-t-elle.

Il la foudroya du regard.

— Parce qu'elle, elle me dit la vérité. Elle, elle a répondu à toutes mes questions. Elle, elle m'a raconté comment tu as repoussé notre père. Elle, elle m'a trop bien expliqué combien de mal tu as fait à papa en le chassant de la maison et en l'ignorant. Tu avais rencontré cet homme et plus rien ne comptait, ou plutôt, ce qui avait de l'importance pour toi c'était les cadeaux. Cela comptait plus que tout à tes yeux. Il nous comblait de présents et de voyages afin de nous éloigner Marie et moi de notre père et même de toi. Comme ça, il pouvait t'avoir à lui tout seul. De cette façon, il pouvait prendre du bon temps avec toi.

Elle le gifla. Il ne broncha point.

— Je t'interdis de me parler de cette façon.

Il ravala. Même si sa joue déjà rouge gonflait, il ne bougea point.

— C'est pourtant la vérité maman. Pourras-tu un jour nous l'avouer à Marie et moi, dit-il la voix défaite.

— Ça suffit. J'en ai assez entendu.

— Arrête. Arrête s'il te plaît.

— Je ne veux plus rien entendre, coupa-t-elle.

Il frappa la table de sa main droite et se leva. Il joignit les mains et serra les doigts si forts que ses jointures devinrent blanches.

— Je veux tenter de comprendre ce qui s'est passé, rien de plus, dit-il reprenant un ton plus calme.

— Tu n'avais pas à aller voir cette voleuse, continua-t-elle rageuse.

Il la dévisagea, l'air dégoûté.

— Elle ne nous a rien volé. Quand le comprendras-tu? Papa lui a tout légué. C'est très différent.

— Tu es de son côté maintenant? argumenta-t-elle.

Il baissa les bras en signe de résignation.

— Je ne suis ni d'un côté ni de l'autre. Il se trouve que je suis entre les deux et que je veux simplement ramasser les morceaux de ce casse-tête qu'est notre vie, ma vie sans papa, dit-il en pesant ses derniers mots.

Elle le regarda abasourdie.

— Je ne suis pas certaine de bien comprendre. Essaies-tu de me dire qu'il te manque? demanda-t-elle d'une voix empathique.

— Plus que tu ne peux l'imaginer, dit-il tristement.

— Mais Zachary est là, dit-elle prenant un ton doucereux.

— Il n'est pas mon père.

— Il vous aime tout autant.

Il la regarda d'un air vaincu, sachant que jamais elle ne comprendrait le lien qu'un fils peut éprouver pour son père. Il pencha la tête.

— J'aurais vraiment aimé lui raconter ce qui se passe dans ma vie. Quand j'ai eu dix-huit ans, j'aurais aimé sortir avec lui, aller boire une bière. J'aimerais qu'il soit là lorsque j'achèterai ma première voiture et lui demander conseil. J'aimerais lui parler des filles, de mes études de….

— Et tu crois qu'il t'aurait bien conseillé ? dit-elle ironiquement.

Les yeux de Francis devinrent noirs de colère. Il bondit d'un pas.

— Tu le détestes à ce point, même au-delà de la mort ? Tu envies l'amour qu'il nous portait à ma sœur et moi, hein ? Ne l'as-tu jamais aimé pour insinuer un tel manque de jugement de sa part ? Comment peux-tu laisser supposer de telles choses ? Comment oses-tu le traiter de la sorte, toi qui as eu deux enfants avec lui ? N'avait-il pas un brin d'amour, de compassion, de bon sens pour que tu passes tant d'années auprès de lui ? Et tu sais quoi ? J'en ai marre de tout cela. J'en ai marre de rester ici et d'avoir constamment à subir tes humeurs changeantes. J'en ai marre de devoir t'écouter à la lettre sous peine de me faire bouder ou ignorer. J'en ai tout simplement assez que tu veuilles décider de tout ce que je devrais faire ou ne pas faire, de tout ce qui selon toi serait bon ou pas pour moi. J'en ai marre, j'en ai marre, j'en ai foutrement assez ! Tu m'entends ?

Furieux, il sortit de la cuisine.

— Francis. Francis ? Reviens ici. Où vas-tu ? lui cria-t-elle.

— Me trouver un appartement, dit-il en claquant la porte.

— Elle va me le payer cette sale emmerdeuse, cracha-t-elle de colère.

Chapitre 14

— Dis oui, dis oui, Maman ! Est-ce que Charlene peut venir dormir à la maison demain ?

— Que dis-tu ? dit-elle s'affairant à la cuisine alors que son fils sautillait à ses côtés.

— Charlene ! Elle pourra venir dormir à la maison ? répéta-t-il d'une voix plus forte.

— Tu parles de ta petite amie, celle qui habite à côté ?

— C'est quand même loin !

— La maison d'à côté ? confirma-t-elle en brassant un mélange farineux.

— C'est quand même loin en marchant.

— Aujourd'hui nous sommes…

— Vendredi, coupa-t-il en sautillant toujours.

— Donc elle viendrait dormir samedi ? questionna-t-elle en s'arrêtant de brasser le mélange à muffin.

— Ses parents sont d'accord, confirma-t-il en prenant un air angélique.

— Charlene et toi avez déjà discuté avec ses parents ?

Il la regarda l'air incertain.

— Je n'ai encore jamais rencontré ses parents, dit-il surpris.

— Alors comment peux-tu savoir qu'ils sont d'accord ?

— Elle me l'a dit.

— Et tu l'as crue ?

— Elle n'est pas menteuse !

— Peut-être, je suis désolée. Mais c'est que c'est une fille ! dit-elle en se penchant à la hauteur de son fils.

— Et alors? dit-il innocemment.

— Eh bien, les filles ne dorment pas chez les garçons.

— J'ai huit ans!

— Si Charlene était un garçon, ce serait différent, mais c'est une fille.

— Mais c'est mon amoureuse!

— Ton amoureuse? répéta-t-elle surprise.

— Alors elle peut venir dormir ici?

— Raison de plus pour qu'elle dorme chez elle.

— Et pourquoi? dit-il d'un ton plaintif.

— Elle peut venir jouer ici toute la journée, mais elle ne dormira pas ici.

Il fit la moue.

— Elle peut dormir avec toi? proposa-t-il.

Elle s'esclaffa aussitôt. Il prit un air mielleux tentant le tout pour le tout. Elle rit de plus belle.

— Pourquoi tiens-tu autant à ce qu'elle vienne dormir ici?

Songeur, il analysa sa mère. Elle tira une chaise et s'installa pour être à la même hauteur. Il s'approcha avec l'attitude de quelqu'un prêt à faire une confidence.

— J'aurais moins peur.

— Peur de quoi mon poussin? l'interrogea-t-elle l'air surpris.

— De l'homme qui est venu te voir l'autre jour.

— Tu parles de Francis?

En entendant le prénom, il pâlit et baissa la tête.

— Il ne reviendra pas.

— Tu en es certaine?

— Pourquoi as-tu peur de lui?

— Je ne sais pas, dit-il en haussant les épaules.

— Et quel est le rapport entre Charlene qui dormirait ici et la peur de revoir Francis?

— Elle pourrait lui parler! lui répondit-il le visage teinté d'espoir.

— Et moi? Tu veux que je lui parle? Tu ne crois pas que je pourrais mieux intervenir que Charlene?

Il fit signe que non.

— Alors elle peut venir dormir ici? renchérit-il l'air soucieux.

— Pas question mon chaton. Vous pourrez jouer du matin au soir et même jusqu'à minuit si les parents de Charlene sont d'accord, mais elle retournera dormir chez elle.

— Mais c'est mon amoureuse !

— Je sais, tu me l'as déjà dit.

— Les amoureux peuvent dormir ensemble non ?

— Pas à huit ans. Et depuis quand est-elle ton amoureuse ?

— Une semaine !

— Et après une semaine il est raisonnable que l'amoureuse vienne dormir à la maison ? s'étonna Sarah.

Il mit les mains sur ses hanches et regarda sa mère avec assurance.

— Bien oui ! répondit-il sur le ton le l'évidence.

— Nous en reparlerons dans dix ans ! dit-elle en se relevant.

Elle se dirigea vers le four et versa la préparation dans les moules à muffins.

— Dix ans ! C'est dans, dans… dans beaucoup plus d'années que ce que j'ai ! J'ai huit ans maman ! Dans dix ans, j'en aurai dix-huit ! C'est beaucoup trop loin !

— Si Charlene est toujours ton amoureuse, je te promets qu'elle pourra dormir ici ! répliqua-t-elle sans broncher.

Il leva les yeux au ciel l'air décontenancé.

— D'ici là, elle aura trouvé un nouveau copain, dit-il d'un ton découragé.

— Parce que tu crois qu'elle te laissera tomber si tu lui demandes d'attendre ?

— C'est évident !

— J'ignorais que tu en savais autant sur les relations amoureuses ! dit-elle se mordant les joues pour ne pas rire.

— Si ce n'est pas moi, ce sera un autre et j'aurai perdu Charlene pour toute ma vie, affirma-t-il d'un ton défaitiste.

— Hey, hey, viens ici petit homme.

Elle le prit par le cou et se pencha de nouveau à sa hauteur.

— Crois-tu que ton papa et moi avons dormi ensemble dès la première semaine ?

Il la regarda d'un air stupéfait puis intrigué.

— La deuxième ? tenta-t-il.

— Tu veux un truc pour garder Charlene ? dit-elle sur le ton de la confidence.

Il la jaugea.

— Tu peux toujours essayer, mais je sais qu'elle ira vers un autre. Je la perdrai.

— Approche.

Il prit un air intéressé et se colla contre sa mère. Elle mit ses mains près de sa bouche et s'approcha. Il tendit le cou pour mieux coller l'oreille contre les mains jointes en porte-voix.

— Sois bon et très gentil avec elle. Dis-lui qu'elle est belle lorsque tu la trouves jolie et surtout, fais-lui des grands sourires pour lui montrer que tu es heureux lorsque tu la vois ou que tu es avec elle. Tu comprends ?

Il regarda sa mère, stupéfait.

— Et tu crois que cela l'empêchera d'aller voir un autre garçon ?

— J'en suis certaine !

— Et comment peux-tu en être certaine ?

— Je suis une fille non ?

Il s'éloigna de deux pas et se mit à réfléchir.

— Et pourquoi je ferais tout ça ? lança-t-il sortant de sa courte période de réflexion.

D'un geste affectueux, elle mit ses mains contre les petites joues rondes.

— Parce que tu entreras doucement dans son cœur et une fois que tu y seras bien installé, elle n'aura d'yeux que pour toi.

Il la dévisagea comme si elle venait de lui révéler une recette secrète. Il se dégagea et fit un pivot rapide, se retournant vers la fenêtre. Il remit les mains sur ses hanches, démontrant qu'il réfléchissait. Se grattant la tête à deux mains, il fit un demi-pivot, se retrouvant face à sa mère.

— Tu es géniale ! finit-il par dire, la mine heureuse comme s'il venait de découvrir un trésor.

— Alors tu l'appelles pour lui dire qu'elle pourra venir samedi ?

— Elle peut manger avec nous et rester pour la soirée ?

— Oui, mais sans son pyjama ! lui spécifia-t-elle.

— Tu feras des petits gâteaux au chocolat ? Ce sont ceux qu'elle préfère, demanda-t-il d'un ton suppliant.

— Coquin ! Je vois que tu assimiles rapidement ! Tu choisis ses gâteaux préférés !

— Tu es la meilleure maman du monde.

— Et toi le plus extraordinaire des fils.

Il courut vers le téléphone pour appeler sa petite amie. Elle observa son fils en soupirant.

— Tu grandis trop vite, chuchota-t-elle.

— Ding, dong !

Elle quitta la cuisine et se dirigea vers l'immense fenêtre du salon.

— Francis ? dit-elle en ouvrant la porte.

— Je peux entrer ?

— Bien sûr.

Il entra précipitamment et referma la porte derrière lui.

— Que me vaut cette visite-surprise ?

— J'en ai marre de ma mère.

— Je vois.

— Pourrais-je habiter ici ?

Perplexe, Sarah le jaugea.

— Euh…

— Pour quelques jours seulement, le temps que je trouve un appartement ou une chambre.

— C'est que…

— Je peux contribuer monétairement si…

— Ta mère sait que tu es ici ?

— Jamais de la vie ! Si elle le savait, elle débarquerait aussitôt et en profiterait pour vous, euh, pour te faire la morale !

— La morale ?

— Celui de la voleuse.

— Voleuse ? Moi ?

— Elle t'en veut comme tu n'as pas idée.

— Pourtant…

— Et je crois qu'elle t'en voudra tant qu'elle vivra.

— Étonnant. Mais bon, on ne peut plaire à tout le monde. Pourtant, je ne suis jamais allée l'importuner. C'est plutôt elle qui…

— Peu importe, elle te déteste, coupa-t-il décontenancé.

— Quelle histoire !

— Je veux juste un petit coin où je pourrais dormir, le temps que je trouve une chambre ou un petit appartement, dit-il gêné.

— Tu as mangé ? lui demanda-t-elle en retournant vers la cuisine.

— Je n'ai pas faim, répondit-il en la suivant.

— Tu as un emploi ? le questionna-t-elle tout en vérifiant ses muffins aux carottes.

— Je suis encore aux études. Je suis à ma dernière année de collège. Je fais technique du bâtiment.

— Superbe. Tu trouveras sûrement un travail très intéressant par la suite.

— D'ici là, je dois me trouver un boulot, travailler pour assumer mes dépenses et surtout, surtout, vivre ailleurs que chez ma mère.

— Et si tu prenais une journée ou deux pour y réfléchir. On ne prend pas toujours les meilleures décisions sous le coup de la colère.

Ses épaules s'abaissèrent comme si elle venait de lui enlever un énorme poids. Il la suivit dans le boudoir et s'assit.

— Sami est ici ? demanda-t-il en scrutant la cour.

— Il est dans sa chambre, au téléphone avec son amoureuse !

— Tu voudrais m'héberger pour la fin de semaine ? demanda-t-il timidement.

Elle se frotta les tempes et s'accouda contre le rebord de la fenêtre. Elle fixa à son tour le paysage extérieur avec ses feuilles déjà colorées, teintées de jaune, de rouge, d'ocre et d'orangé, leur offrant un magnifique spectacle d'automne.

— J'ai prévu recevoir un ami ce soir. Je peux toujours modifier les plans, réfléchit-elle à voix haute.

— Surtout pas ! Je ne veux aucunement vous déranger. À vrai dire, je préférerais être seul.

Elle le regarda, l'air confus.

— Tu cherches une grotte ? dit-elle en lui souriant.

— J'avoue que la solitude me serait bénéfique. Je ne suis pas de très bonne compagnie depuis cet affront avec ma mère.

Elle le jaugea du regard.

— Tu pourras t'installer dans la chambre d'ami. Il y a un téléviseur à écran plat…

— Oh merci, merci ! Merci beaucoup Sarah. Ce sera parfait ! Je n'ai besoin de rien, juste peut-être un lit ou un futon.

— Un lit double fera l'affaire ?

— Parfait ! Alors je peux rester ici pour la fin de semaine ? s'exclama-t-il en démontrant son enthousiasme.

— Maman, maman! Charlene viendra et….

À toute vitesse, Sami entra dans le boudoir. Il s'arrêta net en apercevant Francis. Figé, il le fixa. Instantanément, ses petites joues rouges tournèrent au blanc. Francis eut la même réaction, se contentant de soutenir, en silence, le regard intense qui l'envahissait.

— Sami! Sami! Sami? répéta Sarah.

Il demeura muet.

— Que se passe-t-il? continua-t-elle en voyant son fils tétanisé.

Muet, totalement absorbé à scruter Francis, yeux dans les yeux, Sami resta de glace.

— Sami. Francis, dit-elle en promenant le regard de son fils à Francis.

Absorbé par l'attitude et le regard soutenu de Sami, Francis se leva d'un bond.

— Oh! laissa échapper Sami d'une voix aigüe, sursautant et reculant de deux pas. Il se retourna pour se sauver en courant à toutes jambes, gravissant l'escalier deux marches à la fois.

— Non! hurla-t-il, pleurant d'effroi.

— Mais que se passe-t-il? Tu peux m'expliquer? Je n'y comprends rien, demanda Sarah hébétée.

Statique, Francis ne répondit, un frisson lui parcourant l'échine. Elle tressaillit, constatant son immobilité.

— Qu'avez-vous tous les deux? clama-t-elle totalement désorientée.

Jetant un regard d'incompréhension à Francis, il resta debout sans broncher. Désemparée, elle le laissa seul, allant rejoindre son fils déjà dans sa chambre, porte fermée.

— Quelqu'un va-t-il m'expliquer ce qui se passe entre ces deux-là? maugréa-t-elle en grimpant le long escalier.

Chapitre 15

— Dring, dring, dring ! fit à répétitions la sonnerie du téléphone.

À la quatrième sonnerie, elle courut jusqu'à sa chambre pour répondre.

— Puis-je parler à la dame de la maison s'il vous plaît ?

— Désolé monsieur, je n'ai pas le temps pour un sondage.

— Cela ne prendra que quelques minutes.

Elle raccrocha et revint vers son fils couché sous ses couvertures qu'elle souleva. Elle trouva un Sami sidéré, blanc, en sueur.

— Chaton ! Tu peux m'expliquer pourquoi tu as une telle réaction ?

— Dring.

— Grrr, grogna-t-elle.

— Que se passe-t-il mon ange ? lui murmura-t-elle tout en lui caressant la tête.

— Dring

Il tira la douillette de façon à s'y camoufler. Elle se leva, courut à nouveau jusqu'à sa chambre pour répondre.

— Oui ! dit-elle sèchement.

— Sarah ?

— C'est bien moi !

— Je te dérange ?

— Oui.

— Je peux rappeler ?

— C'est vous qui venez d'appeler il y a à peine une minute ?

— Vous avez deviné !

— Inutile de rappeler coupa-t-elle.

— Dommage, j'aurais aimé vous inviter.

Elle hésita puis garda l'appareil sans fil dans sa main en retournant dans la chambre de son fils où elle prit place sur le bord du lit simple. Sami, toujours caché sous ses couvertures, ne bougea pas. Elle porta le téléphone à son oreille.

— Qui parle?

— Rafael.

— Oups! dit-elle en se frappant la joue de la main.

Un long silence s'installa. Elle vit Sami se pointer le bout du nez hors de sa cachette. Rafael attendait, silencieux. Il eut le temps d'aller se servir un verre, de revenir au salon et de s'asseoir confortablement sur le canapé. Il se racla la gorge.

— Tu préfères que je te rappelle? lui proposa-t-il.

— Oui, bien sûr que oui, répondit-elle embarrassée.

— Je crois que tu n'aimes pas les sondages, lança-t-il, tentant d'estomper le malaise.

— C'était toi? s'informa-t-elle.

Le rire masculin détendit l'atmosphère. Elle se courba vers l'avant, posant sa tête sur ses genoux. Bien que sa mère fut assise au pied du lit, Sami resta de marbre.

— C'est un mauvais moment pour appeler?

— Si on veut.

— Excuse-moi de te déranger.

— Tu ne pouvais savoir…

— Quel serait le meilleur moment pour te rappeler?

Elle hésita un moment.

— Je peux te rappeler plus tard? lui demanda-t-elle.

— Tu es libre ce week-end? proposa-t-il.

— Oui et non, mais je te propose un souper à la maison samedi, dit-elle à la hâte.

— Demain?

— Euh, il y a un problème?

— Définitivement, tu ne perds pas de temps! lança-t-il.

— C'est ce que nous avions convenu non?

— Que j'aille te visiter?

— Que l'on se revoit, spécifia-t-elle.

— J'accepte.

— Dix-huit heures ?

— J'apporte quelque chose ?

— Non !

— Du vin ?

— Rien du tout.

— Je ne peux…

— Tu as des restrictions alimentaires ?

Il se mit à rire.

— Je mange tout ce qui est comestible.

Sami commença à sangloter.

— Désolée, mais je dois raccrocher. Alors nous nous verrons ce samedi à la maison ? Si tu le veux, je peux te rappeler à un meilleur moment pour discuter ? proposa-t-elle hâtivement.

— D'accord !

Elle raccrocha omettant de lui demander son numéro de téléphone. Elle déposa le combiné sur la table de nuit et tira sur la douillette découvrant le visage de son fils.

— Tu m'as l'air terrifié. Pourquoi grelottes-tu autant ? Tu as froid ? dit-elle en prenant une voix particulièrement rassurante.

Elle passa sa main dans les cheveux humides. Il se contenta de la regarder, l'air effrayé.

— Allez Sami, dis-moi ce qui te met dans cet état, lui demanda-t-elle en voyant les deux petits yeux la scruter intensément.

Tendrement, elle posa sa main sur l'une des petites épaules couvertes d'un drap.

— J'ai peur, murmura-t-il.

— Mais de quoi mon ange ?

Il ferma les yeux puis les ouvrit. Terrifié, les yeux larmoyants, il la fixa.

— Le gars.

— Francis ?

— Le gars en bas, bredouilla-t-il.

— Tu as peur de Francis ?

Il hocha la tête en signe d'approbation.

— Mais pourquoi mon poussin ?

Atterré, il se contenta de hausser les épaules.

— Tu veux que j'aille le voir, que je lui dise quelque chose?

Il fit signe que non, pressant sa douillette contre lui.

— Tu préfères qu'on y aille ensemble?

Violemment, il secoua la tête de gauche à droite. Désemparée, elle le prit dans ses bras et le serra contre sa poitrine, le berçant d'avant en arrière comme elle avait l'habitude de le faire lorsqu'il se réveillait en sursaut suite à un cauchemar.

— Ça va aller mon lapin, chuchota-t-elle en lui caressant la nuque.

Il parut se détendre. Il se recoucha en repoussant légèrement sa mère.

— Je vais retourner voir Francis. Tu préfères rester dans ta chambre?

Il fit signe que oui et remit toutes les couvertures par-dessus sa tête. Elle passa affectueusement la main, caressant à travers les épaisseurs le petit bras tendu.

— Tu peux fermer la porte? lui demanda-t-il.

Surprise, elle s'exécuta et redescendit l'air tourmenté. Songeur, dans le boudoir, Francis attendait, assis face à la fenêtre, perdu dans ses pensées. Elle entra et prit place sur l'une des chaises en osier blanc.

— Tu crois qu'il vaudrait mieux que je parte? proposa-t-il décontenancé.

L'air défait, elle s'étira, laissant échapper un long soupir.

— J'aimerais comprendre. Tu sais ce qui se passe?

Francis haussa les épaules.

— Je crois qu'il a peur de moi non?

— On jurerait qu'il a vu un fantôme. Je n'y comprends rien de rien.

— Ça lui est déjà arrivé auparavant?

— Jamais.

— À moi non plus.

— Et tu peux m'expliquer ce qui provoque une telle réaction de ta part?

— Je ne pourrais l'exprimer, dit-il l'air bouleversé.

— Que veux-tu dire?

Il eut à son tour un moment d'hésitation. Fébrile et nerveux à la fois, il se balança de gauche à droite, assis sur sa chaise.

— C'est étrange.

— Vous êtes-vous déjà rencontrés ou vus quelque part? demanda-t-elle.

— Non. Bah oui! C'est que oui. Euh, c'était la dernière fois que je suis venu ici nous étions dehors, bafouilla-t-il.

— Sami a eu le même genre réaction, je me souviens.

Francis ravala. La gorge sèche, il se mit à toussoter.

— J'ai cette, cette étrange, euh oui, cette, cette étrange sensation que… commença-t-il, quelque peu incohérent.

— Quoi ? Quoi ? coupa-t-elle, totalement déroutée.

— C'est étrange…

— Qu'est-ce qui est si étrange ? dit-elle visiblement impatiente d'entendre ce qu'il avait à dire.

— J'ai l'impression…

— De…

— J'ai l'impression que…

— Que….

— Je pense. J'ai…

Il parut confus, comme s'il réfléchissait à voix haute.

— Quelle impression ? se pressa-t-elle de demander.

Il soupira de désespoir, l'air vidé.

— C'est que…

Elle s'avança sur le bout de sa chaise. Intimidé, il recula.

— J'ai l'impression…

— L'impression… ?

— J'ai l'impression de le connaître, cracha-t-il, le visage livide.

Elle ouvrit les mains et leva les bras au ciel comme si on venait de lui faire une révélation.

— Qu'est-ce que tu racontes ?

— J'ai l'impression de connaître…

— Connaître…

— J'ai l'impression de connaître Sami, articula-t-il péniblement.

— Comment peux-tu dire une telle chose ? Tu n'es venu ici qu'une seule fois !

— Je sais.

— Alors ?

— Tu te souviens de sa réaction ? Il s'est sauvé après m'avoir regardé intensément et de façon bien étrange.

— Et ?

— Et depuis ce jour j'ai de drôles d'idées.

— De drôles d'idées ?

— De drôles de sentiments.

— Des sentiments envers Sami ? s'informa-t-elle.

— Si on veut.

— De quel genre ? demanda-t-elle démontrant une certaine inquiétude.

— C'est plutôt une sensation.

— Une sensation ?

— Celle de le connaître.

— Tu viens de le dire. Alors tu connais mon fils oui ou non ?

— J'ai l'impression de le connaître.

Elle le scruta l'air totalement désorienté.

— La première fois que je l'ai vu, j'ai tout de suite senti quelque chose.

— Quelque chose ! s'exclama Sarah, nageant dans l'incompréhension la plus totale.

— Quelque chose dont j'ai de la difficulté à identifier.

— Désolée, mais je n'y comprends rien, répliqua-t-elle nerveusement contrairement à Francis qui commençait à retrouver son calme.

— C'est une sensation du genre, euh, comme un genre de, euh un genre de réconfort, finit-il par expliquer.

— Réconfort ?

— Oui, une sorte de bien-être.

— Je suis totalement perdue. Je n'y comprends rien. Tu vois Sami et tu te sens réconforté alors que lui a une peur bleue de toi ?

Il croisa les bras et baissa la tête.

— Comment pourrais-je l'expliquer ? Euh, c'est comme si, euh, disons que c'est un genre de sentiment comme lorsque l'on retrouve quelqu'un que l'on n'attendait pas ou plutôt quelqu'un que l'on espère depuis longtemps et que l'on retrouve par hasard.

— Des retrouvailles imprévues ?

— C'est ça ! Tu as tout compris, dit-il l'air soulagé.

— Veux-tu bien me dire ce que cela signifie ? Sami est mort de peur !

Il releva la tête et se tourna vers elle, les bras croisés sur son torse.

— Je ne sais pas Sarah. Je ne peux l'expliquer. La seule chose que je puisse te dire c'est qu'en le voyant, je me suis senti bien.

Elle soupira.

— Quelle histoire !

— Je pourrais tenter de parler à Sami ?

— Surtout pas ce soir. Il tremble de peur.

— Je suis désolé, dit-il tristement.

— Je vais d'ailleurs aller le retrouver, voir s'il s'est endormi.

Elle se leva et sortit du boudoir.

— Hey Sarah.

Elle se retourna.

— Merci.

Elle lui jeta un regard mêlé de gentillesse et d'incompréhension tout en levant la main en guise d'approbation. Il se tourna face au paysage arborant les couleurs de la brunante alors qu'elle gravissait les escaliers à pas lents, visiblement ébranlée par cette discussion. Les yeux rivés sur les marches, elle avança tête baissée, l'air songeur. Elle ouvrit la porte et pénétra dans la chambre de son fils qui tremblait encore de peur. Il la regarda d'une façon différente, un étrange sourire sur ses lèvres pincées. Elle inclina la tête.

— Pourquoi cette impression de déjà-vu ? murmura-t-elle.

Chapitre 16

— Ça ne va pas Julia ?

— Hein ? répliqua-t-elle en sursautant.

— Ça va ou pas ?

— Désolée je ne t'ai pas entendu venir, s'excusa-t-elle, perdue dans ses pensées.

Elle s'éloigna de la porte vitrée et vint vers la table, l'air déconfit. Il s'approcha, posa un tendre baiser sur son front. Elle le tira vers lui et le serra dans ses bras.

— Que se passe-t-il mon amour ?

Elle resserra son étreinte. Il y répondit en la serrant un peu plus, l'embrassant sur la nuque et la caressant.

— Dis-moi que tu ne me quitteras jamais, l'implora-t-elle les yeux pleins de larmes.

— Qu'est-ce que c'est que cette idée ?

— Tu m'aimes ? Tu m'aimes vraiment Zachary ?

— Bien sûr ma chérie.

— Tu ne me quitteras jamais ? lui redemanda-t-elle.

— Qu'est-ce qui peut bien te mettre dans cet état ?

Elle baissa les bras et recula d'un pas.

— Francis.

— Que lui est-il arrivé ?

— Il est parti, dit-elle en reniflant.

— Vous vous êtes disputés ?

Elle fit signe que oui.

— Ce n'est pas la première fois que vous vous chicanez, tu sais ? fit-il remarquer l'air rassuré.

De nouveau, elle fit signe que oui.

— Alors il reviendra. Cesse de te faire du mauvais sang. Il n'y a rien de plus mauvais pour la santé.

Elle le regarda avec tendresse, subjuguée de tristesse.

— J'ai des doutes, ajouta-t-elle.

— Voyons Julia, qu'est-ce que tu racontes ! Tu connais Francis, il est impulsif puis il regrette. Tu ne reconnais plus ton fils ? Il te ressemble tant, dit-il se faisant rassurant.

Il lui prit le menton entre le pouce et l'index et lui embrassa le bout du nez.

— Il était très en colère lorsqu'il est parti, dit-elle d'une voix brisée.

— Ça passera, comme chaque fois où vous avez été en désaccord.

— Il a dit qu'il allait chercher un appartement, dit-elle au bord des larmes.

Il lui sourit affectueusement, tentant de la réconforter.

— Et qui lui louera un appartement, hein ? Il ne travaille pas, il est encore aux études et il n'a pas d'argent.

— Il est débrouillard, ajouta-t-elle.

— Sans le sou, sans emploi, il n'aura pas accès à un appartement ! Tu t'en fais pour rien. Arrête de te morfondre comme cela. Il reviendra bientôt.

— J'ai un mauvais pressentiment Zach. Il ne reviendra pas, s'entêta-t-elle à redire, le regard perdu dans le vide.

Il lui prit les mains et se planqua devant elle.

— De quoi avez-vous discuté ?

Elle évita son regard en tournant la tête. Elle retira ses mains des siennes et se tira une chaise. Elle posa les coudes sur la table. Rapprochant les paumes de ses mains, elle croisa les doigts comme lorsqu'on s'apprête à prier. L'air attendri, Zachary l'observa et prit place face à elle.

— Tu pleures ? dit-il, voyant une larme couler sur la joue de Julia.

Elle l'essuya aussitôt.

— C'est la première fois que tu me parais si vulnérable, dit-il avec compassion.

Elle posa les deux mains bien à plat, paumes contre la table de verre.

— C'est Francis qui a insisté pour me parler. J'étais assise, dégustant tranquillement mon petit-déjeuner et il a insisté et insisté encore pour me parler. Je l'ai d'abord ignoré, mais il a continué. Il m'a tout raconté, absolument tout. Il m'a tout dit, répéta-t-elle en reniflant. Intrigué, il s'avança un peu plus. Elle inspira un bon coup.

— Il m'a raconté qu'il était allé voir cette Sarah Donovan. Elle lui a tout raconté sur l'histoire de la séparation, de ma séparation d'avec Gabriel. Elle lui a donné des détails sur les raisons pour lesquelles j'empêchais Gabriel de voir les enfants. Ensuite, il n'a cessé de me comparer à elle mentionnant qu'elle, elle répondait à ses questions. Relatant qu'elle, elle lui avait dit la vérité sur son père contrairement à moi qui la lui aurais cachée, expliqua-t-elle irritée.

Elle prit une pause et inspira profondément, retenant difficilement un sanglot.

— Peux-tu croire que cette Sarah Donovan puisse dire de telles absurdités à mon fils ? Comment peut-elle se permettre de parler d'une situation qui ne concernait que Gabriel et moi ? Pourquoi tente-t-elle d'éloigner Francis de sa mère et prendre plaisir à me dénigrer à ce point ? Je la hais, je la hais, je la déteste, dit-elle rageusement.

Des larmes de colère inondèrent son visage. Il tendit le bras, ses doigts glissant sur les joues mouillées de sa femme.

— Et tu as pété les plombs ?

Elle fit signe que oui.

Tu l'as réprimandé, insulté ? osa-t-il lui demander d'une voix douce, mais ferme.

— Oui et non, bredouilla-t-elle l'air coupable.

— Que s'est-il passé exactement ?

— Il a été très insistant pour que je l'écoute. J'avoue que cela faisait trois jours que je l'ignorais.

— Tu l'ignorais ? répéta-t-il en prenant un air entendu.

Elle se contenta de hausser les épaules en signe de justification.

— Et tu l'as écouté ?

— Après m'avoir raconté en détail sa conversation avec cette menteuse de Donovan, je lui ai fait comprendre que cette histoire de séparation ne regardait que son père et moi.

— Ce qui n'est pas faux, approuva-t-il.

— Je lui ai ensuite interdit d'aller revoir cette sale hypocrite.

— Julia !

— Il a gardé son calme durant une bonne partie de la conversation jusqu'à ce que je lui fasse clairement comprendre que j'en avais assez entendu.

Zachary leva les yeux au ciel.

— Et cela a dégénéré, ajouta-t-elle.

— Dégénéré ?

— J'ai haussé le ton.

— Tu as crié ?

Elle fit signe que oui. Il leva les bras et les laissa retomber, las, en guise de désespoir.

— Il est parti en claquant la porte et criant qu'il allait se trouver un appartement.

Désemparée, elle chercha du réconfort dans son regard déçu.

— Tu as essayé de l'appeler ?

— À plusieurs reprises, sans succès, répondit-elle en pleurant.

Il soupira, l'air décontenancé.

— Ça lui passera, comme toutes les autres fois, ajouta-t-il lasse.

— Je ne crois pas, dit-elle en retenant un sanglot.

— Tu veux que je tente de l'appeler ?

— Non.

— Tu lui as laissé un message ?

— Je préfère régler cela moi-même. Je n'ai pas l'intention de lui laisser un message. Je veux lui parler.

— Que puis-je faire alors ? lui demanda-t-il impuissant.

— Il n'y a rien à faire.

Il se pencha un peu plus vers elle et glissa sa main sur les doigts nerveux et tremblants de sa femme.

— Julia. Crois-moi, tu t'en fais pour rien. Francis reviendra ce soir ou cette nuit et demain vous discuterez. Ça ira, tu verras, dit-il se voulant rassurant.

Elle haussa les épaules, les larmes coulant à flots jusque sur son cou.

— Je prépare le souper et j'ouvre une bonne bouteille. Tu prendrais un verre de vin ?

Elle leva les yeux vers lui. D'un demi-sourire, elle approuva son offre. Elle se leva, lui fit l'accolade tout en glissant sa main dans les cheveux soyeux.

— Pourquoi tant de gentillesse ?

— Parce que je t'aime, dit-il en l'embrassant affectueusement.

Au même moment, la porte d'entrée claqua.

Chapitre 17

— Allo ?

— Est-ce trop tard pour parler à la plus belle femme de la Terre ?

Son visage s'illumina. Elle se cala un peu plus sous ses couvertures et plaça le téléphone sans fil contre son oreiller.

— Bonsoir Rafael, murmura-t-elle.

— J'ai pensé te rappeler malgré l'heure tardive. J'avais omis de te laisser mon numéro de téléphone. Est-ce trop tard pour discuter ?

— Je venais à peine de m'assoupir.

— Je te rappelle demain ?

— Pourquoi attendre ? Tout le monde dort à poings fermés.

— Tu as des invités ?

— Oui ! Un seul.

— Il dort près de toi ? blagua-t-il.

— Dans la chambre d'amis !

— Il n'a pas de chance ! souleva-t-il avec un sourire dans la voix.

— Il n'a que vingt ans !

— Alors j'ai toujours une chance ?

— Une chance ?

— De te conquérir !

— Je suis déjà conquise !

Les mots restèrent suspendus au silence.

— Tu es toujours là ? demanda-t-il après une vingtaine de secondes.

— Je suis désolée.

— Pourquoi ? demanda-t-il étonné.

— C'est un peu rapide non?

— Pas du tout! Nous ne nous sommes pas connus hier!

— Tu es vraiment sous le charme?

— Depuis le premier jour où je t'ai aperçue, dit-il avec un trémolo dans la voix.

— Ça alors, les années n'ont vraiment rien changé.

— Je suis si heureux de te retrouver. Tu désires toujours que l'on se rencontre pour souper demain?

— J'aimerais bien. Nous devrions être relativement tranquilles. Mon fils sera accompagné d'une petite amie et l'invité devrait rester dans sa chambre.

— Tu héberges un itinérant? plaisanta-t-il.

— Disons le fils d'un ami!

— Dommage qu'il ne soit pas mon fils, j'irais le chercher au milieu de la nuit!

— Je n'ai pas l'habitude d'héberger de jeunes adultes, mais ce soir c'est différent.

— Serait-ce trop indiscret d'en connaître la raison?

— C'est une longue histoire.

— Raconte toujours…

— En résumé, j'héberge le fils d'un copain décédé.

— Tu as toujours le cœur sur la main à ce que je vois.

— Francis est arrivé plus tôt en me demandant s'il pouvait passer quelques jours à la maison, le temps de se trouver un appartement.

— Ce que tu es généreuse!

— Ma maison est si grande. C'est un plaisir de lui rendre ce service. Elle remonta les couvertures jusque sous son menton.

— Parle-moi de toi, demanda-t-elle d'une voix mielleuse.

— Qu'aimerais-tu savoir?

— Tout et rien!

— Aux dernières nouvelles, je devrais souper demain soir avec la plus charmante jeune femme que j'ai connue et que j'ai retrouvée après vingt-cinq ans d'attente. J'ai bien l'intention de ne pas la laisser fuir cette fois-ci. Je lui réserve d'ailleurs plusieurs surprises.

— Tu es toujours aussi charmant. J'ai pu l'apprécier lorsque nous nous sommes revus. C'était vraiment fort agréable.

— Ce fut réciproque.

— Dis-moi, pourquoi vouloir la revoir cette jeune dame ?

Il inspira profondément.

— Elle est, comment dirais-je, elle est tout simplement magnifique. Elle est tout ce que j'ai toujours rêvé et brillante en plus, lui confia-t-il avec émotion.

— Brillante ?

— Autant que les étoiles ! Et je veux en voir briller des milliers dans ses yeux, tous les jours.

— Romantique en plus !

— Si tu savais combien je suis heureux de t'avoir retrouvée. La vie me fait le plus beau des cadeaux, celui d'avoir cette chance de te retrouver. Mon désir le plus ardent est de pouvoir le savourer et l'apprécier durant de nombreuses années.

— Je ne me doutais pas que tu éprouvais des sentiments aussi profonds à mon égard, dit-elle émue.

Il soupira.

— Sarah, ma belle Sarah, tu n'as pas idée combien de fois j'ai pu penser à toi. Jamais je ne t'ai oubliée. Secrètement durant toutes ces années, je nourrissais l'espoir de te revoir, de te serrer tendrement dans mes bras. Et dans mes rêves les plus fous, je me suis imaginé que je pourrais peut-être un jour vivre à tes côtés pour le reste de ma vie. Comme je ne voulais pas intervenir dans ta vie, je n'ai pas cherché à te retrouver. Je me demandais parfois si tu étais heureuse, mariée ou célibataire. Je t'ai gardée secrètement dans un coin de mon cœur durant toutes ces années. Je n'en étais pas malheureux, au contraire j'avais le cœur rempli de toi, de bonheur. Il faut croire que les ficelles du destin se sont déliées ! Lorsque tu es apparue à mon travail, on aurait dit un ange. Si tu savais l'effet que tu m'as fait et la joie que j'ai ressentie au moment où je t'ai reconnue. J'ai cru que je rêvais ! Et j'ai fini par croire aux miracles ! Si tu savais combien j'étais nerveux de te voir assise là à cette petite table. J'étais si ému que j'en avais de la difficulté à servir les autres clients. J'en oubliais même des commandes ! J'ai fait des erreurs de débutant…

— Quel genre d'erreurs par exemple ? le coupa-t-elle en ricanant.

— Servir du pain en oubliant le beurre, ne pas offrir de café ou de digestif à la fin du repas, omettre de vérifier si les clients avaient les bons ustensiles pour leur repas, verser de l'eau sur les cuisses d'une cliente.

— Pourvu que tu n'aies pas mis le feu à une nappe en allumant un lampion, ajouta-t-elle en riant de bon cœur.

— Le gérant a même dû intervenir. Il m'a demandé si j'étais dans un état normal !

— J'ignorais que je te faisais tant d'effet !

— À qui le dis-tu !

— J'avoue que j'étais tout autant surprise de te revoir et surtout très nerveuse.

— Nerveuse ?

— Raison entre autres pourquoi tant de fous rires me prenaient sans relâche durant tout le souper. Il faut dire que Lina ne donne pas sa place pour la rigolade et les blagues. J'avoue que moi aussi, je suis vraiment très heureuse de te retrouver. D'ailleurs, je n'ai cessé de me remémorer la scène de notre rencontre.

— Ah oui ?

— J'étais sous le choc lorsque je t'ai reconnu. Dire que je n'étais pas très enthousiaste face à cette sortie entre filles.

— Finalement, tu n'as pas été déçue ?

— Au contraire ! Le hasard nous a joué un bien agréable tour. C'est ce que l'on appelle la magie du destin ?

Elle l'entendit expirer.

— J'ai si hâte de te revoir ma belle, dit-il d'une voix chaude.

— On jurerait que tu as encore vingt ans !

— Je compte les heures ! J'ai l'impression de rêver ! Un rêve, un vrai rêve éveillé qui ne se terminera jamais. Tu le réalises ? C'est une seconde chance d'êtrc à nouveau ensemble.

Elle retint son souffle.

— Je ne me serais jamais douté que tu avais autant envie de me revoir. C'en est presque épeurant.

— Jamais je ne ferai quelque chose sans ton consentement ! N'aie crainte. Si tu pouvais ressentir ne serait-ce qu'une parcelle de tout le bonheur que tu me fais vivre simplement à discuter avec toi ce soir, tu serais au septième ciel.

— C'est une déclaration?

— Aussi intense que si c'était la dernière déclaration que tu recevais à vie, osa-t-il blaguer.

— J'ose croire que cette première ne sera pas la dernière! répondit-elle en ricanant.

Il se racla la gorge.

— Je t'aime.

— C'est… vrai? réussit-elle à articuler entre deux souffles.

— Plus que tu ne peux l'imaginer. Si tu savais, mon ange, combien de sentiments refont présentement surface! Tellement d'émotions… tellement. Je les avais enfouies et gardées si secrètement au fond de moi qu'aujourd'hui, si je les laissais toutes sortir, tu assisterais au plus lumineux des feux d'artifice. Surtout, je ne veux pas t'effrayer. Loin de moi l'idée de te brusquer ou t'imposer l'abondance des sentiments qui m'habitent et se bousculent. Ils ne demandent qu'à s'extérioriser.

— Ce que tu peux être intense!

— Chaque fois que je pense à toi, j'imagine ton sourire resplendissant et la joie de vivre qui se lit dans tes yeux plus que magnifiques. Ton bonheur m'importe à un point tel qu'advenant où tu m'avouerais ne partager que des sentiments amicaux à mon égard, j'accepterais de m'éloigner pour ne pas t'importuner.

— Pourquoi te dirais-je cela?

— Ne disais-tu pas que ton fils était ta priorité?

— Vrai. Toutefois, j'ai pris le temps d'y réfléchir depuis notre soirée magique.

— Et? dit-il le souffle court.

— Malgré le temps écoulé, je réalise que jamais je n'ai oublié le gars attentionné et passionné que tu étais.

— Alors c'est réciproque? demanda-t-il avec fébrilité.

— Plus que tu ne peux l'imaginer.

— Wow.

— Tu es heureux?

— Tu n'as pas idée de la joie qui m'habite. Quels aveux! Tu sais tout de même que les gens changent avec le temps? dit-il avec un brin d'inquiétude.

— C'est toi qui as des craintes maintenant?

— La vie nous change parfois profondément.

— C'est ce qui fait que l'on est vivant, la somme des épreuves et des moments inoubliables. Les grandes épreuves opèrent non seulement des changements profonds, mais ils contribuent également à nous aider à découvrir le meilleur de nous-mêmes. Il se pourrait que la Sarah que tu as connue soit différente de celle que je suis devenue.

— Je suis confiant. C'est pareil pour moi tu sais. Je demeure toutefois d'une disponibilité sans borne pour répondre à toutes tes interrogations même à subir un interrogatoire en règle si cela peut te rassurer sur la nature de mes sentiments envers toi, dit-il en voulant la taquiner.

— Donc j'ai le droit de te faire subir un interrogatoire en règle ? continua-t-elle d'une voix aguicheuse.

— Même avec un rayon de lumière dirigé droit dans les yeux !
Elle pouffa de rire.

— Tu n'as pas changé !

— Que si ! Et en mieux ! ajouta-t-il.

— Donc on se voit demain vers dix-huit heures ?

— Puis-je apporter le dessert ou l'entrée ?

— Ta bonne humeur suffira !

— Tu es trop gentille.

— Voyons, je te reçois au complet !

— Au complet ?

— Un invité de marque n'apporte pas sa nourriture !

— Tu sais, je suis très curieux de rencontrer ton fils.

— Sami est adorable, tu verras.

— S'il a hérité des traits de caractère de sa mère, il doit être extraordinaire. Il a huit ans si je me souviens bien ?

— Exact. Et il sera accompagné d'une petite amie, Charlene.

— Il a déjà une amoureuse ? blagua-t-il.

— Imagine-toi que je l'ai appris hier ! Il a même insisté pour qu'elle dorme à la maison en prétextant que c'en était ainsi après une semaine de fréquentations !

— Ça alors ! Le mariage est pour bientôt ?
Ils s'esclaffèrent.

— Ce que tu peux me faire du bien ! Que je t'aime toi ma Sarah. Je suis impatient de te revoir. Ces six jours d'attente m'ont paru une éternité.

— Je croyais que l'éternité était sans fin !

— Dis-moi, mon ange, je ne voudrais surtout rien brusquer ni t'imposer quoi que ce soit, mais j'aimerais savoir si tu crois qu'il serait possible que l'on se fréquente, je veux dire de façon sérieuse ? osa-t-il lui proposer précautionneusement.

Elle réfléchit et bâilla.

— Ça t'endort ? dit-il faisant diversion.

— Excuse-moi. Je suis fatiguée.

— Nous en reparlerons demain si tu le veux ?

— J'aimerais réapprendre à te connaître. Pour le reste, nous verrons ce que l'avenir nous réservera. Ça te va ? expliqua-t-elle en bâillant de nouveau.

— Ce qui veut dire que tu pourrais être intéressée à me revoir plus d'une fois ?

— Pourquoi pas ?

Un large sourire illumina le visage de Rafael au même moment où les yeux de Sarah brillèrent à l'idée de ce nouvel espoir amoureux.

— Ouf ! J'en ai la chair de poule simplement à m'imaginer à nouveau pouvoir te serrer dans mes bras. Cela fait si longtemps. Merci, merci, merci. Dieu que je suis heureux ce soir. Le temps fut si long avant que je te retrouve.

— L'important n'est pas tant le temps qui est passé, mais celui qui est devant.

— Que tu es sage !

— C'est l'âge !

— Bon.

— Bonne nuit, dit-elle, seule dans la noirceur de sa chambre.

— Elle sera magnifique, car je m'endormirai en sachant que demain nous serons ensemble.

— Ce sera une belle soirée, dit-elle affectueusement.

— Dix-sept heures te conviennent ?

— À dix-huit heures, Sami, Charlene, Francis et moi t'accueillerons.

— Francis ?

— L'hébergé !

— Francis l'hébergé ! Joli nom de famille !
— Je ne peux m'empêcher de sourire lorsque tu parles de cette façon. Tu me fais penser à Lina.
— Ton amie ?
— Bonne nuit Rafael.
— Bonne nuit ma princesse.

Ils raccrochèrent, un sourire permanent sur les lèvres, le bonheur accroché sur leur visage. Dans leurs yeux brillaient comme dans le ciel, des étoiles scintillantes. Alors qu'il s'endormit presque en sifflotant, elle soupira de bonheur puisqu'il venait subtilement d'ouvrir la porte de son cœur.

Je me souviens de nous ma belle…

Chapitre 18

— Nous pouvons entrer ?

— Il y a quelqu'un ?

— Sami ? Sami là ? Es-tu là ? dit Jordan.

La porte d'entrée s'ouvrit laissant entrer trois paires de jambes. Sami courut à leur rencontre.

— Tante Lina ! Oncle Angelo ! Jordan !

Les cris de Jordan fusèrent.

— Viens là mon grand ! dit Angelo en prenant Sami dans ses bras.

Il l'embrassa sur la joue. Sami se dégagea aussitôt.

— Tu viens voir mon nouveau jeu ? proposa-t-il à Jordan.

— Oué, s'écria le petit en sautillant de joie.

Lina et Angelo suivirent la bonne odeur qui se dégageait du four en se dirigeant vers la cuisine où Sarah s'affairait à arroser une pièce de viande qui cuisait lentement.

— Tu cuisines encore ! s'exclama Lina.

— Ce que ça sent bon, dit Angelo, humant à pleines narines.

— Tu reçois quelqu'un ? demanda sa meilleure amie.

Elle accueillit ses amis en les embrassant sur les joues. Cuillère à la main, elle la déposa sur le comptoir et retira son tablier bleu-blanc-rouge.

— Quelle belle surprise ! s'exclama-t-elle visiblement très heureuse de voir ses amis débarquer à l'improviste.

— Nous revenons de faire des courses et avons pensé te surprendre avant de retourner à la maison.

— Vous en faites des kilomètres pour venir me saluer ! dit-elle le sourire aux lèvres.

— Disons que nous voulions savoir comment ça se passe avec le beau Rafael.

Les yeux de Sarah se mirent à briller.

— Curieuse va !

— Tu l'as revu c'est ça ? Tu l'as revu ? Allez, dis-nous tout ! cria de joie Lina.

— Il sera ici en fin d'après-midi !

— Enfin, tu sors de ta tanière !

— Un nouveau prince charmant ? l'interrogea Angelo.

— Ne sautez pas trop rapidement aux conclusions !

— C'est un premier pas vers l'amour ! dit Lina en se tortillant de joie.

Sarah s'affaira à brancher le cordon de la bouilloire.

— Thé ou café ?

— Café, répondirent-ils en chœur.

— Et vous ? Quoi de nouveau les amoureux ?

— Rien à part que nous sommes curieux de savoir ce qui se passe avec Rafael.

— À part un appel téléphonique, rien de plus.

— Hum, j'aime ça ! commenta Lina d'une voix mielleuse.

— Bonjour, dit poliment Francis en se pointant à la cuisine.

L'effet de surprise fit sursauter les invités arrivés à l'improviste.

— Ça va ? répondit Angelo.

— Tu es Francis n'est-ce pas ? s'informa Lina.

Il fit signe que oui.

— Je peux avoir un café ? demanda-t-il à Sarah.

— Certainement. Assieds-toi.

Il tira une chaise et se frotta les yeux.

— Tu as passé une nuit blanche ? s'informa Sarah en voyant les traits tirés de Francis.

Il se contenta de hausser les épaules.

— Sami l'a rencontré ? demanda Angelo l'air inquiet.

— Bien sûr ! Pourquoi ? répondit Sarah tout en observant Francis.

— Euh, c'est que je ne t'en avais pas encore parlé, mais le soir où vous êtes sorties, il m'a raconté ce qui s'était passé lorsqu'ils se sont rencontrés.

Étonnée, elle s'approcha d'Angelo. Francis écarquilla les yeux.

— Encore hier, il a eu une réaction excessive en voyant Francis. Qu'est-ce que Sami t'a raconté? demanda-t-elle quelque peu anxieuse.

Angelo se tourna vers Francis.

— Que s'est-il passé? s'informa Angelo intrigué.

— Il s'est sauvé, s'est mis à trembler et ne voulait plus redescendre, résuma Sarah.

Angelo afficha un air coupable. Francis resta muet, regardant tantôt Angelo, tantôt Sarah.

— J'aurais dû t'en parler avant, dit Angelo.

— Mais qu'est-ce que tu racontes? réagit-elle de plus en plus énervée.

— Il m'a dit qu'il avait peur, très peur de Francis, expliqua Angelo. Les yeux ronds, Francis dévisagea Angelo. S'apercevant de la réaction de Francis, elle les observa tour à tour dans un va-et-vient de regards.

— Il a peur de moi? s'étonna Francis.

Angelo confirma d'un signe de tête.

— Il dit qu'il t'a vu à plusieurs reprises, expliqua-t-il.

Visiblement dépassé par les propos, Francis mit les mains sur sa tête et sourcilla.

— Comment se fait-il qu'il t'ait raconté cela? Ils ne se sont vus qu'une fois, spécifia Sarah.

— Lorsque j'ai gardé les garçons durant votre sortie, Jordan a raconté qu'il avait peur des monstres. J'ai remarqué que Sami avait l'air soucieux. En le questionnant, il s'est confié qu'il avait eu très peur de Francis.

De marbre, le souffle court, Francis se mit à transpirer.

— Et il t'a expliqué la raison? demanda la mère inquiète.

— Il a hésité, de crainte que je rie de lui.

Sarah fit deux pas et s'inclina vers lui.

— Et? demanda-t-elle les mains sur les hanches.

— Il m'a confié qu'il voyait Francis dans ses rêves.

— Ses rêves?

— Il l'a même vu a plusieurs reprises.

— Qu'est-ce que tu racontes là?

— Il m'a dit que Francis lui apparaissait parfois jeune, parfois vieux dans ses rêves et qu'il tentait avec insistance de lui parler.

Francis blêmit.

— Sami m'a avoué qu'il voulait se sauver, mais que Francis réapparaissait à chaque fois sous un aspect différent, en plus jeune ou en plus vieux, décrivit Angelo.

— Il me voit dans ses rêves depuis longtemps? réussit à articuler Francis subjugué.

— Depuis qu'il est petit, confirma Angelo.

Figée, Sarah était stupéfaite.

— Incroyable! s'exclama Francis.

— Pourquoi dis-tu cela? Qu'y a-t-il? lui demanda Lina.

— J'ai fait le même type de rêves, affirma Francis.

— Quoi? s'exclama Sarah complètement dépassée par la situation.

— J'ai moi aussi rêvé de cette situation, mais ce n'était pas Sami, bredouilla Francis.

— Comment cela peut-il être possible? demanda Sarah surpassée par de telles révélations.

Ébranlé, Francis se leva en tremblant faiblement. Pendus à ses lèvres, les trois adultes le dévisagèrent. Il passa une main incertaine dans ses cheveux. Intimidé, il leva les yeux, les considérant un à un.

— En fait, j'ai rêvé d'une personne qui n'était pas Sami. C'était plutôt quelqu'un que je connais et qui me connaît très bien. Cette personne venait me voir régulièrement pendant mon sommeil. Dans mes rêves, je ne pouvais distinguer son visage. J'ai tenté en vain de le voir, mais il se cachait toujours.

— Et tout cela remonte à quand? demanda Sarah.

Il réfléchit en inspirant profondément, prenant un air des plus sérieux.

— Depuis la mort de mon père.

Sarah vacilla, se retenant d'une main, elle s'agrippa au dossier d'une chaise.

— Oh mon Dieu, dit-elle en posant l'autre main sur sa bouche.

— Ce qui est étrange même incompréhensible, c'est que lorsque j'ai vu Sami, j'ai instantanément eu la même sensation que celle vécue dans mes rêves, c'était lui. C'était lui qui se cachait, reconnu-t-il bouleversé.

Il mit les mains sur sa tête en s'inclinant. Sarah demeura bouche bée devant ses amis qui la scrutaient, ahuris.

— Oh là! Non. Non que non. Vous n'allez pas croire à ces histoires de fantômes et de rêves? intervint Lina toujours terre-à-terre et surtout fort sceptique face à ce genre de phénomène inexplicable.

— Serait-ce possible? s'interrogea Sarah.

— Que veux-tu dire? répliqua son amie.

— Ça expliquerait en partie la réaction exagérée de Sami envers Francis, en déduisit-elle.

— Voyons Sarah! Tu ne feras pas de lien avec ça? Ça ne tient pas! C'est complètement ridicule. C'est tout simplement une coïncidence. Tu ne t'imagineras tout de même pas qu'ils se sont connus ou qu'ils se connaissent? Et comment cela pourrait-il être possible? Ça nous arrive tous un jour ou l'autre de voir quelqu'un et de nous sentir mal à l'aise non? Ça n'a rien à voir avec des histoires de rêves de personnes qui n'existent pas!

— Ce n'est pas normal. Sami n'a pas l'habitude de réagir de la sorte. Je connais mon fils, coupa Sarah.

— Voyons donc! C'est simplement une coïncidence, répéta Lina.

— Tu héberges Francis pour clarifier le mystère? demanda Angelo.

— Rien à voir. C'est une situation temporaire, un service de dernière minute que je lui rends, répondit-elle l'air troublé.

— Est-ce que Sami a eu une telle réaction? s'enquit Lina.

— Ils ne se sont pas encore vus, spécifia son amie.

— Je viens de me lever et comme il ignore que je suis encore ici, peut-être vaudrait-il mieux que je parte maintenant? proposa Francis encore à moitié endormi et sous le choc.

— Ça va? lui demanda Angelo.

Il fit signe que oui et passa sa main sur son front en sueur. Au même moment, Sami suivi de Jordan courut vers la cuisine. Il stoppa net en apercevant Francis qui devint également de marbre.

— Non! hurla Sami.

Il fit volte-face et s'enfuit droit vers l'escalier.

— Non! cria Jordan imitant son ami, croyant à un jeu.

Le bruit rapide des petits pas frappant contre les marches résonna. L'air défait, Francis leva les yeux vers Sarah. Promptement, elle sortit de la cuisine et monta à l'étage.

— J'aurais dû rester dans la chambre, s'excusa Francis l'air fautif.

— Ce n'est pas de ta faute. Sa mère s'en occupe, dit Angelo se voulant rassurant.

— Je ne lui veux aucun mal.

— Nous le savons. Ne t'inquiète pas. Cela lui passera, dit Lina tentant elle aussi de le rassurer.

— C'est impossible! lança Francis.

— De quoi parles-tu? demanda-t-elle.

Il la regarda, l'effroi se lisant sur son visage.

— Tout cela est tellement illogique, incroyable et anormal. J'ai la sensation, je dirais même la conviction de le connaître, spécifia-t-il en pesant chacun de ses mots.

L'air grave, Lina et Angelo se fixèrent. À l'étage, les cris de Sami résonnaient alors que la voix de Sarah était à peine audible. Des bruits de pas irréguliers cognaient contre le bois de l'escalier. L'air triste, Jordan apparut dans l'embrasure de la cuisine.

— Qu'est-ce qui se passe mon chaton? demanda Lina les bras tendus vers son fils.

— Sami a peur. Il pleure.

— Oh! Ne t'en fais pas. Il est en sécurité avec sa maman.

Il se mit à pleurer à chaudes larmes. Elle le serra contre lui en le berçant.

— Je n'aurais jamais dû demander l'hospitalité à Sarah, murmura Francis l'air abattu.

— Pour combien de temps es-tu ici? lui demanda Angelo.

— Quelques jours, le temps de me trouver un appartement.

— Tu n'habites plus chez ta mère? s'informa Lina.

— Non, répondit-il sèchement.

— Pourquoi avoir demandé à Sarah de t'héberger? osa Angelo.

Se levant, Francis se mit à faire les cent pas. Il finit par se diriger vers les armoires, posant la main sur l'une d'elles. Agrippant la poignée, il n'ouvrit pas la porte et se tourna plutôt vers le couple incrédule.

— J'ai confiance en elle.

Il respira un bon coup. Déboussolé, il les scruta puis se rendit jusqu'à la table. Il se tira une chaise et s'assit. À nouveau, il passa une main tremblante dans ses cheveux en broussailles.

— Lorsque j'ai voulu quitter la maison familiale, Sarah fut la première et la seule personne à laquelle j'ai pensé pour me venir temporairement en aide.

— C'est vrai qu'elle est accueillante, confirma Lina ébranlée par la situation.

— Bien que ma mère la déteste et la traite de tous les noms, j'apprécie et je respecte Sarah au plus haut point. J'ai énormément d'estime pour elle. Elle est calme et gentille avec moi et elle répond honnêtement chaque fois que je lui pose des questions, même les plus intimes.

Il se cacha légèrement le visage, évitant qu'on aperçoive les larmes qui lui montaient aux yeux.

— Et ta mère ? Elle sait que tu es ici ? lui demanda Angelo.

— Jamais de la vie ! Elle me tuerait !

— Tuer ! Ce n'est pas un peu exagéré ? rectifia Lina

— Si vous saviez combien elle la déteste !

— Pour le savoir, j'en ai une très bonne idée ! ajouta-t-elle.

— Vous avez déjà rencontré ma mère ?

— J'ai même été la voir, chez vous, pour l'aviser de se tenir loin de Sarah. Elle avait intérêt à m'écouter !

— Récemment ? s'informa-t-il surpris.

Berçant toujours Jordan assis sur ses genoux, elle lui fit signe de s'approcher. Francis la rejoignit, s'essuyant rapidement le coin des yeux.

— Cela s'est passé il y a plusieurs années, après que ton père soit décédé. Ne te souviens-tu pas de la femme qui est allée chez vous alors que ta sœur et toi reveniez d'une balade en voiture ? Vous me regardiez tous les deux avec d'énormes yeux lorsque j'ai pulvérisé, d'un coup de pied, le cellulaire de votre mère. Irritée, elle t'avait crié d'appeler la police.

Fouillant dans sa mémoire, il parut se souvenir. Estomaqué, il releva la tête. Ahuri, il dévisagea Lina.

— Alors c'était vous ? s'exclama-t-il l'air consterné.

Voyant le sourire vainqueur de son interlocutrice, il se mit à rire nerveusement.

— Tu te souviens?

— Surtout de la colère de ma mère. Si vous saviez combien elle vous en voulait.

— Je n'en ai aucun doute et tu sais quoi, j'en suis même fort heureuse ! L'atmosphère se détendit quelque peu. Des bruits de pas claquèrent contre le plancher du deuxième étage. Sami pleurait toujours. Un bruit de pas s'approchant résonna.

— Non maman, je ne veux pas, lança-t-il d'un cri perçant.

Le bruit de pas cessa de résonner et une marche craqua.

— Écoute-moi Sami. Nous allons descendre tous les deux et nous irons voir Francis ensemble. Si tu veux, je te tiendrai la main. Lina, Angelo et Jordan sont là

avec lui. S'il était dangereux, crois-tu que je les laisserais seuls avec lui ? dit-elle d'une voix compatissante et rassurante.

Les larmes coulant abondamment sur ses joues rosées, Sami s'essuya le visage du revers de la main. Sanglotant, il prit la main tendue de sa mère. Assise sur la dernière marche, elle se releva lentement.

— Tu es très courageux, tu sais ? Je resterai près de toi d'accord ? Je suis très fière de toi mon grand.

Mon fils, je suis fier de toi. Je suis fier de vous deux. Dommage que je ne puisse vous expliquer tout ce qui se passe. De là où je suis, je peux comprendre certaines choses qui peuvent vous sembler bien étranges au premier abord. En revenant vers toi, Gabriel a choisi d'oublier le passé et aujourd'hui, il est terrorisé de faire face à des émotions si complexes et peu compréhensibles. Je me doute que de là où il était auparavant, Gabriel avait sûrement tenté de communiquer avec toi. J'aurais tant aimé faire partie de votre vie. Tristement, le destin en a décidé autrement. Si j'avais été plus prudent... Néanmoins, je te demande pardon ma belle Sarah. Pardonne-moi de ne pas être à tes côtés, pardonne-moi de ne pas partager quotidiennement ta vie et celle de notre fils si courageux. Je t'aime et je t'aimerai toujours. De là où je suis, j'ai de plus en plus de difficulté à vous observer, impuissant. Cela m'est de plus en plus pénible et m'attriste de plus en plus. Tu sais ma belle Sarah qu'il n'a jamais été dans ma nature de laisser passer les choses sans intervenir. Pardonne-moi de m'éloigner une autre fois, mais je crois qu'il vaut mieux que tu continues ta vie avec Sami et Gabriel. Moi, je continuerai la mienne. Qui sait, un jour, nous retrouverons-nous quelque part au-delà de la vie? Adieu mon amour. Je t'aime, je t'aime tellement. Surtout ne m'oublie pas, moi Michael, celui qui te gardera toujours dans sa mémoire et son cœur.

— Papa serait fier de toi mon grand, dit-elle spontanément en posant la main sur sa poitrine.

— Ça va mieux Maman, dit-il en la regardant avec tendresse.

Ils descendirent l'escalier et se dirigèrent vers la cuisine. Francis se redressa. La bouilloire siffla. Sami sursauta. De grosses larmes rejaillirent de nouveau. Posant Jordan sur les genoux de son père, Lina se leva et prépara quatre tasses de café. Silencieux, Sami pénétra dans la cuisine accompagné de sa mère. Il se remit à trembler lorsqu'il aperçut Francis qui le fixait sans broncher. Avec courage, il soutint son regard sans pleurer. L'intensité de cette communication visuelle les saisit.

— Maman! Sami peur? Sami peur? montra Jordan en pointant Sami.

Son père le rassura d'un sourire affectueux.

— Tu vois, Francis n'est pas dangereux, articula doucement Sarah.

Elle posa une main sur la tête de son fils qui se colla un peu plus contre elle. Terrorisé, les larmes aux yeux, il dévisageait sans relâche un Francis tout aussi ébranlé. Il se leva et s'avança vers Sami d'un pas incertain. Il plia les genoux et s'accroupit. Sami eut un mouvement de recul. Il relâcha un peu de sa tension en laissant couler à flots des larmes silencieuses. Toujours accroupi, Francis le scrutait à la fois avec curiosité, compassion et tendresse. Un sourire discret naquit sur son visage. Spontanément, les larmes cessèrent de ruisseler sur les joues du garçonnet craintif.

— Gentil! Gentil! Sourire! Ami! Ami Sami! s'exclama Jordan qui observait aussi la scène du haut de ses deux ans.

Les adultes pouffèrent de rire, détendant quelque peu l'atmosphère. Francis afficha un certain sourire. Sami releva la tête vers sa mère. Elle lui sourit avec assurance et retira sa main de sur son épaule pour la poser affectueusement sur sa tête qu'il abaissa pour replonger dans le regard attendri de Francis.

— Je peux être ton ami? articula faiblement Francis.

L'air étonné, Sami demeura silencieux. Subtilement, il se décolla de sa mère tout en gardant les yeux rivés sur son interlocuteur. Toujours accroupi, Francis tendit lentement le bras en ouvrant la main vers celui qui le craignait tant. Gardant la main tendue vers Sami, il s'avança un peu plus. Incertain, Sami leva le bras puis recula aussitôt. Il retourna se coller contre sa mère. Jordan se mit à frétiller.

— Par terre, veux aller voir Sami.

Aussitôt que ses petits pieds touchèrent le sol, Jordan courut vers Francis et lui saisit la main.

— Pas méchant! Pas méchant! répéta-t-il, montrant à Sami sa petite main dans celle de Francis.

Scrutant tour à tour Lina, Angelo et Jordan, Sami s'arrêta enfin sur le visage de Francis. Il releva la tête vers sa mère. Il soupira en hoquetant. Bravant sa peur, il fit un pas devant pour s'approcher de Jordan et Francis. Le petit leva le bras. Sami ignora la minuscule main tendue et fit un pas de plus en direction de Francis. Il s'arrêta net, ouvrit la bouche, mais aucun son n'en sortit. Il toussota puis ravala. Francis le scruta avec compassion. Sami reprit son souffle et desserra la mâchoire.

— Tu, tu ne, tu ne viendras plus… bégaya Sami.

Il toussota à nouveau.

— Tu ne viendras plus me faire peur dans mes rêves? dit-il d'une voix faible et vacillante.

Accroupi, Francis s'assit par terre. Il frotta ses genoux engourdis. Jordan resta près de lui et posa sa petite main sur l'épaule de Francis qui était de la même grandeur. Un infime rictus naquit sur les lèvres de Sami. L'apercevant, Francis lui adressa un franc sourire. Ses joues s'empourprèrent et ses yeux s'illuminèrent.

— Je ne peux te promettre de ne plus revenir dans tes rêves, car cela personne ne le peut. Je ne sais trop comment fonctionnent ces façons d'entrer ou de sortir des rêves, mais par contre, si tu le veux, je te refile un truc infaillible.

Toujours assis sur le plancher, Francis se pencha vers l'avant. Sami s'inclina discrètement vers lui.

— Si jamais je réapparaissais dans tes rêves, approche-toi de moi comme tu le fais présentement. Tu comprends ?

Sami approuva en hochant la tête.

— Même si tu es dans un rêve, tu t'approches sans hésiter. Tu me diras alors de sortir et de quitter ton rêve si c'est ce que tu veux. C'est toi qui le décideras, car ce sont tes rêves. Ils t'appartiennent.

Sami le regarda intrigué. Il se redressa en fronçant les sourcils.

— Dans mes rêves, tu me suis. Tu me poursuis partout où je vais et je ne peux te trouver. Tu te caches toujours, expliqua-t-il l'air effrayé.

— Je comprends. Alors si tu veux, à partir de maintenant, tu sais que tu as le pouvoir de me chasser. Tu n'auras qu'à m'ordonner de sortir de ma cachette. Tu pourras même crier que tu ne veux plus me voir et courir vers ma voix si je suis invisible. Tu pourras me poursuivre autant que tu le voudras et je te promets que je disparaîtrai.

— Et si tu continues malgré toutes ces tentatives ? demanda nerveusement Sami.

Pour la première fois, Francis inclina la tête.

— Pas peur ! Pas vrai ! Papa chasse monstres ! s'exclama Jordan.

— Bonne idée Jordan ! Angelo est un chasseur de monstres alors pourquoi ne serait-il pas aussi un chasseur de voix ? Tu pourrais crier afin qu'Angelo arrive pour m'affronter ? s'enquit Francis de l'idée de Jordan à qui il adressa un clin d'œil d'approbation.

Gonflant le torse de fierté, l'ai vainqueur, Jordan se tourna vers son ami qui lui fit un demi-sourire.

— Et si je te disais que si tu veux me parler, tu dois être avec ma mère ? proposa Sami.

Francis se pencha encore plus, feignant de lui faire une confidence.

— Ça pourrait fonctionner. Et si elle ne te répond pas, tu sauras que c'est un rêve et que c'est irréel. Tu comprendras alors que tout est faux et ta peur s'envolera. Pas vrai Sarah ? demanda-t-il heureux de l'idée.

Sami ne parut pas convaincu. Toutefois, son aversion envers Francis eut l'air de s'estomper. Sa respiration devint plus régulière et ses frêles épaules retombèrent.

— Francis sera avec nous quelques jours. Ce sera une bonne façon de voir qu'il n'est pas méchant ? annonça Sarah avec précaution.

— Il reste avec nous ? cria Sami à nouveau effrayé.

— Seulement quelques jours.

— Non ! dit-il en retenant à nouveau ses larmes.

— Ding, dong.

La porte s'ouvrit aussitôt.

— Sami, Sami ! Tu es là ? C'est moi ? cria de joie Charlene.

L'air triste, Francis se releva.

— Il vaut mieux que je ne reste pas ici, dit-il en s'appuyant contre le dossier d'une chaise.

— Non, non, insista Sarah contrariée de la tournure des événements.

Fuyant au pas de course vers la porte d'entrée, Sami alla rejoindre sa petite amie. Jordan le suivit, faisant claquer ses espadrilles contre le plancher de bois franc.

— Tu pleures ? dit Charlene en apercevant son ami.

— Non.

— Oui ! dit Jordan.

— Chut ! fit Sami.

— Nous reparlerons de tout cela un peu plus tard, proposa Sarah en s'adressant à Francis.

— Et nous, nous devons partir, continua Lina.

— Tu n'as même pas bu ton café ! s'exclama son amie.

— Tu as besoin de tout ton temps. D'autant plus que tu auras de la belle visite ce soir !

L'air décontenancé, Sarah se contenta de sourire.

— Profite de ta soirée ! dirent joyeusement ses amis qui se dirigeaient eux aussi vers l'entrée.

Pendant qu'ils se donnaient la bise, Jordan arriva comme une petite tornade et fit une caresse à celle qu'il appelait affectueusement tante Sawra. Il se sauva rejoindre Sami qui courait déjà dehors avec Charlene.

— N'allez pas trop près de l'étang ! les prévint Sarah.

— Allez Jordan nous partons ! dit Lina.

— Non ! Reste avec Sami, répondit-il.

— Allez, allez ! En voiture ! poursuivit-elle en gesticulant.

À contrecœur, il revint tristement vers la voiture.

— Bye Jordan! cria Sami en courant avec sa petite amie.

— Soyez prudent, ajouta Sarah.

— Elle sait nager! Je vais seulement lui montrer les poissons.

Jordan les regarda en affichant une mine basse. Lina ouvrit la portière arrière en lui indiquant de monter. Elle boucla la ceinture de son fils et prit place à l'avant près d'Angelo.

— L'eau est froide, restez éloignés de l'étang, cria Sarah.

La voiture s'éloigna, laissant entrevoir un Jordan piteux qui tentait de regarder par la fenêtre arrière. Deux mains apparurent de chaque côté de la voiture en guise de salutations. Sarah les salua de nouveau. Elle se tourna ensuite pour voir les deux enfants courir vers le bassin d'eau en riant et se chatouillant.

— Il ne manque que Rafael, soupira Sarah.

— Je resterai dans la chambre, dit Francis.

Elle sursauta, croyant être seule.

— Tu es le bienvenu à la maison tu sais.

— Je ne veux pas effrayer Sami ni gâcher ton rendez-vous.

— Qu'est-ce que tu racontes?

— Tu es trop gentille Sarah. Ne t'inquiète pas pour moi. Ça ira. Profite de cette belle soirée avec ton ami.

— Tu peux rester le temps que cela te sera nécessaire.

— C'est vrai?

— Après tout, ton père aurait sûrement été d'accord avec moi, dit-elle avec gentillesse.

Il changea de pièce en lui adressant un sourire reconnaissant.

Chapitre 19

Elle tournait en rond depuis une bonne demi-heure pendant que Zachary lavait la voiture dans la cour et que Marie s'amusait virtuellement avec ses amies, clouée à son ordinateur. Julia entra dans sa chambre et alluma son ordinateur portable. Faisant les cent pas, le temps que la connexion au réseau s'établisse, elle croisa nerveusement les bras, une main sous le menton, fixant le plancher de bois franc.

— Allez! grommela-t-elle.

Après plus d'une minute d'attente, la page de démarrage apparut. Elle bondit si fort sur le lit que le portable faillit tomber par terre. S'empressant d'ouvrir un moteur de recherche, elle y inscrivit les mots : condamnation, légitime défense. Deux secondes s'écoulèrent avant qu'une liste de sites apparut. Elle cliqua sur un premier, un deuxième puis un troisième lien. L'œil vif, elle dévora visuellement, en diagonale, les pages qui s'affichaient. Elle consulta une dizaine de sites en moins d'une quinzaine de minutes avant de refermer brusquement son portable. Elle se changea rapidement, retirant ses vêtements décontractés pour enfiler une tenue sportive. Elle quitta la pièce en coup de vent. Elle courut jusqu'à la salle de bain où, rapidement devant le miroir, elle retoucha sa coiffure avec ses doigts. À la volée, elle agrippa son sac à main laissé près de la porte d'entrée et sortit. Se dirigeant vers sa voiture, elle évita de justesse le boyau d'arrosage que tenait Zachary.

— Tu sors faire des courses? Que dirais-tu d'une belle truite saumonée ou encore d'un filet de porc? demanda-t-il l'air heureux.

— Ne m'attends pas pour souper.

Il n'eut le temps de répondre, elle démarrait déjà sa voiture et reculait.

— Julia ! Mais où vas-tu ? dit-il, haussant le ton et levant les bras.

Le jet d'eau coula sur son pantalon. Elle lui envoya un baiser de la main et démarra en trombe.

— Mais qu'est-ce qu'elle a encore en tête ? dit-il en secouant son pantalon et ses espadrilles trempés.

La voiture s'éloigna et disparut avant même qu'il ait pu faire un seul pas. Ses bras retombèrent de chaque côté de son corps élancé.

— Marie. Marie ! cria-t-il.

Un petit visage ovale apparut à la fenêtre de la chambre sur le côté de la maison. Il s'approcha du mur briqueté, le boyau d'arrosage toujours à la main, l'eau ruisselante sur l'asphalte sous un soleil de fin d'après-midi d'automne.

— Qu'y a-t-il ? demanda-t-elle en ouvrant la fenêtre un peu plus.

— Tu sais où va ta mère ?

— Aucune idée !

— Tu as des nouvelles de ton frère ?

— Non !

— Ce qui signifie que nous serons seulement tous les deux.

— Deux ?

— Ta mère et ton frère sont disparus ! Qu'aimerais-tu manger ce soir ?

— Pizza !

— J'aurais pu deviner !

— Je peux y aller là ?

— Tu ne voudrais pas en profiter pour essayer les sushis ? tenta-t-il.

— Beurk !

— Du saumon ?

— Re-beurk !

— Va pour la pizza ! dit-il, capitulant.

— Aux ananas !

— Pas question !

— S'il te plaît ! dit-elle d'une voix suppliante.

— Pizza au saumon fumé !

— Ouache !

— Tu fais un compromis et j'en fais un ! dit-il, retenant un fou rire.

— Tu n'es pas sérieux !

— Que oui !

— Zach !

— Tu aimeras, j'en suis certain. Tu sais que ça me coûtera une fortune en plus ?

— Raison de plus pour prendre une pizza ordinaire ! contesta-t-elle.

— D'accord ! Pizza toute garnie !

— Non, avec des ananas !

— C'est trop cher ! dit-il en rigolant.

— J'en veux une aux sushis alors ! dit-elle, le taquinant à son tour.

— Allons au resto, proposa-t-il.

— Non ! Je parle avec mes amies !

— Tu veux dire que tu parles toute seule ? continua-t-il tout en retournant vers sa voiture.

— Je peux y aller maintenant ? Mes amies attendent.

Il n'eut le temps de lui répondre, le mignon petit visage disparut de la fenêtre. Il coupa l'eau, déposa le boyau d'arrosage et s'essuya les mains sur son jeans délavé. Il ouvrit la pochette de cuir attachée à sa ceinture pour en extirper son téléphone cellulaire. Il composa en s'impatientant.

— Réponds ! Allez réponds ! Zut ! Encore la boîte vocale.

— Vous avez rejoint la boîte vocale de Julia, au son du timbre, laissez-moi un message. Bip.

— Julia, peux-tu m'expliquer encore une fois ce qui se passe ? Rappelle-moi dès que tu entends ce message. Je veux savoir où tu es et si tu passeras la soirée avec nous.

Il coupa la communication et rangea machinalement le téléphone dans la pochette.

— Zach ? dit Marie le visage collé contre le moustiquaire de sa chambre.

— Je suis là.

— Le téléphone de maman a sonné.

— Quoi ?

— Le cellulaire de maman ! Il sonnait, dit-elle en parlant plus fort.

— Pas vrai ! dit-il, totalement décontenancé.

— Que dis-tu ? cria Marie.

— Laisse tomber.

— Elle reviendra sûrement bientôt. Elle ne peut sortir sans son portable, dit-elle en retournant dans sa chambre.

— Qu'est-ce que tu mijotes encore Julia ? marmonna-t-il tout en frottant avec vigueur la carrosserie ruisselante.

Chapitre 20

Il gara sa voiture près de la porte d'entrée, coupa le moteur et ferma avec retenue la portière de sa luxueuse voiture. Il entra dans la boutique démesurée pour ce type de commerce. Jamais un fleuriste n'avait occupé une telle superficie. Des odeurs de freesia, de lilas et de roses embaumaient l'air. L'harmonie parfaite des parfums floraux donnait l'impression de marcher au milieu d'un immense jardin. Des murs vitrés du plancher au plafond offraient une vue parfaite sur toutes les fleurs gardées à température contrôlée. Exposées en dégradés de couleurs, le spectacle offrait un vibrant hommage aux beautés florales de toutes catégories. Au Paradis des Fleurs, peu importe la fleur désirée ou rêvée, elle était là, disponible, en attente du client même le plus sélectif. Une jeune fleuriste aux yeux bridés l'accueillit d'un sourire discret, essuyant des mains si menues sur son tablier bleu que l'on aurait dit deux petites marguerites sur fond marine.

— Comment pouvez-vous garder autant de fleurs si belles et en si grande quantité ? demanda Rafael émerveillé.

Discrètement, elle s'approcha comme si elle glissait sur un tapis de feuilles.

— En les traitant chacune de façon unique ! répondit-elle en le saluant.

— Vous devez bien en avoir plusieurs centaines peut-être même un millier !

— Elles n'attendent que d'être offertes à quelqu'un de spécial, spécifia-t-elle en levant la main vers les portes vitrées.

— Je suis étonné que vous puissiez offrir une telle variété et en si grande quantité, s'exclama-t-il, indécis devant autant de choix.

— Avec une clientèle exigeante et fidèle, nous pouvons leur offrir un choix varié de fleurs les plus diverses, de la plus rare à la plus exotique, dit-elle d'une voix apaisante.

— Et que faites-vous si vous n'avez pas la fleur demandée ?

— Nous vous offrons la fleur de votre choix gratuitement. Mais à ma connaissance, nous n'en avons offert que onze depuis notre ouverture, spécifia-t-elle visiblement fière.

— C'est votre commerce ?

— Oh ! Non ! Mais j'y travaille comme s'il l'était. Vous cherchez une fleur spéciale pour une personne tout aussi spéciale ? dit-elle avec une passion indéniable dans les yeux.

— Comment avez-vous deviné ?

Elle haussa les épaules en lui adressant un sourire discret.

— J'ai déjà une idée en tête. Je crois toutefois que nous sommes hors saison, poursuivit-il.

— Demandez toujours ! continua-t-elle l'air de vouloir relever le défi.

— Je désire une petite fleur au parfum délicat, léger, mais puissant à la fois.

Il tourna les yeux vers les fenêtres à la droite du magasin. Il se mit à marcher en examinant les grandes vitrines. Elle le suivit à deux pas de distance.

— De quelle couleur ? s'informa-t-elle.

— Rose. Vous auriez du Freesia ?

— Bien sûr ! dit-elle avenante.

Elle le dépassa et s'arrêta devant la quatrième porte sur le mur de gauche. Elle lui présenta deux magnifiques branches de freesia, l'une rose, l'autre jaune. Il se pencha, ferma les yeux et huma à pleins poumons les deux tiges.

— Un connaisseur ? osa-t-elle lui demander.

Il se releva et ouvrit les yeux.

— Je prendrai les deux.

— Oh ! Elle vous tient vraiment à cœur ! commenta-t-elle.

— Elle me tient par le cœur ! dit-il avec émotion.

— Désirez-vous un paquet cadeau ?

— Tout ce que vous avez de plus beau, accepta-t-il sur-le-champ.

— Je prépare le tout immédiatement. Vous désirez autre chose ?

— Non.

— Vous pouvez continuer votre visite. Cela ne devrait prendre que quelques minutes. Je peux vous offrir une tasse de thé ?

— Non ! Excellent service mademoiselle ! la complimenta-t-il.

Elle baissa les yeux et s'éloigna vers l'arrière-boutique, tout droit vers le comptoir situé à plus de vingt mètres. La boutique avait une superficie aussi imposante qu'un magasin de grande surface. Alors que les roses, les œillets, les oiseaux du paradis et les marguerites de toutes les couleurs défilaient sous ses yeux, Rafael les admirait avec émerveillement voire une certaine fascination comme si chacune d'elles avait été une jolie femme. Son attention se portait sur chacune des variétés. Ses mains traduisaient avec des gestes délicats toute l'admiration qu'il portait à tant de beauté. Au centre de la boutique, deux longues rangées de plantes s'avançaient, garnissant l'allée centrale de tous les tons de vert.

— Sans contredit, vous aimez vos fleurs et vos plantes ! commenta-t-il en rejoignant la fleuriste au fond de la boutique.

Deux autres jeunes femmes s'affairaient à préparer des bouquets. Elles le remarquèrent en lui adressant de charmants sourires et continuèrent leurs arrangements spéciaux. La jeune fleuriste réapparut, Freesia et branches décoratives à la main. Elle prépara le tout en y ajoutant des rubans roses et jaunes. Le papier transparent laissait voir toute la beauté et la fragilité des freesias. D'un sourire attendri, Rafael regarda le paquet qu'on lui tendait.

— Elles vous plaisent ?

— Elles sont magnifiques ! Même les rubans s'harmonisent aux fleurs ! Vous avez des doigts de fée !

— Avec d'aussi belles fleurs, nous ne pouvons que faire de la magie. Vous disiez que c'était pour offrir à une personne spéciale ?

— Très spéciale, dit-il en fouillant dans ses poches.

— Vous désirez une petite carte pour y inscrire quelques mots ? lui offrit-elle.

— Merci ! dit-il en s'approchant du présentoir contenant pas moins d'une cinquantaine de cartes de grandeurs et de thèmes différents.

Il en prit une, puis une autre. Voyant son embarras, la jeune femme déposa le paquet sur le comptoir.

— Puis-je savoir pour quel genre d'occasion vous offrez ces fleurs ? Je pourrais vous guider parmi notre choix de carte.

— Des retrouvailles !

Délicatement, elle tourna le présentoir et pointa deux petites cartes, l'une démontrant deux amoureux marchant l'un vers l'autre, l'autre affichant deux petites étoiles scintillantes, leur brillance réfléchissant l'une sur l'autre. Il choisit la deuxième.

— Mille mercis ! Avec autant de choix, j'y aurais passé la soirée !

— Et vous auriez été très en retard pour votre rencontre, commenta-t-elle en lui tendant la facture.

— C'est parfait. Gardez le reste.

— Oh ! Merci monsieur, c'est trop généreux ! s'exclama-t-elle avec reconnaissance.

— En guise d'appréciation pour votre excellent service ! Votre patron a tout intérêt à vous garder comme employée !

Elle le regarda avec timidité et rougit.

— On ne peut faire autrement lorsque l'on travaille au paradis ! conclut-elle discrètement.

Il partit en la saluant de la main. Élégamment vêtu d'un pantalon bleu, d'une chemise blanche et d'un imperméable marin, il s'éloigna le cœur heureux avec l'assurance et la prestance d'un homme allant à la rencontre de l'amour de sa vie.

Chapitre 21

— Ils sont encore trop jeunes pour connaître ce que peut signifier le mot amour, murmura Sarah.

Elle les observa par la fenêtre. Courant l'un près de l'autre, traversant le petit pont, revenant vers l'arrière de la maison. Elle s'émerveillait à regarder son fils plein de vie, courir et sourire à sa petite copine qu'il appelait affectueusement Charly. La joie abondait sur leur visage heureux. Courant vers les balançoires accrochées à la branche d'un chêne centenaire, Charlene en choisit une. Sami se plaça derrière et lui donna une poussée pour l'aider à s'élever plus haut.

— Ah Seigneur ! soupira Sarah.

Elle hésita puis se décida à sortir les rejoindre. D'un pas lent, l'air rêveur, elle s'approcha de son fils qui s'apprêtait à donner une poussée un peu plus forte.

— Wouah ! s'écria Charlene.

— Tu as peur ? lui demanda-t-il.

S'élevant un peu plus haut vers le ciel bleu, elle éclata de rire et se tourna légèrement vers l'arrière pour le regarder.

— Ce que tu as de la chance ! dit-elle en riant de bon cœur.

— Et pourquoi ? répondit-il tout en lui donnant une autre poussée.

— Tu as tout ! s'exclama-t-elle en tirant sur les chaînes pour se propulser un peu plus haut.

— Tu veux rire !

— Non ! Tu as tout, tout, tout !

— Je n'ai pas de cabane !

— Tu as des poissons, des arbres, des balançoires, un pont, des fleurs, une mare, des grenouilles, dit-elle d'un seul souffle.

— Ce sont des affaires de filles !

Elle posa les pieds par terre, stoppant net le balancement et trébuchant vers l'avant.

— Tu as même une forêt ! s'exclama-t-elle en tendant un bras vers l'arrière en direction des arbres.

Il se retourna et regarda d'un œil presque indifférent les nombreux arbres qui les entouraient et qui faisaient partie de son univers depuis sa naissance.

— Je n'ai pas de chien, lança-t-il.

Elle le regarda, virant ses orbites vers l'arrière.

— Ça pue ! affirma-t-elle.

Il la regarda stupéfait comme si elle venait de démystifier un phénomène irrésolu.

— C'est comme un ami ! répondit-il.

— Un ami que tu dois nourrir, laver, sortir pour aller…

— Tu n'aimes pas les chiens ? coupa-t-il.

— Tu dois constamment t'en occuper et leur donner de l'attention.

— C'est ce que je disais, c'est comme un ami.

— J'aime mieux t'avoir toi que d'avoir un chien ! répliqua-t-elle d'un ton assuré.

Il l'observa perplexe. Il ne vit pas Francis qui s'approchait d'eux alors que Sarah revenait sur ses pas.

— Tu rentres ? lui demanda Francis.

— Je préfère vous laisser seuls, répondit-elle sans se retourner.

— Allo ! cria Charlene en voyant Francis s'approcher.

Sami se retourna. Il recula d'un pas et tira sur la deuxième balançoire pour s'asseoir. Il faillit tomber vers l'arrière en voyant Francis s'approcher d'un pas nonchalant. À moins d'un mètre, il s'arrêta. Sarah se retourna et le vit, mais décida de rentrer.

— Je peux venir ? osa Francis.

— Tu veux ma balançoire, lui offrit spontanément Charlene.

Muet, Sami les observa.

— Je préfère rester debout, dit-il en voyant Sami qui blêmissait.

— Tu veux une poussée ? demanda Charlene à son petit ami.

Il ne dit mot.

— Tu as toujours peur de moi ? lui demanda Francis.

Sami bougea à peine, masquant un timide signe affirmatif de la tête.

— De quoi as-tu peur ? demanda-t-elle, ignorant tout des réactions précédentes de Sami face à Francis.

— Nous pourrions tenter progressivement de devenir des amis ? proposa Francis.

Avec de grands yeux ronds, Sami fixait sans relâche son interlocuteur. Francis tenta un autre pas et s'accroupit comme il l'avait fait lors de leur précédente rencontre. Il se gratta la mâchoire et prit l'air de quelqu'un qui veut proposer un marché.

— Que dis-tu si nous tentions de discuter, disons, durant cinq minutes ?

Sami resta de marbre.

— Si tout va bien, nous pourrions ensuite tenter dix et plus tard quinze minutes ? poursuivit précautionneusement Francis.

Immobile, tel un animal craintif, Sami le jaugea du regard. Charlene les observa l'air hébété.

— Tu n'as pas à avoir peur ! Ce n'est pas un tigre ! lança-t-elle.

Sa petite tête allait de gauche à droite et de droite à gauche, passant de Francis à Sami, de Sami à Francis revenant vers Sami qui finit par bouger un bras. Il se tourna vers Charlene comme s'il puisait une dose de confiance dans le petit visage souriant puis se tourna face à celui qu'il craignait depuis leur première rencontre.

— Pourquoi as-tu peur de moi ? lui redemanda Francis.

Sami eu un léger haussement d'épaules.

— Tu peux discuter cinq minutes ? s'enquit Charlene.

— Trois ? proposa Francis.

— Deux ! s'amusa Charlene.

— D'accord, finit par articuler Sami d'une voix à peine audible.

Un sourire de soulagement s'afficha sur le visage de Francis. Sami desserra ses mains agrippées aux chaînes de sa balançoire.

— Super ! cria Charlene en sautillant.

Feignant d'avoir les jambes engourdies, Francis changea de position et s'assit sur la pelouse.

— Dis-moi, qu'aimerais-tu savoir de moi ? demanda-t-il.

Deuxième haussement d'épaules sans réponse.

— Quel âge as-tu ? demanda Charlene.

— 20 ans.

— Et ta saveur de crème glacée préférée ?

— Chocolat.

— Moi c'est à la fraise ! poursuivit-elle.

— Et toi ? lui demanda Francis.

Il soupira.

— Chocolat.

— Tu vois, nous avons un point en commun, la glace au chocolat ! En plus, c'est la meilleure ! dit Francis exagérant un ton enthousiaste.

— Et ton plat favori ? poursuivit Charlene.

— Les spaghettis voyons !

— Tu as entendu ? Tout comme toi, il aime le spaghetti ! Tu vois, il n'est pas dangereux !

Sami eut un demi-sourire.

— Et ton film préféré ? osa Francis.

Regardant vers le ciel, il réfléchit quelques secondes. Ses joues devinrent plus rosées.

— Avatar.

— Ça alors ! Impossible ! Incroyable ! Nous avons les mêmes goûts ! dit Francis en amplifiant sa réaction en se tapant sur la cuisse.

Un sourire apparut sur les lèvres de Sami. Il quitta la balançoire. Francis l'observa avec grande attention. Durant plusieurs secondes, Sami le scruta jusqu'au fond de ses prunelles.

Sami, pourras-tu un jour voir le regard de ton fils dans les yeux de Francis ? Et toi Francis, comprendras-tu un jour que la stupéfaction de Sami n'est que la mémoire intemporelle d'un père retrouvant son fils ?

— Vous allez vous regarder comme ça encore longtemps ? demanda Charlene.

Ni l'un ni l'autre ne répondit. Elle bondit devant Francis.

— Tu manges avec nous ce soir ?

Ils tressautèrent.

— Les cinq minutes sont écoulées ! Je dois partir, répondit Francis.

— Nous mangeons des spaghettis, murmura Sami.

Francis écarquilla les yeux, un sourire trahissant l'immense joie d'avoir réussi un mince échange entre eux.

— Sérieux? Ta mère a fait des spaghettis? répliqua-t-il avec un étonnement démesuré.

Sami hocha positivement la tête.

— Ça alors! Nous pourrions manger des spaghettis tous les trois? poursuivit Francis épaté.

— Oui! s'exclama Charlene.

— Si ça ne prend pas plus que dix minutes, ajouta discrètement Sami.

Francis s'esclaffa.

— Tu sais que tu es brillant? lui dit-il.

Pour la première fois, Sami sourit d'un sourire parfait, sans l'ombre de la crainte. Alors que Francis repartait en direction de la maison, il fit quelques pas et en se retournant pour regarder derrière lui, il s'arrêta.

— Peu importe ce qui a pu se passer dans tes rêves, je ne veux qu'être ton ami. Vraiment, c'est ce que je souhaite, être ton ami, dit-il avec émotion.

— Tu vois qu'il est gentil! dit Charlene tentant de rassurer son copain.

Sami fit quelques pas en direction de Francis. Ils se regardèrent intensément comme s'ils pouvaient scruter le fond de leur âme, comme s'ils pouvaient déterrer ce passé dont ils n'avaient souvenance que dans leur mémoire affective. Enfin, Sami leva lourdement le bras.

— D'accord.

— C'est d'accord? répéta Francis.

— J'aimerais bien être ton ami, réussit à dire Sami d'une voix tremblante.

Dans un élan de joie, Francis prit la petite main tendue. Ses yeux brillèrent d'un bonheur authentique. Au contact de leur main, un frisson parcourut le petit bras de Sami. Les poils se hérissèrent également sur le bras de Francis.

— J'ai l'impression de te connaître, murmura-t-il d'une voix ébranlée.

— J'ai l'impression de te retrouver, chuchota d'émotion Sami.

Rapidement, ils retirèrent leurs mains. Francis fit demi-tour et marcha d'un pas rapide. Sami retourna vers son amie Charlene sous l'œil attentif de Sarah qui avait observé toute la scène depuis la fenêtre de la cuisine.

— P'pa, j'aurais aimé que tu sois là, susurra Francis, la tête entre les mains.

Chapitre 22

Roulant à vive allure, elle prit le virage trop rapidement. Elle appliqua les freins et dérapa. Elle eut le réflexe de relever le pied et s'agripper fermement au volant. L'auto tourna à cent quatre-vingts degrés et se retrouva dans la voie de gauche qui était libre. Ses mains se mirent à trembler. Elle se pencha aussitôt et ramassa, sous le siège du passager, la boîte contenant un portable acheté au magasin d'électronique. Elle le brancha dans l'emplacement du chargeur et l'activa. Elle synchronisa son écouteur puis reposa le téléphone sur le siège du passager. Les phares d'une voiture arrivèrent dans sa direction. Elle écrasa l'accélérateur et replaça la voiture en sens inverse, sur la voie d'accès. Elle reprit le téléphone et composa avec difficulté. Ses mains tremblaient encore lorsqu'elle appuya sur l'écouteur accroché à son oreille droite. Elle empoigna le volant.

— Dring, dring, entendit-elle.

— Allez réponds ! cria-t-elle d'impatience.

— Allo, répondit une voix féminine.

— Donna ! Enfin !

— Julia ! Ça fait une longtemps ! Comment vas-tu ?

— Mis à part que j'ai failli me retrouver sur le capot, la vie est belle.

— Qu'est-ce que tu racontes ?

— C'est sans importance. J'ai un service à te demander.

— Tu veux venir dormir à la maison ?

— Pas du tout. Je voudrais que tu appelles à la maison ce soir.

— Que dis-tu ?

— Vers minuit. Peux-tu appeler à la maison ce soir, chez moi ?

— Mais où es-tu ? demanda Donna complètement perdue.

— Dans ma voiture et je veux que tu m'appelles ce soir.

— Je n'y comprends rien.

— Disons à minuit, oui minuit, se reprit Julia réfléchissant à voix haute.

— Tu veux m'expliquer ?

— Tu m'appelles ce soir à minuit d'accord ?

— Tu me téléphones pour me demander de t'appeler au milieu de la nuit ?

— Ça va, tu as compris ? coupa Julia.

— Ne serait-il pas plus simple que tu m'appelles toi-même à l'heure qui te conviendra ?

— Tu peux me rendre ce service oui ou non ? insista Julia.

— Je ne vois pas quel service je peux te rendre en t'appelant au milieu de la nuit !

— Minuit ! C'est en fin de soirée non ? dit Julia d'un ton amusé.

— Qu'est-ce qui te prend de m'appeler pour me demander une telle chose.

— Allez, nous sommes amies non ? répliqua Julia en ricanant.

— Tout cela est ridicule.

— Arrête de faire des caprices et appelle-moi d'accord ? tenta Julia d'une voix suppliante.

Donna soupira.

— Je sens que tu mijotes encore quelque chose, je me trompe ?

Julia éclata de rire.

— Tu me connais ! Je ne reste jamais à ne rien faire !

— Tu n'es pas dans ton état normal. Dis-moi de quoi il s'agit ! insista Donna.

— Ce soir minuit.

— Arrête de faire des mystères pour une fois ! lui demanda Donna qui commençait à s'impatienter.

— Je suis comme je suis ! J'attends ton appel ce soir. Je dois raccrocher !

— Julia ! protesta Donna.

En entendant son prénom, Julia coupa la communication et ferma son téléphone portable, omettant volontairement de donner le numéro. Surexcitée, elle tapota le volant avant d'enfoncer brusquement le bouton de la radio. « Never too late, it's never too late… ».

— Hum ! C'est ça, c'est vraiment ça ! Il n'est jamais trop tard ! Jamais trop tard ! Et je vais en avoir le cœur net d'ici quelques heures !

Les idées incohérentes, l'adrénaline montante, elle se mit à rire à gorge déployée en renversant la tête vers l'arrière. Presque hystérique, elle tourna le bouton du volume au maximum et appuya à fond sur l'accélérateur, oubliant la frousse des dernières minutes. Donna composa le numéro du portable de Julia.

— La boîte vocale est pleine. Veuillez rappeler plus tard, entendit-elle.

— Il n'est que dix-huit heures trente. Où diable peut-elle bien aller ? s'interrogea Donna qui commença à se faire du mauvais sang.

— Zachary, Zachary, le téléphone de maman sonne, cria Marie.

Il courut en vain chercher le téléphone de Julia. « Numéro confidentiel » lut-il sur l'afficheur alors que l'appel se dirigeait droit dans la boîte vocale déjà pleine.

— Merde, laissa-t-il échapper en lançant l'appareil sur le divan.

Chapitre 23

— Où puis-je déposer ces fleurs destinées à la plus belle femme que je connaisse ?

L'apercevant dans l'entrée de la cuisine, elle sursauta. Avec la grâce d'un prince, Rafael lui tendit le magnifique arrangement floral préparé spécialement pour elle. Surprise de le retrouver si près d'elle, sans avoir été l'accueillir, elle passa de l'étonnement à la joie de le revoir.

— Quelle élégance, le complimenta-t-elle en l'examinant de la tête aux pieds.

Maladroitement, elle s'essuya les mains sur son tablier tricolore puis s'approcha, lui donnant rapidement la bise sur la joue. Ses yeux scintillèrent à la vue du superbe bouquet qu'il lui tendit.

— Quelle prestance ! Tu sais que tu fais fureur avec ton allure décontractée, bredouilla-t-elle en prenant le paquet transparent.

Leurs mains s'effleurèrent. Elle inclina légèrement la tête puis tira sur l'attache autocollante, ouvrant le haut de l'emballage. Elle ferma les yeux et huma le parfum délicat des freesias.

— Magnifiques ! souffla-t-elle.

— J'ignorais que je te faisais un tel effet, murmura-t-il, la scrutant avec tendresse.

Elle lui sourit en soupirant.

— Elles sont splendides.

Elle inspira profondément encore deux et trois fois, s'imprégnant du délicieux parfum.

— Elles te plaisent vraiment ou c'est mon eau de toilette que tu apprécies à ce point ?

— Rien n'est plus doux que le parfum des freesias, répondit-elle en ouvrant les yeux. Tu t'y connais en floriculture ?

Encore ivre du parfum des fleurs, les yeux mi-clos, elle le regarda autrement.

— Qu'y a-t-il ? Qu'est-ce que c'est que ce regard ? Aurais-je omis de me raser ?

Elle ricana et balança la main comme si elle chassait une mouche.

— J'adore les fleurs, ce sont des cadeaux du ciel.

— Comme les anges, se compara-t-il en se gonflant le torse.

— Ce n'est pas parce que tu te prénommes Rafael que…

D'un mouvement rapide, il la rejoignit et réussit à lui voler un baiser. L'espace de quelques secondes, elle garda les lèvres entrouvertes, surprise de cette précipitation imprévue. Ils s'éloignèrent aussitôt, se dévisageant l'air étonné de ce rapprochement subit. Elle reprit le paquet à moitié ouvert.

— Ce que tu peux être délicate, remarqua-t-il en la voyant manipuler le bouquet comme s'il avait été de cristal. Elle saisit ensuite l'assemblage floral et fit mine de se cacher derrière le feuillage.

— Alors elles te plaisent ? lui demanda-t-il de nouveau.

Elle approcha le bouquet plus près de son nez fin tout en remarquant le visage de Rafael rayonnant de joie, l'air exalté.

— Tu sais qu'à chaque fois que tes battements de cils accélèrent, ceux de mon cœur s'accélèrent aussi, ajouta-t-il totalement sous le charme.

— Tu veux dire que je te plais ? blagua-t-elle.

— Au-delà de tout ce que tu peux t'imaginer. Plus je te redécouvre, plus l'amour que j'ai toujours ressenti pour toi refait surface. Je t'ai toujours aimée Sarah, tu le sais ça ?

Elle s'éloigna en direction du comptoir où elle déposa avec précaution, tel un précieux joyau, les freesias.

— Jusqu'à cet instant, je l'ignorais, dit-elle le souffle court.

— Je t'aime vraiment Sarah.

— Comment peux-tu en être aussi certain ?

— Je ne veux plus jamais te perdre, plus jamais, redit-il, prenant un ton plus sérieux.

Il l'admira avec une infinie tendresse dans les yeux.

— Tu ne pouvais mieux choisir. Leur parfum est si délicat, coupa-t-elle.

— Parmi toutes, j'ai choisi la plus belle.

— Tu sais qu'il en existe des milliers de variétés ?

Il lui sourit en baissant les yeux, réalisant qu'elle n'était pas disposée à discuter de sentiments pour le moment.

— C'est donc mon jour de chance si j'ai su choisir la fleur que tu préfères parmi les milliers d'autres ! continua-t-il.

— Parmi les milliers de fleurs, les freesias sont celles qui me plaisent plus que toutes les autres, répéta-t-elle.

— C'est comme lorsque l'on croise quelqu'un…

Elle s'avança, sa main effleurant celle de Rafael. Il se redressa. Elle remarqua le frisson parcourant le poignet puis le bras où sa main s'arrêta. Il soupira, l'amour brillant sans retenue dans ses yeux.

— C'est un signe ? lui souffla-t-il au creux de l'oreille.

Sa main droite trahit un frémissement. Elle haussa les épaules. Ses joues rosirent. De l'autre main, elle tira avec minutie le ruban qui se défit facilement, ouvrant l'emballage transparent. Le bouquet perdit de sa forme, laissant choir les freesias sur la pellicule plastique.

— Avoue que c'est toute une coïncidence ! Parmi les millions d'espèces de fleurs, j'ai su faire le meilleur choix !

Elle caressa les tiges du bout des doigts.

— C'est un peu comme trouver la perle rare, au hasard, au milieu de l'océan !

— Hasard, chance ou destin ? demanda-t-il tout en observant les mains habiles et délicates qui coupaient les tiges.

— Maman ! J'ai faim ! cria Sami en accourant vers eux.

— Moi aussi ! ajouta Charlene le suivant de quelques pas.

Ils s'arrêtèrent net. Sami fixa sa mère puis l'étranger.

— Bonjour. Je m'appelle Rafael, dit-il en tendant la main vers Sami.

— Moi c'est Charlene, répondit spontanément la petite invitée en tendant sa minuscule main de poupée.

L'air visiblement surpris que son amie l'ait devancé, Sami l'imita.

— Je m'appelle Sami.

Sarah reposa les fleurs et sortit deux assiettes de l'armoire.

— Vos spaghettis sont prêts, annonça-t-elle tout en jetant un regard complice à Rafael.

— Il y a du gâteau au chocolat? ajouta Sami.

— Après vous être lavé les mains, après avoir mangé vos légumes et vos spaghettis, peut-être aurez-vous droit au gâteau spécial.

— Un gâteau spécial? répéta Charlene avec entrain.

— Vite, vite, viens te laver les mains. Je veux du gâteau! ordonna Sami qui courait déjà vers la salle de bain.

Charlene le suivit, encore essoufflée d'être entrée à la course dans la cuisine. Sarah prépara les deux assiettes et les déposa sur le comptoir-lunch. Elle tira d'une armoire basse un pot de verre en forme de bulle et y déposa un à un les freesias et leur feuillage.

— Ils sont mignons! eut à peine le temps de dire Rafael.

Les deux petites tornades revinrent à la cuisine. Sarah termina l'arrangement floral puis soutint le pot jusqu'à ce que l'eau le remplisse jusqu'au trois quarts.

— J'ai un autre visiteur, avoua-t-elle candidement.

— Nous serons trois pour le repas? ajouta Rafael surpris.

— Si tu n'y vois pas d'inconvénient, continua-t-elle tout en portant son attention sur le bouquet qu'elle réarrangeait avec doigté.

— C'est un ami? s'informa-t-il avec un certain malaise.

— En quelque sorte, dit-elle, évitant son regard.

Le visage de Rafael se figea.

— Si tu le veux, répondit-il l'air terriblement déçu.

Elle retint difficilement son fou rire et déposa le bouquet sur une petite table près de la fenêtre. Elle revint vers lui en se mordillant les joues, tentant péniblement de garder son sérieux, l'air rayonnant de bonheur.

— Tu me fais marcher? dit-il en feignant de l'attraper.

D'un mouvement agile, elle recula, évitant qu'il la touche. Plus rapide, elle lui prit la main et le tira hors de la cuisine. À nouveau, il frémit au contact de sa main dans la sienne. Elle le tira un peu plus vers l'immense sofa blanc du salon. Les grandes fenêtres de la façade éclairaient toute la pièce. Le décor enchanteur des feuilles d'automne en toile de fond se mariait à merveille avec le décor épuré de cette pièce si accueillante. Ils prirent place l'un près de l'autre. Gardant sa main dans la sienne, elle posa son autre main sur celle de Rafael, la recouvrant presque entièrement. Au même instant, conquis, ses yeux brillèrent, débordant d'une surdose d'affection. En guise de réponse, elle s'avança un peu plu en se penchant vers lui, feignant de l'embrasser. Elle eut une légère hésitation puis osa appuyer la tête contre son épaule.

— Tu veux que je te raconte des bribes de mon passé?

— Tout ce que tu veux ma belle, dit-il très ému.

Elle se colla un peu plus au creux de son cou, l'effleurant du bout des lèvres puis se redressa.

— Il y a de cela plusieurs années, j'ai fréquenté Gabriel. Il fut…

Elle marqua une pause. Il passa son bras autour de ses épaules.

— Tu peux tout me dire. Je t'écouterai tout la nuit, dit-il d'une voix réconfortante.

— J'aimerais te parler de lui, Gabriel, pour que tu comprennes…

— N'aie crainte. Peu importe ce que tu peux raconter, rien ne pourra altérer l'ardeur des sentiments que j'éprouve envers toi.

Elle se cala au creux de son épaule, l'air à moitié perdu dans ses pensées.

— Bien que ma relation avec Gabriel ne fût que de courte durée, elle fut l'une des plus éprouvantes que j'ai vécue. Elle fut marquante à un point tel que lorsqu'il est sorti de ma vie, je n'ai plus jamais été la même personne. Malgré sa brièveté, cette histoire a été d'une profondeur comme il est difficile d'imaginer. C'est le genre d'histoire qui s'exprime au-delà des mots. Tu saisis?

Silencieux, il fit un signe affirmatif de la tête. Il glissa le dos de sa main derrière la nuque dégagée, descendant jusqu'à l'épaule de son interlocutrice.

— Comment peut-on autant aimer une personne en un si court laps de temps? Comment peut-on l'aimer à un point tel que l'on puisse en garder un souvenir quasi éternel? continua-t-elle l'air pensif.

Il glissa ses doigts, caressant ses cheveux soyeux. Elle lui fit face en affichant un air plus grave.

— Lorsque tout s'est effondré, j'ai eu la conviction que jamais plus je ne pourrais aimer un homme avec autant d'intensité. Il m'était inconcevable de pouvoir songer un jour pouvoir aimer avec autant de profondeur une autre personne, lui confia-t-elle.

— Des gens laissent parfois une trace éternelle de leur passage dans notre vie, peu importe la durée que nous les avons côtoyés.

— Par moments, son souvenir m'est si présent et d'autres fois il me paraît si lointain. Tristement, cette relation se termina suite à un malentendu et je n'ai malheureusement revu Gabriel que quelques secondes après qu'il ait rendu son dernier souffle.

— Wow. Quelle histoire! Et te manque-t-il encore autant aujourd'hui?

— Maman nous aurons droit à du gâteau? demanda Sami.

Rafael se redressa. Elle se leva précipitamment.

— Tu désires un apéro? lui demanda-t-elle en se dirigeant vers la cuisine.

— Je désire bien des choses, mais une bière fera l'affaire, bredouilla-t-il, abasourdi de passer d'un état à l'autre si rapidement.

— Je n'ai que du Cinzano ou un vin rosé.

— Va pour le Cinzano.

Il s'installa plus confortablement, s'appuyant le dos contre le confortable divan. Elle s'affaira rapidement à préparer les deux apéritifs.

— Finissez vos assiettes et vous aurez droit au gâteau spécial.

— Hum! Un vrai dessert spécial! s'exclama Charlene.

— C'est Sami qui l'a fait! blagua Sarah.

— Tu as fait cela tout seul? s'exclama Charlene les yeux ronds comme des billes.

Pris par surprise, Sami ne sut que répondre. Sarah lui tapa un clin d'œil complice.

— Le gâteau sera prêt dans quelques minutes! dit-elle en prenant les deux verres d'apéro et retournant au salon.

Une large main se tendit vers elle, saisissant l'un des deux verres. Il la salua avant de le porter à ses lèvres. Il s'arrêta puis lui adressa un sourire enjôleur.

— Santé!

— À nous! À l'amour retrouvé! ajouta-t-il en scrutant ses yeux.

Elle reprit place évitant de s'appuyer contre le divan. Elle se tourna vers lui, tenant son verre entre ses deux mains. Elle effleura son genou contre le sien.

— Ce sont les glaçons ou j'ai ressenti un frisson, dit-il à la blague.

— Je ne voudrais pas t'embêter avec mes histoires…

— Chut, allez raconte ! insista-t-il, reprenant un air sérieux.

— Je disais donc que Gabriel avait été quelqu'un de très spécial dans ma vie.

— Il t'arrive encore d'y penser ?

— Par moments.

— Il te manque ?

— Quelquefois, dit-elle pensive.

Il eut un haussement d'épaules. Elle sentit son malaise. Elle tint son verre d'une main et de l'autre, lui tapota la cuisse pour le rassurer.

— J'y songe de moins en moins !

— Il n'y a rien de mal à y penser, l'encouragea-t-il.

Elle le regarda l'air attendri.

— Suite à son décès, j'y songeais à tout moment. Il m'habitait totalement. Je le ressentais à un point tel que j'avais l'impression qu'il était omniprésent. J'avais la conviction qu'il était là, tout près, comme tu es là, près de moi.

Elle s'interrompit et leva les yeux vers Rafael.

— Est-ce que cela te trouble ? vérifia-t-elle.

— Et ?

Elle se racla la gorge.

— Tu te souviens, lorsque nous étions à la discothèque, je t'ai raconté pour Michael et Sami ?

— Pas certain de tout comprendre, tu veux m'en parler de nouveau ?

— Aussi étrange que cela puisse paraître, à la naissance de Sami, au moment où il est entré dans ma vie, Gabriel en est sorti.

— Pourquoi me racontes-tu tout cela ce soir ?

— Parce que Francis est son fils.

— Qui est Francis ?

— Le visiteur !

— Ah !

— Et ce, ce, comment se prénomme-t-il…

— Gabriel

— Ce Gabriel est son père ?

— Hum, hum, fit-elle en prenant une gorgée de son apéro.

— Excuse-moi de te poser la question, mais Gabriel, restera-t-il à jamais ton grand amour ou aurais-je ne serait-ce qu'une toute petite place dans ta vie?

Elle réfléchit et but nerveusement une autre gorgée.

— Difficile à dire.

— Aurais-je la chance de reprendre la place que j'occupais jadis dans ton cœur? demanda-t-il l'air surpris.

— Peut-on aimer plusieurs personnes profondément? lui demanda-t-elle.

— En ce qui me concerne, la réponse est non. Mais si pour toi, c'est le cas, tu peux te compter très chanceuse!

Elle posa son verre par terre et se retourna en s'inclinant vers lui.

— Gabriel a été un grand amour. J'avoue qu'aujourd'hui cela me paraît quelque peu confus. Le temps passe. Gabriel n'est plus alors que toi, tu es là, bien vivant près de moi.

— Tu te souviens comment nous étions follement amoureux il y a quelques décennies?

— Sois-en rassuré. Je sais que cet amour fait partie de moi, lui dit-elle en lui souriant avec compassion.

— Tu es une femme de cœur, ma belle Sarah. Tu as aimé et je sais que tu aimeras de nouveau, j'en suis convaincu.

— Je veux le croire également. Disons qu'après la mort de Gabriel, j'ai fait la rencontre d'un autre homme, Michael. Ce fut une histoire totalement différente.

— Et tu le vois toujours?

— Il est mort.

— Oh, je suis désolé.

— C'était le père de Sami.

— Désolé, je m'y perds un peu, s'excusa-t-il de nouveau.

Il se redressa et appuya ses coudes contre ses genoux, rapprochant son visage du sien.

— Puis-je me permettre une question? lui demanda-t-il sur le ton de la confidence.

— Certainement!

— Tu les empoisonnes tes mecs ou quoi?

Son visage passa du vide à la joie spontanée. Elle pouffa de rire.

— Quoi? Moi, les empoisonner?

Elle se tapa sur la cuisse, riant à gorge déployée.

— Les empoisonner ! redit-elle entre deux souffles.

— Quoi ? C'est moi qui te fais cet effet ? renchérit-il.

Elle détourna le regard, évitant de le voir, car chaque fois que ses yeux croisaient les siens elle pouffait de rire, scrutant le gros plan du visage de son interlocuteur. Il pencha la tête à gauche puis à droite, imitant les chiens ne sachant de quel côté aller. Il continua en fixant le mur de gauche puis de droite, l'air nerveux comme s'il était pris au piège et cherchait une sortie de secours.

— Devrais-je accepter ce souper ? Devrais-je plutôt feindre un mal de tête ? Ou plutôt faire le coup du « où est la salle de bain » et me sauver par la porte arrière ?

Feignant un air fort inquiet face à une Sarah morte de rire, il serra les dents comme s'il craignait de recevoir un coup sur la tête. Les joues mouillées de larmes, elle riait en se tordant sur le divan.

— Oh là ! Excuse-moi ! C'est la plus, c'est la plus, wouah, la plus stupide et la plus drôle allusion qu'on m'ait faite.

— Suis-je en danger ? lui demanda-t-il en fronçant les sourcils.

— Jamais deux sans trois dit le proverbe ? ajouta-t-elle épuisée de rire autant.

— Bon Dieu, je suis le prochain.

Elle roula sur le divan, tordue de rire.

— Tu es magnifique, tu sais.

— Réfléchis bien, tu seras le troisième, le taquina-t-elle.

— Je prends le risque.

— Je ne vous connaissais pas ce courage monsieur Rafael.

Prenant la pause de quelqu'un qui analyse une situation complexe, il frappa l'index contre sa tempe droite et le majeur contre ses lèvres. Il fit semblant d'hésiter, mimant des visages de contrariété, d'anxiété et finalement d'étonnement.

— Tu sais que tu es magnifique ? l'imita-t-elle en riant encore.

Il lui sourit, espiègle.

— Maman ! Je crois que le dessert est prêt ! cria Sami.

Rafael leva les bras au ciel comme s'il déclarait forfait. Elle rit à se décrocher la mâchoire.

— Je reviens, dit-elle, l'embrassant spontanément sur la joue.

— Où est la salle de bain ? demanda-t-il, prenant l'attitude d'un homme tentant de prendre la fuite.

— Ce que tu peux être drôle ! Il y a longtemps que j'ai ri autant ! dit-elle à bout de souffle

Elle se releva, ricanant encore lorsqu'elle entra dans la cuisine. La main droite sur son ventre, elle tenta tant bien que mal de reprendre son souffle.

— Tu as mal au ventre maman ?

— Mouah !

Un mince rictus apparut sur les lèvres de Rafael lorsqu'il entendit Sarah pouffer de rire à nouveau. Il profita de ce moment de solitude pour admirer avec plus d'attention la maison. Il se cala un peu plus dans le divan. Il étira les jambes. Son attention s'arrêta d'abord vers le foyer puis vers les immenses fenêtres s'élevant sur plus de deux étages. Juste avant la brunante, le soleil lançait ses derniers rayons au centre de la pièce qui baignait dans une lumière orangée. Le pied de l'immense escalier de bois, couleur acajou reliant le rez-de-chaussée à l'étage reluisait. L'émerveillement s'afficha sur son visage. Tel un gamin, sa mâchoire carrée s'entrouvrit, impressionné devant tant de beauté.

— Vous avez droit à une part de gâteau ! annonça Sarah.

— Qu'est-ce qu'il a de spécial ce gâteau ? demanda Charlene avec curiosité.

Sarah ouvrit la porte du four qui gardait le gâteau au chaud. En sortant le plat métallique, une odeur de chocolat embauma la pièce. Posée sur le comptoir, elle saisit une bouteille et en tourna l'embout. Elle prit ensuite un sac qu'elle ouvrit sans bruit. Les enfants ne virent pas la garniture qu'elle laissait généreusement tomber sur le gâteau. Elle prit le plateau et le déposa devant eux.

— Wow ! s'exclama Sami.

— Tu as vu ? Il y a des bâtonnets de toutes les couleurs ! s'écria Charlene.

— Et…. Et des smarties ! cria Sami.

— Les bleus sont majoritaires !

— Il manque un peu de rouges !

— Je préfère les bâtonnets !

— Je prends tes smarties ! dit Sami se tortillant sur sa chaise.

— Je veux tes bâtonnets !

— Voilà! Régalez-vous! dit Sarah qui terminait de servir les deux portions.

Les mains impatientes saisirent aussitôt les garnitures.

— Merci Maman! Tu es la meilleure «gâtisseuse».

— «Gâtisseuse»?

— Une maman qui fait des gâteaux, c'est une «gâtisseuse», expliqua-t-il.

— Ce n'est pas plutôt une maman qui fait des gâteries?

Charlene les regarda perplexe.

— Tu es la plus meilleure maman au monde!

— On dit…

— La meilleure, coupa Sami en lui adressant un regard pétillant de joie.

— Bon appétit!

Elle retourna rejoindre son hôte au salon. Il la dévisagea avec une pointe de désir. Elle reprit sa place à ses côtés, s'approchant un peu plus.

— Ta maison est magnifique!

— Je te ferai faire le tour du propriétaire un peu plus tard si tu le veux!

— Volontiers! Je meurs d'envie de voir où dort la belle au bois dormant.

Il reprit le verre qu'elle avait laissé par terre et le lui donna. Il leva le sien et but une gorgée en plongeant son regard dans le sien.

— Alors tu disais…

— Que disais-je? coupa-t-elle l'air intimidé.

Elle réfléchit à ce à quoi ils discutaient.

— Tu disais que tu empoisonnais tes amants?

Elle se remit à rire alors qu'elle portait son verre des lèvres. Elle se redressa et prit un air plus sérieux.

— Cette maison est l'héritage que m'a légué Gabriel.

— Tu blagues?

— Et Michael, lui, m'a légué Sami.

— Incroyable! Une maison, un fils, que me reste-t-il à t'offrir avant de mourir? dit-il avec un demi-rire.

Elle inspira profondément et soutint son regard.

— J'ai tout ce dont je n'aurais jamais osé rêver, à commencer par mon fils et cette magnifique maison. Je l'habite depuis déjà plus de neuf ans et je m'émerveille encore à la regarder, la redécouvrir. C'est plus qu'une maison que Gabriel m'a offerte.

— Que veux-tu dire ?

— Elle a son âme.

— Et un peu de la tienne ? osa-t-il.

Elle approuva d'un signe de tête.

— Tu savais qu'on m'avait annoncé que je n'enfanterais jamais ?

— Bien sûr. J'en avais fait mon deuil et j'étais prêt à renoncer à la paternité pour être avec toi.

Un long silence s'installa. Elle pencha la tête.

— Je réalise à nouveau la chance que j'ai eue de rencontrer Michael.

Il mit sa main sur la sienne. Un sourire à peine perceptible naquit sur ses lèvres. Elle se redressa, les yeux pétillants de bonheur et lui serra la main sans hésitation.

— Le miracle c'est produit ! lança-t-elle d'une voix chargée d'émotion.

— Et ton fils est merveilleux !

— Il est ce que j'ai de plus précieux.

— Un joyau inestimable !

— Dommage que Michael n'ait jamais eu la chance de voir son fils, ajouta-t-elle avec une pointe de nostalgie.

— Quelle triste histoire !

— Ça fait déjà plus de huit ans. J'avoue qu'avec le temps, tout finit par s'estomper.

— Tu es très courageuse.

— J'ai de très bons amis.

— Peu importe, tu as vécu des deuils, une naissance.

— C'est vrai. Nous n'oublions jamais complètement, dit-elle songeuse.

— Est-ce que cela signifie que tu ne m'as jamais oublié ?

— Cela fait tant d'années, soupira-t-elle.

— Nous n'oublions jamais totalement ceux que l'on a profondément aimés. Le temps peut passer, les années nous séparer, je crois qu'une parcelle d'amour demeure toujours au fond de nous. Et j'y ai cru.

— Cru ? En quoi ?

— Qu'un jour nous nous reverrions, affirma-t-il avec conviction.

— Nous aurions pu ne jamais nous rencontrer. Si Lina n'avait pas été si insistante, jamais nous ne nous serions revus ! Est-ce cela que l'on appelle le destin ? demanda-t-elle soucieuse.

— Nous ne devons pas toujours chercher à comprendre ce genre de chose. Parfois, il n'y a rien à comprendre. Tu sais, je ne cherchais pas vraiment à te retrouver et tu es apparue au moment où je n'espérais rien. Toutefois, j'ai toujours eu au fond de moi la certitude qu'un jour viendrait et que l'occasion de te revoir se présenterait.

— Comment pouvais-tu en être si sûr ?

— C'est inexplicable ! Comme notre rencontre ! Un des mystères de la vie !

— Comme j'aimerais avoir cette confiance !

— C'est un sentiment profond plutôt qu'une certitude !

— Quelle est la différence ? demanda-t-elle intriguée.

— Je savais !

— Tu savais ?

— Oui !

— C'est tout ? ajouta-t-elle surprise.

— C'est tout ! Je souhaitais seulement ne pas interférer dans ta vie au mauvais moment.

— Ça alors ! Le temps t'a donné raison.

— Je suis arrivé au bon moment, non ?

— Quelques années auparavant et cette nouvelle relation aurait été impossible.

— Attends, attends ! Ai-je bien entendu ? Tu as bien dit, cette nouvelle relation ? répéta-t-il d'une voix remplie d'espoir.

Du bout des doigts, elle lui caressa les lèvres comme si elle redécouvrait celui qu'elle avait passionnément aimé plus d'une vingtaine d'années plus tôt. Elle plongea ses yeux émerveillés dans les siens en acquiesçant positivement.

— Une autre preuve que la vie m'offre encore un généreux cadeau, confirma-t-elle.

Complètement sous le charme, il leva son verre et le fit tinter contre celui de son hôtesse.

— Tu es encore plus merveilleuse aujourd'hui qu'il y a un quart de siècle.

— Les vapeurs d'alcool font déjà leur effet ? dit-elle en le lorgnant.

— Je crois plutôt que c'est l'extase de reconnaître que la vie est merveilleuse par moments !

— Tu es si heureux que l'on se retrouve ?

— Les mots me manquent, dit-il dans un filet de voix.

Émue, elle glissa sa main sur son épaule, sa bouche effleurant la commissure de ses lèvres.

— Et si nous passions à table ? lui suggéra-t-elle en se relevant.

Chapitre 24

— Tu crois que Julia finira par savoir pour Francis ?

— Que veux-tu dire ?

Lina se retourna et s'assura que Jordan était bien endormi sur la banquette arrière.

— Francis habite chez Sarah. Avoue que si Julia l'apprend, il y aura des flammèches !

— Un feu d'artifice tu veux dire ?

— Plutôt une bombe à retardement, renchérit-elle.

— Pataw !

Ils rirent de bon cœur.

— Ce n'est pas Sarah qui le lui apprendra, dit Angelo qui conduisait en bougeant mécaniquement la tête de gauche à droite.

Dans la nuit claire, sur l'autoroute presque déserte, ils filaient à plus de cent kilomètres-heure en ligne droite.

— Je me demande ce que devient Zachary, se demanda-t-elle pensive.

— Tu parles de l'amant de Julia ? dit-il avec un sourire en coin.

— Je parle de son conjoint ! À ce que je sache, ils habitent ensemble, répondit-elle.

— Tu l'as revu ?

— Non.

Elle hésita.

— Il ne m'a appelée qu'une fois, ajouta-t-elle.

— Appelée ?

— Il y a de cela plusieurs années.

— Ah ! Et tu ne m'en avais jamais soufflé mot ! Tu as des secrets ?
Elle lui tapota l'épaule en riant.

— Il voulait prendre des nouvelles de Sarah et m'assurer qu'il tenterait de son mieux de garder Julia à l'écart.

— Et dans quel but a-t-il fait cela à ton avis ?

Lina fixa l'horizon, perdue dans sa réflexion. Elle inspira profondément.

— Même s'il ne la connaît pas vraiment, je crois qu'il l'aime bien notre Sarah.

— Pourquoi dis-tu cela ?

— Il m'a avoué que Julia la détestait au plus haut point et qu'il en souffrait énormément.

— Il en souffrait ? Comment peut-on souffrir pour quelqu'un qu'on connaît à peine ? dit-il étonné.

— Il disait que Julia en faisait une obsession.

— Il n'a pas tort.

— Et qu'elle ferait tout pour se venger, coupa-t-elle.

— Elle n'en a pas assez de la détester ? Elle aurait l'intention de se venger ? Mais de quoi ? dit-il en s'énervant.

Lina releva sa jambe gauche, la plia sous elle et se tourna vers Angelo.

— Ce n'est pas tout.

— Que veux-tu dire ? répliqua-t-il en prenant un air sérieux.

— Tu te souviens, lorsqu'il m'avait suivi ?

— Hum.

— J'étais allée chez Julia pour lui dire de laisser Sarah tranquille et il m'avait filée jusqu'au petit café où nous avions discuté ensemble. Tu te souviens ?

— Hum, hum, fit-il intéressé.

— Hey bien, je crois qu'il a continué à me suivre.

— Comment peux-tu affirmer une telle chose ?

— Il a réussi à me rejoindre par la suite.

— Je ne comprends pas.

— Il ne m'a appelée qu'une fois et il a su où nous habitions, raison pour laquelle il a pu m'appeler.

— Il est venu à la maison ?

— Non ! Il a fait de la filature quelque temps puis il m'a appelée.

— Tu veux dire qu'il t'a suivie ? Ça a duré combien de temps ?

— Plus ou moins six mois.

— Quoi? Et sous quel prétexte? demanda-t-il abasourdi.

— Il avait de bonnes raisons de le faire. Il a pu savoir où habitait Sarah et également suivre les déplacements de Julia.

— Mais pourquoi a-t-il fait cela?

— C'est ce qu'il m'a expliqué la fois où il m'a appelée, dit-elle en le fixant.

— Et?

— Il m'a fait promettre de ne pas en parler.

— Trop tard, tu as commencé! dit-il anxieux de connaître les raisons de la filature.

— Il ne faut en parler à personne.

— Continue, insista-t-il avec impatience.

— Avant que Sarah n'accouche de Sami, Julia avait des intentions très nettes de lui nuire, même…

Elle devint silencieuse.

— Lina! Tu m'inquiètes. Raconte!

Elle se redressa et reprit la position assise vers l'avant, fixant la route qui défilait devant elle.

— Ce n'est en rien dans tes habitudes d'être si posée, murmura-t-il entre ses dents.

Elle scruta l'horizon, comme s'il pouvait lui dicter les mots justes.

— Zachary m'a avoué que Julia voulait à tout prix faire payer Sarah de l'avoir déshéritée elle et ses enfants. Elle aurait engagé un détective, mais c'était de la frime. Elle tentait elle-même de suivre Sarah et communiquait avec des gens… disons peu recommandables.

— Pas des tueurs à gages! dit-il spontanément.

— En quelque sorte.

— Quoi? dit-il virant brusquement la tête vers elle.

— Chut! Tu vas réveiller Jordan.

— Continue, murmura-t-il presque affolé.

— Elle avait des plans pour faire suivre Sarah et…

— Et quoi?

— Et l'éliminer.

— Pardon?

— Du moins, c'est ce que Zachary croyait. Le tout aurait été maquillé sous le couvert d'un accident, du vrai travail de professionnel.

— Incroyable. Et ça a duré six mois ? questionna-t-il, dépassé par ce secret.

— Lorsqu'il a eu connaissance de certaines conversations téléphoniques de Julia, il a commencé à craindre le pire. Il a d'abord voulu protéger Sarah et a donc tenté discrètement de faire échouer son plan. Il relevait les numéros qu'elle composait et il l'a filait. Il a même demandé l'aide de l'un de ses amis afin de la suivre occasionnellement. C'est de cette façon qu'il a appris où Sarah et nous-mêmes habitions.

— Et comment a-t-il pu faire échouer un plan aussi diabolique ?

— Un jour qu'il filait Julia, il l'a aperçue assisse à une terrasse avec un homme d'un certain âge. Ils discutaient discrètement. Zachary a bien cru que c'était l'homme qu'elle avait «commandé» pour éliminer Sarah. Selon ses dires, ils n'ont discuté qu'une ou deux minutes puis l'homme est parti. Il les a observés de loin et le vieil homme a disparu, laissant une Julia l'air affreusement bouleversé.

— Pourquoi ? Que lui a-t-il dit ?

— Cela, on ne le saura probablement jamais, mais ce qui est étonnant, c'est qu'à partir de ce moment, Julia cessa toute tentative d'éliminer Sarah.

— Comment peux-tu en être certaine ? demanda Angelo empreint de scepticisme.

— Zachary m'a appelée quelques semaines après cet événement. Il m'a confirmé que Sarah était dorénavant hors de danger. Je ne comprenais rien à ce qu'il disait jusqu'à ce qu'il me raconte son histoire.

— Et tu l'as cru ? continua Angelo.

— Ça fait huit ans ! Sami est arrivé et jamais Sarah n'a reçu d'appels anonymes ou de visite indésirable.

— Comment peux-tu en être certaine ? redemanda-t-il.

— Elle me l'aurait dit ! conclut-elle sur le ton de l'évidence.

Il la regarda du coin de l'œil.

— Pas si certain de cela qu'elle ne reviendra pas hanter Sarah, surtout si elle apprend que Francis habite chez elle.

Lina lui lança un regard terrifié.

Chapitre 25

Il prit la bouteille et versa les dernières gouttes de vin rouge dans la coupe de Sarah qui l'observait d'un air mielleux, légèrement embrumé par l'effet de l'alcool. Rafael s'approcha d'elle et l'embrassa sans hésiter. Elle étira le cou, lui offrant sa nuque dégagée. Elle sourit et inclina la tête. Il l'embrassa à la base du cou puis s'éloigna doucement. Il se leva, prit les assiettes vides qu'il déposa sur le comptoir. Elle le regarda perplexe.

— Monsieur aime se faire désirer?

— Tu me désires? répéta-t-il les yeux brillants.

— Laisse! Tu es mon invité! lança-t-elle en empilant les assiettes sur le comptoir.

— Tu as cuisiné alors je ramasse.

— Tu veux du dessert? lui demanda-t-elle l'air taquin.

— Si tu fais partie du menu, pourquoi pas!

Ils se reluquèrent. Elle l'aida à desservir la table, prenant les ustensiles et les verres qu'elle déposa dans le lave-vaisselle. Elle exagéra en ondulant les hanches, marchant en direction du réfrigérateur. Comme elle ouvrit la porte, il la surprit, s'approchant derrière elle et posant fermement ses mains sur sa taille. Elle releva légèrement le menton et ferma les yeux à moitié.

— J'adore l'odeur de la vanille, murmura-t-il en respirant le cou tendu vers lui.

Ses lèvres pulpeuses glissèrent sur la peau laiteuse et douce. Elle se libéra et fit un demi-tour. Un pot de crème glacée à la main, elle le lui passa rapidement sous le nez et s'arrêta net entre leurs deux visages.

— Tu en veux ?

Surpris, il recula. Elle éclata de rire en remarquant son étonnement face à sa brusquerie.

— Je ne te connaissais pas comme une joueuse de tours ! dit-il feignant de la chatouiller.

— Je voulais tester tes réflexes !

— Et puis ?

— Tu as échoué ! dit-elle presque en roucoulant.

— Maman ! Charlene peut dormir dans ma chambre ? demanda Sami.

— Tu m'attends ? Je vais border Sami et je serai toute à toi.

— Hum ! Fais vite alors !

Elle lui fit un sourire taquin et grimpa rapidement le grand escalier menant aux chambres. Il termina le rangement de la vaisselle et se permit d'ouvrir une armoire dans laquelle il saisit deux grandes assiettes. Il osa ouvrir la porte du réfrigérateur et y découvrit des fraises qu'il déroba. S'approchant du garde-manger, il plongea la tête à l'intérieur et chercha à tâtons. Cinq secondes s'écoulèrent avant qu'il ne mette la main sur deux pots, l'un de caramel, l'autre de confiture de fraises. Il coupa deux parts du gâteau que Sarah avait cuisiné pour les enfants. Il déposa un triangle chocolaté au milieu de chaque assiette, ajouta deux petites boules de crème glacée placée symétriquement et décora le tout de coulis de caramel et de confiture de fraise en faisant de grands zigzagues.

— Nous nous étions entendus au départ pour que Charlene rentre chez elle. J'ai accepté qu'elle passe la nuit ici à la demande de ses parents, mais elle dormira dans la chambre d'ami compris ?

— Ça ira Sami, je n'ai pas peur dans le noir même si je suis seule, intervint Charlene.

— D'accord. Merci maman de la garder avec nous, dit-il avec un grand sourire.

— Nous mangerons des crêpes demain matin, dit joyeusement la petite qui courut vers l'autre chambre.

— Bonne nuit mon grand. À toi aussi Charlene.

— Merci Sarah de me garder. Inutile de m'accompagner, je suis capable de me coucher toute seule.

— Parfait ma belle. Faites de beaux rêves !

Elle embrassa son fils sur le front et ferma la porte à moitié.

— Et voilà ! murmura Rafael en entendant les pas dans l'escalier.

Il saisit adroitement les assiettes, les déposa sur la table juste au moment où elle réapparut dans la cuisine.

— Ce ne fut pas trop…

Il la regarda, fier de la surprendre.

— Que c'est joli ! s'exclama-t-elle en voyant les portions de gâteau présentées à merveille.

— Je sais, je suis charmant, mais pas à ce point…

— Du travail d'artiste ! dit-elle en pointant du doigt le coulis en forme de flèches et de cœurs.

— Tu aimes ?

— Tu as tous les talents ! le complimenta-t-elle en admirant son assiette.

— Ça te rappelle le Cupidon en voyant le triangle chocolaté expulser sa passion par de petits cœurs vibrants d'amour ? lui remémora-t-il.

— Pourquoi es-tu si attentionné ?

— Parce que je t'aime, laissa-t-il échapper.

Surprise de cet aveu, elle rougit, tout comme lui. Cette fois-ci, leurs regards se croisèrent avec plus d'intensité et avec un brin de volupté. Ils prirent place et défirent lentement le chef-d'œuvre sucré. Elle saisit sa cuillère, coupa un morceau de gâteau qu'elle fit glisser lentement sur le coulis en y ajoutant une mince couche de crème glacée. Lorsqu'il la vit ouvrir la bouche et fermer les yeux, les siens s'ouvrirent un peu plus, brillants et brûlants de désir.

— Que j'aimerais être à la place de ce gâteau ! lui fit-il remarquer.

Elle pouffa de rire, s'étouffant presque. Elle s'amusa même à tirer la langue de façon sensuelle, léchant langoureusement ses lèvres parfaitement dessinées. Il prit à son tour une bouchée. Elle remarqua le regard totalement séduit de son invité.

— Ça goûte le ciel ! s'amusa-t-elle à dire tout en faisant tourner sa cuillère.

Il continua à l'observer avec intensité, lui adressant un sourire qu'elle ne lui connaissait pas. Il s'avança.

— Et que goûte le ciel mademoiselle ? lui chuchota-t-il à l'oreille.

— Le gâteau au chocolat, la confiture de fraise, la crème glacée et le caramel enrobé d'un sourire à la Rafael, défila-t-elle tout d'un trait.

À son tour, elle s'approcha timidement et l'embrassa.

— C'est normal que les battements de mon cœur s'accélèrent? lui chuchota-t-elle. Au moment où ses lèvres goûtèrent enfin les siennes, il ferma les yeux, savourant l'instant. Quelques secondes s'écoulèrent avant qu'elle ne sépare leur bouche gourmande en se reculant. Elle échappa sa cuillère qui tinta contre la table.

— Oh là! Excuse-moi! fit-elle en sursautant.

Elle reprit aussitôt sa cuillère et la remplit du délice qu'il lui avait si habilement concocté.

— C'était délicieux, mais un peu trop pour moi, dit-il en repoussant son assiette.

— Et si nous passions au salon? lui proposa-t-elle.

— La passion au salon! Avec plaisir! blagua-t-il.

— Je prépare le café. Installe-toi confortablement. Je te rejoins rapidement, lança-t-elle l'air de plus en plus à l'aise.

— Je peux allumer un feu dans la cheminée?

— Fais comme chez toi!

— C'est que chez moi je n'ai pas de foyer, difficile de faire comme si j'y étais!

— Tu as le sens de l'humour à ce que j'entends!

— Le sens de l'amour? Bien sûr! Il est directement dirigé vers toi! répondit-il du tac au tac.

Ils s'esclaffèrent de nouveau. Elle s'affaira à préparer le café alors qu'il allumait habilement le feu dans le foyer.

Elle prit deux tasses en verre qu'elle renversa et trempa dans deux petites assiettes, l'une contenant de l'eau, l'autre du sucre. Elle prépara les cafés en y ajoutant deux onces de boisson alcoolisée et aromatisée. Lorsqu'elle revint au salon, une bûche brûlait déjà. Les flammes orangées ondoyaient dans le foyer créant des ombres sur les hauts murs. Une ambiance feutrée et chaleureuse régnait. Elle posa les tasses entre les deux causeuses. Elle s'assit d'abord sur le divan libre. Il lui jeta un regard interrogateur auquel elle répondit d'un air taquin. Elle se releva et vint s'asseoir près de lui, face au feu.

— Merci d'être là, lui dit-elle simplement.

— Merci à toi pour l'invitation. Le repas était un pur délice, tout comme toi. Tu es une merveilleuse cuisinière.

— Je me devais d'être à la hauteur de mon invité de marque ! ajouta-t-elle en se collant un peu plus contre lui.

— Et quelle merveilleuse impression tu me fais ! Tu te sens bien avec moi ?

Elle lui parut mal à l'aise.

— C'est étrange.

— Que veux-tu dire ? demanda-t-il l'air préoccupé.

— J'ai l'impression que cela fait des siècles que je me suis trouvée dans un tel état d'esprit. Cela remonte à, à, euh…

— Quand ?

— Depuis l'arrivée de Sami. Mais tout est tellement différent.

— Tu es bien ? lui redemanda-t-il.

— Merveilleusement bien. Je n'avais plus souvenance de combien l'on pouvait être heureux à deux. Je n'en ai pas l'habitude.

— Magique ! Vaut mieux ne jamais prendre cela pour une habitude, cela enlèverait toute la magie.

Elle s'appuya un peu plus contre son torse. Il prit sa main et la déposa dans la sienne. Elle ne montra aucun signe de résistance et se blottit encore plus contre lui.

— Tu sais, avant l'arrivée de Sami, ça n'a pas été toujours facile, lui confia-t-elle.

— J'imagine.

Il glissa amoureusement ses doigts sur l'endos de la main délicate.

— D'abord, il y a eu l'annonce de l'infertilité, ensuite l'arrivée imprévue et la mort subite de Gabriel, ensuite Michael….

— Tu les as aimés ? coupa-t-il.

Ses yeux fixes s'attardèrent sur le feu. Elle soupira.

— Je crois que oui, susurra-t-elle.

— Tu as des doutes ? osa-t-il lui demander d'une voix calme.

— Oui, euh oui, dit-elle l'air perdu.

— Les souvenirs reviennent ?

Elle hocha la tête. Elle se tourna et prit l'une des tasses qu'elle lui tendit. Elle saisit la deuxième et la leva en guise de salutation.

— Au bonheur de s'être retrouvés ! dit-il en portant un toast.

— Au premier soir d'une longue série !

Il la regarda, ému, heureux de l'entendre. Ils goûtèrent les cafés en se regardant amoureusement.

— Délicieux !

— C'est une spécialité, dit-elle.

— Une délicieuse spécialité nommée… ?

— Café Sarah ! improvisa-t-elle.

— J'aurais cru à un brésilien ou un espagnol.

— C'est que j'ai mes ingrédients spéciaux, dit-elle espiègle.

— Et quels sont-ils ?

— Même sous la torture, tu n'en sauras rien !

— Pourquoi donc ?

— Secret de chef !

— Dommage ! Je ne pourrai le promouvoir au restaurant Cupidon, dit-il, prenant un air déçu.

— Tu plaisantes ?

— Pas du tout ! Le propriétaire est constamment à la recherche de nouveautés. Tant pis ! Ce sera une autre qui aura un café portant son prénom ! dit-il en prenant un air indépendant.

— Bof ! Avec le menu élaboré et les noms «cupidoniques» des plats, Café Sarah manque un peu d'originalité et de romantisme non ?

— «Cupidoniques ?» coupa-t-il.

— Élixir d'amour, péché mignon, nid d'amour, comment nommer un café digne d'accompagner de tels noms de plat ?

Il réfléchit, l'air lunatique, le silence régnant dans la pièce éclairée par la douceur du feu crépitant dans le foyer. Il s'installa plus à son aise et sirota son café.

— Café des mille et un plaisirs ? proposa-t-il.

— Hum !

Elle réfléchit à son tour.

— Pourquoi pas le Sarahvoureux ? dit-elle en le relançant.

Ils pouffèrent de rire. Incapable d'avaler sa gorgée, il se tapa sur le genou puis finit par l'avaler. Elle lui tapa le dos tout en riant à gorge déployée. Il finit par reprendre son souffle.

— Sarahvigote ! dit-il entre deux rires.

Ils se tordirent de rire.

— Sarahpasdebonsens! réussit-elle à dire.

— Sarahpasde fin! continua-t-il en riant aux larmes.

— Sarahmpire! hurla-t-elle.

— Wouah! Mais qu'est-ce que tu as mis dans ce café? finit-il par articuler tout en essuyant ses larmes du dos de la main.

— Vaut mieux laisser tomber mon café pour ton restaurant! réussit-elle à dire entre deux respirations.

— Tu es vraiment exceptionnelle.

— Ce que c'est bon de rire autant, coupa-t-elle en évitant le compliment.

— Tu sais que tu es exceptionnelle? répéta-t-il.

— Voyons!

— Je suis tellement heureux de t'avoir retrouvée.

— C'est réciproque.

— C'est vrai? dit-il avec émotion.

— J'ai l'impression d'avoir une seconde chance.

— Une troisième tu veux dire?

Ses joues rosirent.

— Disons que la vie me fait des cadeaux surprenants.

— Tu as droit au bonheur, tu sais. Et si nous revenions aux choses sérieuses? Tu disais que Gabriel, Michael…

— Si tu insistes…

— J'aimerais savoir, si tu le veux bien.

— Alors je disais que j'ai énormément aimé Gabriel, plus que je ne l'aurais cru. Lorsqu'il est décédé, ce fut un choc, un bouleversement de tant d'émotions à la fois. Un univers s'écroulait, mêlé de tristesse, de regrets et d'une peine si grande que par moments, je craignais de perdre la tête. Après son décès, je me suis sentie si près de lui que j'ai cru qu'il était à mes côtés et je suis certaine que je l'ai vu.

— Que dis-tu?

— Lors de l'accident de moto, je suis certaine qu'il était là.

— C'était peut-être plus une sensation qu'une vision? demanda-t-il tout en l'écoutant avec attention.

Elle chercha son approbation dans son regard. Il passa sa main dans ses longs cheveux soyeux.

— Et aujourd'hui? lui demanda-t-il tendrement.

— C'est bien différent, plus rien.

— Plus rien?

— Comme s'il avait disparu. Je ne le sens plus.

— Il avait une odeur? blagua-t-il.

Elle lui pinça affectueusement une joue.

— Je ne ressens plus sa présence.

— Une preuve que le temps efface tout.

— Non! s'exclama-t-elle.

— Désolé.

— C'est difficile d'expliquer que depuis la naissance de Sami, Gabriel s'est en quelque sorte volatilisé. J'en étais venue à le considérer comme… comme un ange gardien. J'avais l'impression qu'il m'écoutait lorsque je l'appelais.

— N'est-ce pas un processus normal du deuil?

— Je ne crois pas. Cela a duré trop longtemps. Je le sentais présent presqu'en permanence, si intensément que par moments j'avais l'impression qu'il pouvait me toucher.

Il la dévisagea, l'air perplexe.

— Excuse-moi, mais je suis sceptique à ce genre de chose.

— Je ne te demande pas de me croire. Je voulais seulement te dire que même lorsque j'étais avec Michael, duquel j'étais très amoureuse, je ressentais la présence de Gabriel à mes côtés.

— Michael le savait?

— Oui et non.

— Ah?

— Une fois, il en a eu marre.

— Comment a-t-il réagi?

— Il m'a fortement suggéré de laisser le passé derrière moi et de profiter de ce que la vie nous offrait à tous les deux.

— Et tu l'as fait?

— Pas vraiment.

Il l'observa doublement étonné.

— C'était involontaire. J'aurais eu l'impression de laisser tomber Gabriel.

— Mais il est mort.

— Je sais, toutefois je le sentais si présent que je m'adressais à lui lorsque j'étais seule. J'avais besoin de lui faire savoir que je croyais qu'il était près de moi.

— Et aujourd'hui?

C'est fini, vraiment fini.

Depuis l'arrivée de Sami comme tu me l'expliquais?

C'est cela. Je peux y songer occasionnellement, mais sans nostalgie. Il reste quelqu'un qui me fait me sentir bien à chaque fois que j'y pense.

Elle soupira et changea de position, croisant les jambes sous elle et se tournant vers lui.

— Michael est le père de Sami et il n'a jamais vu son fils.

— Je sais et c'est vraiment triste.

— Je crois qu'il n'en a pas eu conscience.

— Comment peux-tu affirmer cela?

— Michael est décédé au moment même où Sami est né.

— Et qui te dit qu'ils ne se sont pas croisés dans le grand couloir? tenta-t-il à la blague.

Elle soutint son regard sans démontrer la moindre expression.

— Je ne peux expliquer ce qui s'est passé à ce moment. La mort de Michael, la naissance de Sami, une grande joie et une profonde peine à la fois. Ce dont je suis certaine, c'est que quelque chose s'est brisé en moi depuis que j'ai perdu Gabriel.

— Perdu?

— Il n'est plus là.

— L'a-t-il déjà été? osa-t-il.

— Je peux l'affirmer. Je suis aussi certaine qu'il fut présent que je le suis en te voyant ici assis près de moi. Gabriel veillait sur moi, mais à partir du moment où Sami est né, tout a changé. Sami a pris toute la place, dit-elle avec intensité.

Il haussa les épaules.

— Ça alors! Tu crois aux morts? répliqua-t-il décontenancé.

Elle haussa les épaules.

— Je crois aux gens qui nous ont aimés et qui nous ont quittés, rectifia-t-elle.

— J'aimerais y croire, continua-t-il étonné.

— Tu n'as qu'à penser à quelqu'un que tu aimes et qui n'est plus de ce monde, lui expliqua-t-elle.

— Inutile. Je n'y crois pas. Et pour Michael? Ça fonctionne aussi?

Des larmes lui montèrent aux yeux. Elle baissa la tête et mit sa main devant ses paupières fermées, évitant qu'il puisse la voit pleurer.

— Je suis désolé. Je ne voulais pas t'attrister.

Elle s'essuya les yeux et inspira du plus profond qu'elle put, comme si elle y puisait une dose de courage. Elle se retourna à moitié et déposa sa tasse sur la table.

— Rien.

— Pardon ? dit-il surpris.

— Rien du tout. Je ne ressens rien du tout pour Michael. Étrange non ? dit-elle en fondant silencieusement en larmes.

Aussitôt, il la prit affectueusement dans ses bras en l'étreignant tendrement.

Chapitre 26

— Francis ?

— Oui.

— Tu es toujours chez Sarah ?

— Qu'y a-t-il Zach ?

— Tu as des nouvelles de ta mère ?

Confortablement installé sur la terrasse arrière, il se redressa sur sa chaise.

— Pourquoi cette question ?

— Je ne sais pas ce qui se trame, mais Donna m'a appelé, paniquée et disant que ta mère lui demande qu'elle la rappelle à minuit.

— Quel rapport avec moi ? demanda Francis surpris.

— Je n'aime pas ça, dit Zachary.

— Tu veux m'expliquer ?

— Tu connais ta mère. Elle a toujours une idée derrière la tête. Elle est partie sans donner d'explications. Son téléphone portable est à la maison et elle a communiqué avec Donna pour lui demander de l'appeler cette nuit. Je me demande si elle sait où tu es.

— Hein ? Comment peut-elle le savoir ? demanda Francis en se levant d'un bond.

— Marie.

— Grrr ! Elle parle toujours trop.

— Tu reviens à la maison ? demanda Zachary d'un ton compatissant.

— Je n'en ai pas envie. Je suis bien ici.

— Et Sarah ?

— Elle ne s'en plaint pas.

— N'abuse pas trop de son hospitalité et de sa gentillesse. Tu as l'intention de rester combien de temps ?

— Quelques jours.

— Pourquoi ne reviens-tu pas à la maison ? insista Zachary.

— J'en ai marre des crises de maman. Elle est bien gentille quand tout va comme elle le décide, mais lorsque l'on ne fait pas ce qu'elle veut, elle pète les plombs et j'en ai ras le bol.

— Tu sais qu'elle t'aime ? coupa Zachary.

Francis soupira.

— Pas de ça s'il te plaît.

— Je t'assure, tu devrais revenir à la maison. Je t'offre mon aide pour te trouver un appartement, dit-il d'une voix teintée de tristesse.

— Je préfère rester chez Sarah.

— Pourquoi vouloir autant être auprès d'elle ?

— À cause de mon père ! s'exclama-t-il en faisant les cent pas sur la terrasse.

Son regard se fixa sur l'horizon. Il fit demi-tour et s'éloigna de la maison.

— Qu'est-ce que tu racontes ?

— J'ai l'impression de me rapprocher de mon père.

— Il te manque à ce point ?

— Plus que tu ne peux l'imaginer.

— Bon, si c'est comme ça, dit-il d'un ton résigné.

Francis passa la main dans ses cheveux épais et renifla tout en marchant dans l'herbe fraîche. L'émotion le gagna. Il s'essuya rapidement les yeux et se racla la gorge.

— Je sais…

Il hoqueta puis se reprit.

— Je sais qu'il ne reviendra jamais, mais cette maison, c'est tout ce qui reste de lui. Tu comprends ? Je n'ai même pas une photo. Au moins ici, je découvre une partie de ce qu'il a fait, une partie de ce qu'il était. Je regarde les escaliers du patio et je ne peux m'empêcher de le voir travailler. Lorsque je suis dans la maison, je prends plaisir à découvrir une décoration murale, un escalier, une porte, un mur et je me demande si, pour chacune de ces choses, ce sont les mains de mon père qui les ont fabriquées.

Il pleura à chaudes larmes. Zachary demeura silencieux jusqu'à ce qu'il l'entende soupirer.

— C'est bon mon grand, je comprends.

— Je t'aime aussi tu sais, murmura Francis entre deux reniflements.

Le regard de Zachary s'embruma à son tour. Il regarda par la fenêtre les oiseaux qui s'envolaient.

— Tu veux me rassurer ? finit-il par demander à Francis.

— Ça dépend.

— Tu peux appeler ta mère ?

— Pas question.

— Allez, un petit effort.

— Désolé Zach. De toute façon, tu m'as dit qu'elle avait oublié son portable.

— Tu peux lui laisser un message alors ? demanda-t-il d'un ton suppliant.

Contrarié, il soupira. Arrivé près du ruisseau, il leva le pied et frappa un caillou.

— Grrr ! Je le fais pour toi seulement ! grogna-t-il.

— Merci mon grand, j'apprécie.

— Je te rappellerai lorsque j'aurai trouvé mon appartement et que je quitterai la maison de papa.

— Appelle ta mère et donne-moi de tes nouvelles quand tu veux d'accord ? Même au   milieu de la nuit, si tu as besoin, tu m'appelles ?

— Promis !

Zachary parut soulagé.

— D'accord ! Alors, appelle ta mère.

— Bye ! dit sèchement Francis mettant fin à la conversation.

Il raccrocha. L'air contrarié, il ramassa quelques cailloux et les lança dans le petit lac. Il remit son téléphone dans sa poche et marcha jusqu'au pont. Il s'arrêta et se pencha lorsqu'il aperçut son reflet dans l'eau stagnante.

— P'pa. Tu me manques tellement, laissa-t-il échapper.

L'air triste, il s'appuya contre le rempart en bois du petit pont. Il resta là, immobile. Deux bonnes minutes s'écoulèrent avant qu'il ne décide de se redresser. Il reprit son téléphone et enfonça l'un des boutons de composition abrégée. Dès qu'il appuya l'appareil contre son oreille, il entendit la voix de Julia.

— Vous avez rejoint Julia, laissez-moi un message. Bip.

— M'man. Je vais bien ne t'inquiète pas. Je cherche un appartement. Je te rappellerai. Bye.

Il referma aussitôt son portable et le fourra brusquement dans sa poche. Il quitta le pont et entreprit d'explorer l'immense terrain. Pendant plus d'une heure, il marcha, découvrant les moindres coins et recoins du terrain que son père avait parfaitement aménagé pour celle qui avait gagné son cœur. En levant les yeux, il remarqua la fumée qui s'échappait de la cheminée. La température chuta rapidement au coucher du soleil et il revint en entrant par la porte arrière.

— Tu viens te chauffer près du feu? lui proposa Sarah.

— Je vais plutôt me reposer. J'ai envie d'écouter de la musique dans mon nouveau refuge. Merci tout de même pour l'invitation.

Timidement, il se dirigea vers l'escalier. D'un regard fuyant, il salua Rafael et s'éloigna d'un pas rapide. Arrivé dans la chambre d'invité, il ferma la porte.

— Il n'est pas trop jasant ton visiteur? commenta Rafael toujours collé contre Sarah.

— Il est plutôt tranquille.

— Il te rappelle son père?

— Hum, dit-elle l'air de réfléchir.

— Il lui ressemble?

— À bien y réfléchir, je dirais qu'il a des airs de Gabriel, mais je n'y vois qu'une mince ressemblance.

— Il est encore jeune.

— Je dirais que je le retrouve dans sa bonté et surtout à sa façon de me parler.

Elle prit un air songeur.

— Effectivement, en y réfléchissant, il lui ressemble un peu, ajouta-t-elle.

— Et toi?

— Moi?

— Gabriel?

Elle frémit puis se tourna pour mieux admirer le feu qui crépitait. Distraitement, elle prit la main de Rafael.

— Il y a bien longtemps que j'y ai pensé autant. Étrangement, il ne me manque plus autant qu'avant. Je suis trop bien entourée avec Francis, Sami et…

— Et ?

— Et toi.

Il l'observa l'air étonné et vit ses yeux scintillants de bonheur bien qu'elle fixait toujours la flamme oscillante dans le foyer. Elle lui caressa la main comme elle l'aurait fait sur le dos d'un chat.

— Moi ? vérifia-t-il.

— Toi ! L'amour me fait signe à nouveau, confirma-t-elle d'une voix douce.

Il interrompit le mouvement régulier de sa main pour l'envelopper dans les siennes. Un sourire naquit sur leurs lèvres.

— Et l'aventure t'intéresse ? osa-t-il.

Elle tourna la tête vers lui, envahie de joie, la lumière du feu dansant sur son visage.

— J'avoue que…

— Que ?

— Je suis heureuse que tu reviennes dans ma vie.

Il sourit en s'approchant un peu plus.

— N'est-ce pas la preuve que les gens que l'on aime ou que l'on a aimés ne meurent jamais dans notre cœur ?

— Je ne saurais…

— N'est-ce pas une sorte de miracle que nous nous soyons retrouvés après tant d'années ?

— Je n'aurais jamais cru revoir mon premier amour après tant d'années.

— Tu es à l'aise à mes côtés ? lui demanda-t-il dit-il l'enveloppant d'un bras.

Elle lui rendit son étreinte en se blottissant contre lui.

— Au risque de me répéter, c'est comme si les années ne s'étaient point écoulées, même après avoir vécu nos vies éloignées et séparées. Le temps a filé, apportant avec lui son lot de bons et d'éprouvants moments. Il y a aussi ces grandes expériences de vie comme la mort et la naissance. Quand j'y pense, j'avoue qu'après toutes ces années, mes sentiments envers toi n'ont pas changé, malgré les peines, les pertes et les amours qui ont traversé ma vie. J'y crois de plus en plus. Les personnes que nous avons aimées, nous les aimerons toujours.

Quelque part enfoui au fond de nous, cet amour perdure ou peut-être s'endort-il? Et s'il s'est endormi, cela voudrait dire qu'il ne suffirait que de le réveiller pour qu'il refasse surface, comme c'est le cas en ce moment?

Il la considéra avec émotion.

— Dirais-tu que tu es heureuse aujourd'hui?

— De plus en plus.

— Amoureuse?

— Hum.

— Tu rêvais d'un amoureux?

— Sincèrement, non! dit-elle en ricanant.

Il la regarda avec un air de clown déçu.

— Tu es arrivé comme la crème glacée en hiver!

Il la scruta l'air embarrassé.

— Tu es arrivé comme un chocolat au milieu d'une assiette de pâtes! lança-t-elle en retenant un fou rire.

Il se mit à rire.

— Tu es arrivé…

Il l'interrompit.

— Comme une fraise au mois de janvier? dit-il en riant.

— Une fraise dans un verre de champagne!

— Un beau mariage! renchérit-il.

— Sérieusement, je suis très heureuse que tu sois ici, ce soir, près de moi.

— Me reste-t-il une petite place?

— Deux!

— Deux places?

— L'une dans ma vie et l'autre dans mon cœur, lança-t-elle.

— Merci cher Cupidon, dit-il en levant la tête vers le plafond.

Il s'approcha d'elle et l'enlaça affectueusement. Elle ferma les yeux et posa ses lèvres sur les siennes.

— Je t'aime.

Chapitre 27

— Allo ? répondit-il.

— Il est minuit.

— Qui parle ?

— Donna.

— Ça va toi ? Pourquoi appelles-tu à cette heure ?

— Demande expresse de Julia, tu ne te souviens pas ?

— Ouais. Euh… elle n'est pas là, bredouilla-t-il endormi.

— Tu veux bien me dire ce qu'elle a dans la tête ? demanda Donna irritée.

— À toi de me le dire !

— Bip ! fit le téléphone de Zachary.

— Tu m'attends une seconde, j'ai un autre appel ?

— D'accord.

— Allo ? répondit-il.

— Tu parles avec Donna ?

— Tu peux me dire où tu es ?

— Fais un appel-conférence, ordonna Julia.

Zachary appuya deux fois sur le bouton d'appel.

— Tu es toujours là Donna ? demanda-t-il.

— Salut Donna ! coupa Julia.

— Julia ! s'écria Donna.

— Écoutez-moi tous les deux, dit Julia.

— Tu peux nous dire où tu es ? redemanda-t-il en l'interrompant.

— Qu'est-ce que c'est que ce cirque ? continua Donna.

— J'ai besoin de votre collaboration, dit Julia.

— Qu'est-ce que tu mijotes encore ? demanda son amie.

— Silence tous les deux et écoutez-moi. Donna, rappelle-moi à deux heures. S'il n'y a pas de réponse, tu appelleras Zachary. Je veux que vous tentiez tous les deux de me rejoindre sur mon nouveau portable. Si vous n'obtenez pas de réponse après une quinzaine de minutes, appelez la police.

— Pas question ! coupa Donna.

— Hey ! Tu as toujours pu compter sur moi chère amie, alors vaut mieux pour toi que tu me rendes ce petit service.

— Pas sans savoir la raison de ce que tu planifies, lança Donna.

— Cela ne te regarde pas, répliqua Julia d'un ton arrogant.

— Eh bien, oublie-moi. Je ne veux pas être mêlée à tes plans diaboliques ! continua Donna en haussant le ton.

— Oh là, les filles on se calme ! intervint Zachary.

— Tu peux raccrocher Donna, je vais appeler quelqu'un d'autre et tu peux m'oublier comme amie si tu refuses de me rendre cet infime service.

— Julia, peux-tu au moins daigner nous expliquer ce que tout cela signifie, demanda Zachary, tentant de se contenir du mieux qu'il le pouvait.

— Je vous demande un petit service et tout de suite la réponse est négative. J'ai simplement demandé que vous m'appeliez et que si vous restiez sans réponse de rejoindre la police.

— Pour lui dire quoi exactement ? demanda Zachary.

— Signaler ma disparition.

— C'est ridicule, hurla Donna.

— Toi, la ferme ! dit Julia d'une voix aigüe.

Ils entendirent un déclic.

— Elle a raccroché, dit Zachary en se frappant le front.

Il se passa la main dans les cheveux jusqu'à la nuque.

— Tu m'aideras toi ? demanda-t-elle haletante.

— Julia ? Je croyais que tu avais raccroché.

— C'est Donna. Ce n'est qu'une…

— Arrête ça tout de suite Julia.

— Pas question.

— Écoute, je n'ai aucune idée de ce que tu te prépares à faire et je ne pourrai t'aider que si tu m'expliques...

Clic.

— Julia ! Julia ! cria-t-il.

Il regarda l'afficheur.

— Numéro inconnu, fulmina-t-il en lançant l'appareil au pied du lit.

Il se recoucha en frappant le matelas.

— Merde ! cria-t-il, hors de lui-même.

Chapitre 28

Ne m'oublie pas, surtout ne m'oublie pas ma douce Sarah.

— J'aime l'odeur de la noix de coco, susurra Rafael, visiblement sur un nuage.
— Le feu est magnifique.
— Tout comme toi.
— Je me sens merveilleusement bien auprès de toi tu sais ?
— Et moi donc. Je suis aux anges.
— Rafael est un ange…
— Je pourrais être l'ange gardien de ton cœur.
— Même si cela devait durer une centaine d'années ?
— Alors ce sera les cent plus belles années de ma vie, répondit-il ébahi.
— Qui sait, formerons-nous un jour une famille.
— Une famille ? répéta-t-il ému.
— Sami, toi et moi.
— Simplement à l'imaginer, j'ai le cœur qui veut exploser.
Des larmes brillèrent dans ses yeux.
— Tu pleures ? lui demande-t-elle d'une voix presque angélique.
— Si tu savais combien je suis heureux.
— Et ce n'est que le début.
— Ma Sarah. Puis-je t'appeler ainsi ?
Il s'approcha et prit délicatement son visage entre ses mains.
— Ce que tu peux être délicat !
— J'ai l'impression de tenir un trésor entre mes mains.

Ses lèvres trouvèrent appui contre les siennes, se perdant finalement dans un baiser rempli de passion. Elle y répondit, en redoublant d'ardeur et de désir.

— Délicieux. Oh mon Dieu! C'est magique! Je suis au paradis, dit-il.

— C'était comme si toute ma vie dépendait de ce baiser, lui souffla-t-elle.

D'un geste rapide, il tenta d'essuyer une larme de bonheur qui tombait sur sa joue. Aveuglé par les phares d'une voiture se dirigeant droit vers la maison, il s'éloigna.

— Tu attends un visiteur?

— Tu as commandé une pizza! dit-elle en riant.

— Sûrement pas après ce repas gastronomique que tu nous as concocté!

— Dommage, je connais bien Nico le livreur.

Elle s'étira pour mieux voir.

— Qui cela peut-il bien être à cette heure?

— Quelqu'un qui s'est perdu?

— La maison est invisible du chemin, dit-elle l'air intrigué.

Elle se leva et s'approcha des hautes fenêtres du salon.

— Tu n'as pas idée de qui cela il peut être? lui redemanda-t-il.

— Pas du tout. Je vois une berline rouge qui approche. Mais qui est-ce? Je n'y vois rien avec ces fenêtres teintées, bredouilla-t-elle à mi-voix.

— Tu as déjà vu cette voiture?

— Non.

Elle se haussa sur la pointe des pieds. Il se leva à son tour et s'approcha. Ils virent la voiture arriver dans l'entrée principale. Les phares s'éteignirent.

— Qui diable cela peut-il être? murmura-t-elle.

— C'est une BMW.

— Je ne connais personne conduisant une BMW.

Le moteur s'arrêta. Sarah se colla un peu plus à la fenêtre et appuya sur le commutateur allumant les lumières extérieures.

— Mon Dieu! s'exclama-t-elle.

Elle leva les mains au ciel, se prit la tête à deux mains puis se couvrit la bouche déjà grande ouverte. Le visage métamorphosé, elle recula d'un pas.

— Qui est-ce ? demanda-t-il en s'approchant un peu plus.

— Francis ? Francis ! Francis ! Ta mère est ici ! cria-t-elle du plus fort qu'elle put.

— Qui est-ce ? répéta Rafael la voyant s'affoler ainsi.

Julia sortit en trombe de sa voiture. Vêtue d'un imperméable souple, quelque chose dépassait sous son bras. D'un pas décidé, elle fila droit vers la porte d'entrée et appuya sur la sonnette blanche.

— Tu veux que je lui réponde ? demanda Rafael.

Blême, Sarah s'approcha de la porte qu'elle ouvrit brusquement.

— Te voilà ! Enfin je te retrouve ! cracha ironiquement Julia.

— Que viens-tu faire ici ? demanda Sarah dans un filet de voix.

— Régler mes comptes !

— Je n'ai rien à te dire.

— Moi si !

— Pars tout de suite sinon...

— Sinon quoi ? coupa Julia, affichant un sourire diabolique.

— Sinon j'appelle la police, intervint Rafael en s'approchant.

— À habiter dans un tel trou à rat, cela leur prendra au moins une heure pour localiser la maison ! Nous disposons d'amplement de temps alors vous pouvez les appeler tout de suite si vous voulez ! répliqua Julia en les regardant avec mépris.

— Je vous prierais de quitter ces lieux madame, dit poliment Rafael.

— Tiens donc ! Un nouveau conquérant ? J'espère pour toi qu'il est riche ! Tu pourras lui soutirer tout son argent à lui aussi !

— Va-t'en ! dit Sarah, pointant un index tremblant en direction de la voiture.

— C'est plutôt moi qui devrais appeler la police. Ça peut aller chercher combien d'années de prison un kidnapping d'enfant ?

— Kidnapping ? répéta Sarah étonnée.

— Je veux voir mon fils et tout de suite ! s'écria Julia.

— Ça ira. Ça ira, dit Rafael en prenant la relève et voyant Sarah qui tremblait.

Julia bondit d'un pas vers eux. Rafael sursauta et figea.

— Tu n'avais pas assez de me prendre Gabriel, voilà que tu me prends mon enfant, hurla Julia.

— C'est ridicule ! réussit à dire Sarah.

— J'en profiterai aussi pour régler quelques petites choses avec toi. Tant qu'à être ici, aussi bien joindre l'utile à l'agréable, non?

— Je ne trouve rien d'agréable dans tout cela et nous n'avons rien du tout à régler. Alors pour la dernière fois, je te demande de partir, dit Sarah visiblement très ébranlée.

— Attention ma petite, dit Julia en s'approchant d'un autre pas.

— Tu veux appeler la police Rafael? lui demanda Sarah sans toutefois quitter Julia des yeux.

— D'abord Gabriel, puis Michael et pour finir Rafael. Tu cherches à plumer les anges? ironisa Julia.

Voyant Sarah devenir rouge de colère et la situation s'envenimer, Rafael courut vers la cuisine et composa le 911.

— Le rouge te va à merveille! dit Julia s'esclaffant d'un rire cynique.

— Va-t'en!

— Nous disposons donc d'environ une heure avant l'arrivée des secours! se moqua Julia.

— Tu vas me laisser tranquille avant que…

— Que non! coupa Julia qui devint à son tour écarlate.

Sarah recula et poussa de toutes ses forces sur la porte, tentant de la fermer. Une botte de cuir noir la bloqua et d'un geste rapide, la porte s'ouvrit sous un coup de pied colossal bien frappé. Sarah bondit et tomba à la renverse. Le talon laissa une trace sur la porte qui céda. Julia dégagea le talon d'un coup rapide et pénétra sur le seuil. Elle s'élança de toutes ses forces, assénant un deuxième coup de pied dirigé contre les côtes de Sarah déjà par terre.

— Clac! Outch, fit-elle en entendant le craquement d'une côte.

— Maintenant tu vas m'écouter, dit Julia pointant une arme.

Rafael revint au salon et figea en voyant l'arme pointée vers Sarah.

— Ça suffit! cria-t-il.

— Toi tu retournes d'où tu viens et tu restes tranquille.

Il s'élança.

— Pfiou.

Elle tira.

— Rafael! s'écria Sarah.

Il s'effondra aussitôt sur le sol. Une odeur de poudre envahit l'espace et une légère fumée se libéra du silencieux de Julia.

— Maintenant tu m'écoutes sinon ce sera ton tour, dit-elle en pointant de nouveau l'arme en direction de Sarah.

— Qu'est-ce que tu veux ?

— Cette maison et tout l'argent qui vient avec ! cracha Julia.

Des larmes de rage jaillirent des yeux de Sarah. Elle se releva en position assise en se tenant le côté droit. Entrant dans le salon, Julia scruta la pièce d'un œil rapide. Une flaque de sang s'agrandissait de plus en plus sur le plancher de bois franc, près de l'épaule gauche de Rafael allongé et inconscient.

— Laisse-moi tranquille, grommela Sarah.

— Prends ceci, fit Julia en sortant une enveloppe de sa poche intérieure d'imperméable.

Elle la lui lança au visage. Toujours assise, faisant pression sur ses côtes, Sarah resta immobile, évitant de justesse un crayon lancé droit au visage.

— Que me veux-tu ? demanda Sarah à bout de souffle.

— Tu signes cette lettre en deux copies et tu seras tranquille pour le reste de tes jours.

Péniblement, elle attrapa l'enveloppe, l'ouvrit et en sortit une demi-douzaine de feuilles. Elle commença à lire :

« Moi, soussigné, Sarah Donovan, reconnaît avoir reçu illégalement la maison située à l'adresse… »

— Non ! s'écria-t-elle.

D'un effort surhumain, elle lança les feuilles qui volèrent partout autour.

— Non ? s'écria Julia sur le ton de la colère.

— Jamais, tu m'entends ! Jamais je ne signerai de telles conneries. Je n'ai rien volé et tu n'auras rien, réussit-elle péniblement à dire en haletant.

Difficilement, elle réussit à se relever.

— C'est fou combien l'adrénaline nous rend fort, ironisa Julia.

Sarah tituba et leva les yeux.

— Non ! réussit-elle à articuler lorsqu'elle vit Julia se diriger vers le grand escalier.

— Nous verrons bien qui aura le dernier mot, cracha-t-elle en s'engageant sur la première marche conduisant aux chambres.

— Arrête !

— Il dort là-haut ton chérubin ? rugit Julia.

Du plus rapide qu'elle le put, Sarah s'approcha de l'intruse et lui tira le bras.

— Tu sais que tu es brave ! ragea Julia en pointant l'arme qu'elle avait à la main.

— Tu laisses mon fils en dehors de ça, répliqua Sarah entre ses dents.

— Alors tu me signes ça tout de suite.

Elles se jaugèrent du regard.

— Tu es folle alliée Julia Schubert !

— Tu veux que je te fasse la lecture ? Un résumé peut-être ?

Le souffle court, Sarah ne broncha pas. Julia redescendit et ramassa les feuilles éparses en les lui tendant de nouveau.

— Tu me laisses la maison et deux cent cinquante mille dollars en dédommagement et tu auras la paix. Une bonne affaire non ?

— Ah ah ah ah, fit Sarah d'un rire nerveux.

— Signe, ordonna Julia en se raidissant.

Sarah l'ignora. Elle se dirigea plutôt vers Rafael. Grimaçant de douleur, elle se pencha et posa l'index sur la jugulaire qui battait.

— Ouf, laissa-t-elle échapper.

Difficilement, usant de toutes ses forces, elle se redressa et courut vers Julia, la plaquant si fort qu'elles perdirent toutes deux l'équilibre. Échappant son arme, Julia se releva d'un bond et fonça droit vers Sarah qui tentait péniblement de se relever. Julia la poussa si fort que Sarah perdit à nouveau l'équilibre.

— Clac.

Elle tomba nuque première contre les marches de l'escalier.

— Oh !

Julia sursauta en entendant le craquement de la nuque contre le bois, déclenchant involontairement son silencieux qu'elle avait récupéré. La balle se logea dans le mur au deuxième étage. Des bruits de pas résonnèrent et une porte s'ouvrit.

— Mais qu'est-ce qui se passe ? Maman ? s'exclama Francis horrifié en apercevant sa mère debout face à Sarah étendue au pied de l'escalier. Il tourna la tête vers la cuisine.

— Rafael ? articula-t-il voyant Rafael allongé, entouré d'une flaque de sang.

— Maman ! Mais qu'est-ce que tu as fait ? hurla Francis en dévalant les marches deux par deux.

Presque endormis, Sami et Charlene apparurent au haut de l'escalier, les yeux vitreux et ronds.

— Qu'est-ce que t'as fait ? Qu'est-ce que t'as fait ? Qu'est-ce que tu as fait non de Dieu ? cria Francis hystérique.

S'approchant de la balustrade, Sami aperçut Julia puis inclina la tête et vit sa mère allongée.

— Maman ! Maman, maman ! Lève-toi ! Lève-toi maman ! Julia est ici. Maman ! cria-t-il voyant sa mère inerte, allongée au pied de l'escalier.

Tournant la tête de gauche à droite, de droite à gauche passant de Sami à Sarah, de Francis à Sami, de Sami à Julia, la bouche grande ouverte, Charlene tenta de comprendre ce qui se passait sous ses yeux. Julia resta immobile, regardant son fils dévaler l'escalier en criant.

— Ne la touche pas ! ordonna Julia.

— J'appelle la police ! dit Francis.

— C'est déjà fait, dit Julia sur le ton de la victoire.

Ignorant sa mère, il courut chercher le téléphone qu'il aperçut dans la main de Rafael.

— Merde, il saigne.

Il retira l'appareil de la main inerte et composa le 911 en se frappant nerveusement la cuisse de sa main libre.

— Vite, une ambulance. Dépêchez-vous, il y a des blessés. Pardon ? Non pas encore. Ils arrivent bientôt ? Les policiers ou les ambulanciers ? Un homme par terre inconscient. Il y a du sang. Une femme par terre inconsciente et, et, une personne armée. C'est ma mère. Elle s'appelle Julia Schubert, décrivit-il en fusillant sa mère du regard.

Elle lui arracha le téléphone et le lança de toutes ses forces contre le mur.

— C'est gentil de traiter sa mère ainsi ! s'époumona-t-elle.

— Tu n'es plus ma mère ! hurla-t-il.

En état de choc, Sami pleurait sans arrêt, hoquetant et fixant sa mère du haut de l'escalier. Charlene, debout près de lui, demeura immobile. Francis retourna vers Rafael et vérifia le pouls tout en évitant la flaque de sang.

— Il est inconscient, mais il respire, se murmura-t-il à lui-même.

Il courut vers Sarah. Il n'osa la toucher. Il remarqua sa tête, tournée vers la droite, son cou appuyé contre la deuxième marche, le visage à moitié bleu. Il l'observa attentivement cherchant visuellement le mouvement de la carotide sur le cou.

— Non. Non. Non. Ce n'est pas vrai. Sarah. Rien. Merde. Rien ne bouge. Comme si sa vision lui faisait défaut, il ouvrit les yeux un peu plus. Instantanément, les larmes tombèrent sur son t-shirt bleu. Pris de tremblements, il se cacha le visage.

— Lève-toi Maman, lève-toi, brailla Sami.

Francis leva les yeux vers lui. En état de crise, il piochait et criait du haut de l'escalier. Francis lui fit un signe de la main. Il continua de hurler sans relâche. Charlene le prit par la main. Elle avança d'un pas et posa son petit pied dénudé sur la première marche. Machinalement, il la suivit sans s'arrêter de crier. Malgré son jeune âge, elle était d'un calme impressionnant, guidant pas à pas son meilleur ami vers l'horrible scène. Ils descendirent lentement marche après marche. Sami s'agrippait à la rampe comme à une bouée de sauvetage. Il descendait hésitant, s'arrêtait, posait le pied sur la marche suivante puis s'arrêtait de nouveau. Pleurant à chaudes larmes, il tourna les yeux en direction de Francis qui l'attendait les bras tendus. Une marche le séparait de la tête de sa mère. Inconsolable, il s'assit ignorant les mains tendues vers lui. D'un geste rempli de compassion, Francis s'étira au maximum et saisit la petite main tremblante et humide qu'il approcha des cheveux de Sarah gisant inerte.

— Doucement, dit-il d'une voix à peine audible.

Sami se mit à hurler en voyant sa mère allongée. Francis s'approcha un peu plus, évitant de la toucher. Il effleura le bras de Sami qui aussitôt glissa sa petite main dans la sienne. Chancelant, Sami se tourna vers Charlene qui se tenait debout sur la marche derrière lui. Il se laissa guider par la main habile de Francis qui se posa délicatement sur les cheveux de sa mère inconsciente. Des claquements de talons les firent tous sursauter. Les feuilles volèrent au milieu du salon lorsque Julia se sauva. La porte d'entrée laissée ouverte, ils la regardèrent tous courir jusqu'à sa BMW qu'elle démarra en trombe. Paniqué, Sami se mit à avoir des hauts-le-cœur. Francis tentait tant bien que mal de le soulager en lui frottant le dos. Charlene l'imita en touchant les épaules secouées de spasmes de son petit ami.

— Les policiers arriveront bientôt. Ils aideront ta maman, murmura Francis.

Sami demeura inconsolable. Les larmes inondaient ses joues et ses cris n'étaient plus que des râlements. Il resta accroupi près de sa mère, sa petite main figée dans ses cheveux. Francis se releva et sauta sur la troisième marche. Il s'assit à côté de Sami et le serra dans ses bras. Il ne démontra aucune résistance. Charlene les entoura tous deux de ses petits bras, ses petits yeux en amandes s'étaient arrondis sans avoir pourtant versé aucune larme. Une dizaine de minutes s'écoulèrent avant qu'ils n'entendent enfin des sirènes.

— Enfin, s'exclama Francis.

Lorsque les policiers entrèrent, ils trouvèrent deux jeunes enfants et un jeune homme assis non loin de deux adultes allongés et inconscients.

Chapitre 29

Le souffle court, ils sortirent de l'ascenseur en se précipitant vers le poste de réception des soins intensifs.

— Je peux vous aider?

— Mon amie et son copain sont ici, répondit-elle à bout de souffle.

— Votre nom?

— Lina.

La réceptionniste consulta le registre à deux reprises.

— Désolée Madame, votre nom ne figure pas sur la liste des personnes qui ont été appelées. Comment s'appellent vos amis? demanda-t-elle poliment.

— Sarah! Sarah Donovan et Rafael.

— Rafael? Et son nom de famille s'il vous plaît? demanda la réceptionniste tout en consultant la liste des patients nouvellement admis.

— Je l'ignore.

— Attendez-moi une minute s'il vous plaît.

Elle disparut derrière une porte battante. Agitée, Lina tremblait de tous ses membres. Tentant de se faire rassurant, Angelo glissait sa main de haut en bas sur le dos de sa femme devenue méconnaissable depuis l'appel du policier. La réceptionniste revint, le visage inexpressif.

— Vous pouvez vous asseoir, le médecin vous rencontrera d'ici quelques minutes.

— Dites-moi ce qui se passe! cria Lina hors d'elle-même.

— Calmez-vous madame. Le médecin sera ici dans quelques minutes et vous informera de la situation. Voudriez-vous un verre d'eau? lui offrit-elle gentiment.

Lina fit non de la tête. Ses genoux plièrent. Péniblement, elle réussit à se rendre jusqu'à la chaise la plus proche. Angelo la supporta tant bien que mal et l'aida à s'asseoir. Secouée de spasmes nerveux, elle se mit à pleurer. Angelo la prit par la taille, remonta le bras autour de son cou et lui massa l'épaule. Elle se mit à sangloter fortement.

— Ça ira mon amour. Attendons de voir le médecin. Ça ne sert à rien de se faire du mauvais sang. Nous ne savons rien pour l'instant. Attendons d'accord? lui chuchota-t-il d'un ton rassurant.

Elle garda les yeux rivés sur la porte.

— C'est interminable, articula-t-elle.

Une dizaine de minutes s'écoulèrent.

— Le voilà, dit Angelo lorsque la porte bleue s'ouvrit.

L'homme au sarrau blanc apparut et s'approcha d'eux.

— Bonsoir. Je suis le docteur Sands. Je suis le médecin de garde en neurologie, dit-il d'une voix posée, une main tendue vers eux.

— Lina, réussit-elle à dire, ignorant la main tendue.

— Angelo, je suis son mari, dit-il en se levant et serrant la main du médecin.

— Le mari de Lina? précisa le médecin.

Ils confirmèrent d'un signe de tête.

— D'accord, venez par ici, nous serons plus tranquilles, poursuivit le médecin en s'éloignant.

Ils le suivirent dans un coin salon. La lumière tamisée de la lampe créait une ambiance plus chaleureuse que sous les néons d'un blanc éclatant. Le médecin leur indiqua de s'asseoir et se tira une chaise qu'il déplaça face à eux.

— Tout d'abord, j'aurais une ou deux questions à vous poser.

Ils hochèrent la tête en signe d'approbation.

— Nous avons admis un homme, Rafael et une femme, Sarah. Vous les connaissez?

— Sarah est ma meilleure amie depuis plus de vingt ans. Quant à Rafael, nous le connaissons depuis peu. Toutefois, il est un ami de longue date de Sarah.

— D'accord.

Le médecin se frotta le menton, l'air pensif comme s'il cherchait ses mots.

— En ce qui concerne Rafael, il s'en sortira bien. Nous lui avons extrait une balle de l'épaule. Il en gardera peu de séquelles.

— Bonne nouvelle, dit Angelo l'air rassuré.

— Et Sarah ? demanda Lina apeurée.

Le médecin prit une longue inspiration.

— Pour ce qui est de votre amie…

Un silence interminable prit place.

— Non ! Non. Non ! cria-t-elle.

Angelo la serra contre lui. Elle se dégagea. Le médecin posa sa main sur l'avant-bras de Lina en état de choc.

— Disons qu'elle a eu moins de chance.

— Ce n'est pas vrai, balbutia Angelo.

Il se tourna vers sa femme au visage cadavérique, les yeux exorbités.

— Non ! s'écria-t-elle de nouveau, se tordant de douleur.

Le docteur Sands baissa la tête, fixant le sol.

— Je suis désolé, finit-il par dire l'air défait.

Il releva le menton vers Angelo en lui adressant un regard compatissant.

— Fais quelque chose, dis quelque chose Angelo. Ce n'est pas possible, s'époumona Lina.

Angelo demeura silencieux, cherchant une explication dans les yeux du médecin.

— Elle s'est brisé la nuque en tombant, finit par dire le docteur Sands en se raclant la gorge.

— Impossible. C'est impossible. Non ! continua de hurler Lina pliée en deux.

Elle s'effondra de douleur en tombant de sa chaise. Angelo tenta en vain de la retenir. Agenouillée, elle se débattit. Le médecin fit signe à Angelo de la laisser.

— Sarah ! s'écria-t-elle, braillant de rage.

Les deux hommes se regardaient, impuissants à la vue de tant de douleur. Elle frappa le sol de la main puis tenta péniblement de se relever. Le visage livide, le regard perdu dans le vide, elle s'agrippa au fauteuil sur lequel elle reprit place. Le médecin tenta précautionneusement de lui prendre la main. Elle n'offrit aucune résistance.

— L'impact a été fatal. Je dirais qu'elle n'a probablement rien ressenti, car la nuque s'est brisée d'un coup provoquant une mort instantanée.

D'un mouvement brusque, Lina releva les genoux et se recroquevilla. Elle eut un haut-le-cœur et retira rapidement sa main de celle du médecin pour la porter à sa bouche. Elle appuya fermement tout en ayant des spasmes. Le médecin se leva et se précipita pour saisir la poubelle blanche située près de la petite table vitrée. Lina se pencha aussitôt et vomit. Elle ouvrit son sac à main, appuyé contre sa poitrine, à la recherche d'un mouchoir. Elle s'essuya les lèvres. Le docteur Sands partit et revint avec un verre d'eau. Elle le prit et se le versa d'un trait directement sur le visage. Surpris, les deux hommes se fixèrent. Elle pencha la tête vers l'arrière, le visage dégoulinant. Lentement, elle passa une main sur son front humide jusqu'à la racine de ses cheveux. Elle se redressa et lança un regard noir au médecin.

— Je suis désolé, dit-il pour la deuxième fois.

— Non, non, non, redit-elle bouleversée, déversant à nouveau un déluge de larmes.

Elle se leva précipitamment. Angelo l'imita en la voyant chanceler. Elle s'appuya fermement contre le torse de son mari et posa la tête au creux de son cou. Le visage défait par la souffrance, les yeux bouffis, la respiration saccadée, elle tenait à peine sur ses jambes. Angelo la tint fermement, tentant sans succès de la calmer. Le médecin posa la main sur l'épaule de Lina puis d'Angelo en guise de sympathie et de compassion.

— Je suis désolé. Soyez certains que les policiers ont voulu la réanimer. Ils n'ont malheureusement pu que constater son décès lorsqu'ils sont arrivés. Les ambulanciers n'ont fait que confirmer qu'il était déjà trop tard pour tenter toute manœuvre de réanimation que ce soit. Arrivé à l'hôpital, je n'ai pu que confirmer le décès de votre amie.

Défaite, Lina se laissa choir sur le sol. Angelo ne put la retenir. Il tenta de la relever. À nouveau, le médecin lui fit signe de la laisser par terre.

— Si vous le voulez, je vous fais une ordonnance. Cela vous aidera en ces moments difficiles.

Angelo acquiesça.

— Je reviens, dit le médecin en s'éloignant.

— Viens. Viens Lina. Allez, viens avec moi, dit Angelo ayant peine à cacher sa douleur.

Il tenta de la tirer en la prenant sous les bras. Elle demeura par terre, les jambes repliées, l'air perdu. Il s'accroupit face à elle. Fermement, il la prit par les épaules, la serra dans ses bras puis la secoua légèrement. Molle comme une poupée de chiffon, elle garda le regard fixé sur le néant.

— Qu'allons-nous faire? Dis-moi ma belle, qu'allons-nous faire? C'est trop, c'en est trop, dit-il en voyant sa femme comme un zombie.

— Vous voulez vous lever madame Lina? dit d'une voix forte le docteur Sands, témoin de la scène.

— Lève-toi ma chérie.

— Vous pouvez vous lever? demanda le médecin en haussant le ton, tentant de capter l'attention de Lina.

Saisie, elle réagit telle une automate. Angelo l'aida, les larmes coulant à flots sur ses joues.

— Sarah! Sarah! Sarah, répéta-t-elle en titubant.

Désemparé, Angelo regarda vers le médecin, impuissant.

— Vous voulez voir Rafael, demanda le docteur Sands.

Elle resta muette.

— Tu veux voir Rafael ou nous rentrons à la maison? tenta Angelo.

— Sarah est morte. Sarah, mon amie Sarah est décédée. Tu comprends, elle est morte Angelo. Peux-tu le croire? Sarah n'est plus là. Dis-moi que je rêve? C'est un cauchemar, hein? Elle n'est pas morte. Non, dit-elle geignant comme si elle délirait.

— Je veux la voir. Je veux voir Sarah. Docteur, on peut la voir? Je veux voir mon amie, cria-t-elle passant de l'effondrement à l'angoisse.

S'agrippant à la chemise d'Angelo, celle-ci se déchira. Il se contenta de regarder sa femme et de hocher la tête en signe de négation. Elle plia à nouveau les genoux, mais il réussit à la retenir. Elle resta debout péniblement, le dos courbé.

— Je ne peux pas. Je ne pourrai pas. C'en est trop. C'est assez. Tu m'entends? Je ne peux pas continuer. Je ne peux pas. Je ne veux pas vivre sans elle. Qu'allons-nous faire, dis-moi? Dis-moi! hurla-t-elle entre deux sanglots.

Il s'approcha un peu plus d'elle et prit son visage entre ses mains. Avec tendresse, il l'observa, essuyant maladroitement ses joues inondées de larmes.

— Nous allons prendre soin de Sami, suggéra-t-il d'une voix très basse.

— Sami ! Seigneur, je l'ai oublié, s'exclama-t-elle.

Elle s'énerva. Secouée, elle reprit son souffle et se redressa d'un coup.

— Tu veux qu'on le ramène à la maison ? lui proposa-t-il.

— Oui, oui, oui. Nous ne pouvons le laisser seul. Dieu du ciel, mais où est-il ?

Le médecin leur tendit l'ordonnance.

— Je vous recommande fortement à tous les deux de suivre la posologie indiquée.

— Tous les deux ? questionna Angelo.

— Du moins, pour les prochaines semaines je crois que…,

— Où est Sami ? coupa Lina surexcitée.

— Calmez-vous madame Lina. Il est dans une petite salle. Il est en compagnie d'un jeune adulte.

— Francis ? s'informa Angelo.

Le médecin confirma en pointant l'index vers la porte au bout du corridor.

— Si vous voulez me suivre, je vous conduis à eux de suite.

Lina s'essuya les yeux d'un mouvement brusque et agrippa son sac à main resté sur le plancher carrelé. Elle se redressa si vite qu'elle faillit heurter le médecin.

— Allons-y, ordonna-t-elle d'un ton décidé.

Au premier pas, elle faillit tomber. Le docteur Sands eut le réflexe de l'attraper par le coude.

— Allons-y doucement d'accord ? Êtes-vous certaine d'être prête à rencontrer l'enfant ?

— Sami ! C'est son fils ! Nous devons le ramener avec nous, affirma-t-elle sèchement.

— C'est le fils de Sarah, spécifia Angelo.

— Si vous voulez prendre encore quelques minutes pour vous reposer, ils sont présentement entre bonnes mains. Les policiers devraient bientôt terminer leur interrogatoire.

— Un interrogatoire, mais pourquoi ? Vous ne croyez pas que c'en est déjà assez pour un enfant de huit ans de perde sa mère sans lui imposer un interrogatoire ? s'exclama Lina colérique.

— Hey, hey, fit Angelo tentant de la calmer.

— Calmez-vous madame. Les policiers ne font que leur travail. Ils se doivent de poser des questions aux témoins d'un acte criminel. À ma connaissance, les enquêteurs ont déjà en main une déposition qui confirme que sa mère était présente sur les lieux du crime, expliqua le neurologue.

— Que dîtes-vous ? Un crime ? Sami raconte que sa mère est responsable d'un crime ?

Le médecin eut un sourire tendre envers Lina.

— Le jeune homme, Francis, a fait une déposition décrivant sa mère comme la responsable des événements.

— Julia ! cracha Lina.

— Chut ! dit Angelo en lui faisant signe de baisser le ton.

Elle s'agita. À nouveau au bord de la panique, elle se remit à trembler comme si elle recevait une décharge électrique.

— Elle va me le payer. Je te jure que cette vipère va me le payer. Elle ne s'en tirera pas comme ça ! maugréa-t-elle entre ses dents.

La réaction explosive de Lina surprit le neurologue qui se tourna vers Angelo. Ce dernier resta sans mots, dépassé par la situation.

— Soyez rassurée madame Lina. À cette heure, les policiers doivent probablement déjà être chez elle afin de l'arrêter et de l'interroger.

— Je peux les y conduire moi-même s'ils le désirent, dit-elle survoltée.

— On dirait que vous vous sentez mieux ? constatat le spécialiste en lui adressant un demi-sourire.

— Jamais je ne lui pardonnerai. Elle va payer pour ce qu'elle a fait. Hein Angelo ? Elle va payer cette chipie, continua-t-elle d'une voix éraillée par la rage.

— La vengeance ne règle rien et surtout elle ne ramènera pas votre amie. Votre place est auprès du fils de Sarah, affirma le docteur Sands tentant tant bien que mal de calmer le volcan de colère jaillissant de la visiteuse.

— Allons-y, proposa Angelo.

Il appuya légèrement la main contre l'omoplate de sa conjointe. Elle partit d'un pas décidé, épaulant brusquement son sac à main.

— Si vous le désirez, je suis ici encore pour deux ou trois heures alors n'hésitez pas à me faire appeler si vous voulez discuter ou me poser d'autres questions. À nouveau, j'insiste en vous recommandant à tous les deux de prendre au moins un cachet avant d'aller dormir. C'est d'accord ? recommanda le spécialiste de garde.

Ils acquiescèrent et le suivirent jusqu'au bout du corridor.

— C'est ici, salle numéro onze, leur indiqua-t-il, les laissant le devancer.

Angelo ouvrit la porte. Aussitôt, ils aperçurent Francis, Charlene et Sami en compagnie de trois policiers.

— Lina ! cria Sami en courant vers elle.

Les yeux rougis, il pleurait à chaudes larmes. Il se jeta dans les bras de la meilleure amie de sa mère. Elle tituba. Angelo la retint au dernier moment. Il tendit les bras et prit Sami, libérant sa femme encore faible. Francis, le seul qui ne pleurait pas, les observa l'air défait. Quant à Charlene, telle une poupée de porcelaine, elle assistait impassible à la scène, les yeux et les joues mouillés de larmes.

— Ce sera assez pour ce soir, dit l'un des policiers.

Chapitre 30

Où suis-je ?

Chapitre 31

— Ding, dong.

— Euh !

— Ding, dong. Ding, dong, ding…

— Qui diable vient sonner à trois heures du matin ?

— Ding, Dong.

Il se leva d'un bond et s'approcha de la fenêtre de la chambre.

— La police ! s'exclama-t-il, encore à moitié endormi, lorsqu'il aperçut une voiture avec gyrophares stationnée dans l'entrée.

Il enfila un bas de pyjama et descendit au premier étage. Il se frotta rapidement les yeux avant d'ouvrir la porte.

— Bonsoir monsieur. Excusez-nous de vous réveiller au milieu de la nuit. Nous sommes bien à la résidence de madame Julia Schubert ? demanda l'un des deux policiers.

— Oui, c'est bien ici.

— Je suis l'agent Miller et voici mon collègue l'agent McFear. Nous aimerions savoir si madame Julia Schubert est ici.

Zachary se passa une main dans le visage et grimaça en ouvrant les yeux un peu plus.

— Désolé messieurs, mais je crois qu'elle n'est pas ici. Sa voiture n'est pas là et lorsque je me suis couché elle n'y était pas non plus.

— Et vous savez où elle peut être?

Zachary les regarda étonné.

— Non. S'est-il passé quelque chose de grave?

— Comment pouvez-vous affirmer que quelque chose de grave aurait pu avoir lieu? demanda le policier d'un ton soupçonneux.

— Ce n'est qu'une question. Lorsque deux policiers viennent sonner au milieu de la nuit, je présume que ce n'est pas pour une visite de courtoisie?

— Vaut mieux ne rien présumer alors, répondit l'agent McFear.

Zachary parut vexé, mais ne dit mot.

— Vous savez où se trouve votre femme?

— Qui vous a dit qu'elle était ma femme? répondit-il avec une pointe d'ironie dans la voix.

— Peu importe, vous avez une idée où madame Schubert peut se trouver en ce moment? reprit l'agent Miller.

Zachary lui fit signe que non en secouant la tête.

— Vous savez où elle peut être allée?

Il bâilla et haussa les épaules en signe de négation.

— Depuis quand est-elle partie?

— Cet après-midi, répondit-il sèchement.

— Et elle vous a dit où elle allait? demanda l'agent McFear.

Il répondit à nouveau par la négative.

— Vous n'avez aucune idée où madame votre conjointe peut se trouver? demanda l'agent Miller avec une pointe d'arrogance.

— Non, répondit Zachary qui commençait à s'énerver.

— Vous nous permettez d'entrer?

— Pourquoi?

— Simple inspection, répondit l'agent McFear.

— Écoutez. Il est trois heures du matin, ma fille ou plutôt la fille de Julia dort et je n'ai aucune idée de la raison pour laquelle vous cherchez Julia. Alors à moins d'avoir un mandat en main, je vous prierais de revenir à une heure plus convenable.

Les deux policiers se regardèrent. L'un d'eux fouilla dans sa poche et tendit une carte.

— Voici mon numéro. Si madame Schubert entre en contact avec vous ou qu'elle revient à la maison, je vous demande d'appeler promptement à ce numéro, ordonna l'agent Miller.

Zachary prit la carte et recula pour fermer la porte.

— Attendez, dit l'agent McFear, stoppant la porte avec sa main.

Zachary la rouvrit plus grande et s'appuya contre le cadre de la porte.

— Vous connaissez Francis Hart ?

Il se redressa. Ses yeux s'écarquillèrent.

— Il lui est arrivé quelque chose ? demanda Zachary inquiet et tout à fait réveillé.

— Non rassurez-vous. Il va bien.

— Ouf, laissa-t-il échapper.

Ses épaules s'abaissèrent, laissant paraître un soulagement.

— Pourquoi me parlez-vous de Francis ? Dites-moi ce qui se passe. Quel lien a-t-il dans cette histoire ? demanda-t-il nerveusement.

— Il a fait une déposition.

— Une déposition ?

— Concernant sa mère, ajouta l'un des policiers.

— Qu'est-ce que vous dîtes ?

— Il a été témoin de la scène, dit l'agent McFear.

— De quoi parlez-vous ? demanda Zachary énervé.

Les deux policiers se regardèrent.

— Il y a eu un accident.

— Et ? fit Zachary les yeux exorbités.

Il eut une faiblesse et s'agrippa fermement au cadre de la porte. L'un des policiers le retint avec force d'un seul bras.

— Nous recherchons Julia Schubert en relation avec cet accident.

— Et pourquoi ? demanda Zachary troublé, au bord de la panique.

— Nous ne pouvons en dire plus pour le moment. Nous débutons notre enquête et tous renseignements que nous obtenons servent aux besoins de celle-ci et demeurent, pour le moment, confidentiels. Vous comprenez ? demanda l'agent Miller démontrant un peu plus de compassion envers son interlocuteur défait.

— Dites-moi au moins ce qui s'est passé ? implora Zachary de plus en plus nerveux.

— Pour le moment, je vous demande seulement de nous appeler si vous parlez ou voyez madame Schubert, d'accord?

Il eut un malaise et tituba.

— Ça ira monsieur? demanda le policier.

— À part d'avoir le cœur qui veut me sortir de la poitrine et la tête qui me tourne, tout va bien, tout va très, très bien.

L'un des policiers fit signe à l'autre, montrant le pouls de l'artère visible dans le cou de Zachary.

— Ça va aller monsieur? demanda à nouveau l'agent Miller voyant Zachary s'affaiblir.

Il confirma d'un signe de la main.

— Je peux savoir votre nom? interrogea l'agent McFear.

— Thompson. Zachary Thompson.

— Merci monsieur Thompson. Vous aimeriez que nous appelions une ambulance?

— Ça va aller, répondit-il à bout de souffle.

— Respirez à fond, dit l'agent Miller.

Zachary obéit. Il inspira du plus profond qu'il le pût. Après avoir pris trois grandes inspirations, ses joues redevinrent rosées.

— Nous sommes désolés de vous avoir réveillé à cette heure. Si vous avez des renseignements à nous transmettre appelez-nous, d'accord?

Il fit signe que oui, s'agrippant toujours à la poignée de la main gauche, son bras droit appuyé contre le cadre de la porte. Les policiers le saluèrent et retournèrent à leur véhicule. Zachary se laissa glisser sur le sol.

— Zach?

Il sursauta. Un bruit de pas s'approcha derrière lui. Une petite main lui toucha l'épaule. Les yeux comme des billes, Marie regarda son beau-père affaissé dans l'entrée.

— Tu m'as fait peur, dit-il.

Il se redressa péniblement. Figée, elle l'observa sans bouger. Il referma la porte et se dirigea vers le salon où il s'affaissa sur le divan. Elle le suivit et s'assit près de lui.

— Zach? dit-elle en lui serrant le bras.

Le regard de Zachary se voila. De grosses larmes s'échappèrent, coulant sur ses joues. Il se retourna, l'air inconfortable.

— Tu peux pleurer, tu sais, lança-t-elle.

Il se mit à sangloter en se cachant les yeux d'une main. Il prit à nouveau une profonde inspiration et s'essuya les joues d'un geste rapide.

— Qu'est-ce qui se passe Zach? Je ne t'ai jamais vu dans cet état.

— Oh, c'est… il se mit à pleurer.

— C'est Maman?

— C'est que Francis…

— Il est arrivé quelque chose à Francis?

— Non, non, dit-il en expirant et en se redressant.

— Pourquoi les policiers sont-ils venus au milieu de la nuit?

— Je n'en sais à peu près rien.

— C'est à cause de maman?

Il figea.

— Pourquoi parles-tu de ta mère?

— Elle n'est pas encore rentrée! dit-elle sur le ton de l'évidence.

— C'est tellement, tellement compliqué, dit-il l'air épuisé.

— Raconte, insista-t-elle.

— Tu es si jeune pour…

— Raconte, répéta-t-elle.

— Il est plus de trois heures et je n'ai aucun détail sur ce qui se passe. La seule chose que les policiers demandent c'est que nous les appelions si nous voyons ta mère.

— Elle a fait quelque chose? Lui est-il arrivé quelque chose?

— Si tu as des nouvelles de ta mère, qu'elle t'appelle ou t'écrive, tu m'avises immédiatement, c'est compris? dit-il en prenant un ton autoritaire.

— Est-ce que maman est en danger? lui demanda-t-elle en commençant à s'énerver.

— Je ne crois pas. Elle est juste introuvable pour le moment, dit-il tentant de prendre un ton rassurant.

— On l'a peut-être enlevée? Je vais l'appeler, dit-elle en se levant et courant vers la cuisine.

— Marie, Marie! Attends! Ta mère a laissé son cellulaire ici. Tu te souviens?

— J'espère que rien ne lui est arrivé, dit-elle en revenant l'air triste.

— Si tu lui parles ou tu la vois ou que tu as de ses nouvelles, tu m'avises c'est clair?

Elle fit signe que oui.

— Pourquoi les policiers sont-ils venus? lui redemanda-t-elle.

— Parce qu'ils la cherchent. Il y a eu un accident, laissa-t-il échapper la voix tremblante.

— Elle a eu un accident? répéta-t-elle au bord de la panique.

— Non. C'est Francis qui a déclaré l'accident.

— Francis a eu un accident? continua-t-elle l'air affolé.

— Écoute. Je n'en sais pas plus. Les policiers cherchent ta mère. Francis a signalé qu'il l'avait vue sur les lieux de l'accident et depuis, ils la cherchent.

— Tu crois qu'il lui est arrivé quelque chose de grave?

— Je n'en sais rien ma poupée. Je propose que nous allions dormir et demain nous serons plus en mesure d'éclaircir tout cela d'accord?

Elle fit la moue, mais n'osa le contredire. Ils se levèrent et montèrent vers leur chambre.

— Clic, clac, entendirent-ils alors qu'ils s'apprêtaient à retourner dormir.

Ils s'immobilisèrent au son des clés tournant dans la serrure de la porte principale. Ils sortirent de leur chambre en se dévisageant puis descendirent les escaliers en courant. Ils figèrent, les yeux affolés lorsque la porte s'ouvrit.

Chapitre 32

— Il est inconsolable.

— Tu veux que je prenne la relève ?

— Cela fait plus de quatre heures qu'il reste collé contre moi à pleurer. Il n'a même pas dit au revoir à Charlene.

— Pauvre petit.

Avec compassion, Angelo glissa sa main dans les cheveux du petit qui hoquetait. Sami se colla un peu plus sur Lina.

— Chaque fois que je tente de bouger, il se met à gémir. Devrait-on l'emmener voir un médecin ? murmura-t-elle tout en lui caressant la nuque comme Sarah le faisait.

— C'est épouvantable, lâcha Angelo l'air abattu.

— Tu veux tenter de te reposer ? Tu as l'air exténué, remarqua Lina en voyant le visage défait d'Angelo.

Mais qu'est-ce qui se passe ? Que faites-vous tous assis au salon ? Et pourquoi tant de chagrin ?

— Nous devons attendre que les enquêteurs terminent leur travail. Que pouvons-nous faire ? demanda Angelo au bord des larmes.

— Le jour se lèvera bientôt, dit-elle d'un ton las.

— Je veux rentrer à la maison, articula Sami avant de recommencer à gémir.

— Au moins, Jordan dort à poings fermés. Tu veux monter te reposer un peu, proposa-t-il à sa femme.

— Je vais la tuer, répliqua-t-elle avec rage, la mâchoire serrée.

— Lina ! s'exclama-t-il en lui faisant signe de surveiller son langage.

Sami changea de position et se blottit contre elle en pleurant.

— Si elle croit qu'elle s'en tirera comme les autres fois !

— Ce n'est pas une solution, murmura Angelo.

— Elle va nous le payer à tous. Je le jure sur la tête de nos enfants. Elle ne perd rien pour attendre. Ses jours sont comptés, je te le promets.

— La police est déjà à sa recherche. Calme-toi un peu.

— Elle a tué Sarah !

Sami se remit à pleurer à chaudes larmes. Angelo se leva d'un bond et lui tendit les bras.

— Allez mon grand. Il faut essayer de dormir. Tu viens avec moi ?

Effrayé, Sami le regarda. En signe de contestation, il se colla un peu plus contre l'épaule de Lina. Angelo garda les bras tendus. Sami le jaugea puis finit par tendre une petite main mouillée. Angelo le souleva et le serra contre lui. Ils montèrent à l'étage. Angelo le déposa sur un lit gonflable près de Jordan.

— Tu restes avec moi ? demanda faiblement Sami.

— Si tu le veux.

Angelo ouvrit la couverture imprimée de voitures de course et tira les draps bleu foncé. Ils s'installèrent tous deux collés l'un contre l'autre. Sami se remit à pleurer. Les yeux inondés de larmes, Angelo glissa de nouveau la main dans les cheveux humides de son filleul.

— Mon Dieu aidez-nous, murmura-t-il.

Sami se décolla puis se tourna face à celui qu'il appelait affectueusement oncle Angelo.

— Est-ce que maman est partie rejoindre Michael ?

Angelo se raidit. Il se releva sur un coude et mit sa main sur l'épaule du petit qui le scrutait attentivement, en attente d'une réponse. Angelo se racla la gorge.

— C'est bien triste ce qui est arrivé à ta maman, réussit-il à dire péniblement.

Les deux petits yeux ronds comme des billes attendaient avec angoisse une réponse.

— Je ne sais si elle est avec Michael, mais...

Les larmes leur montèrent mutuellement aux yeux.

— … mais je sais que peu importe où elle est, elle veille sur toi.

Mais qu'est-ce que c'est que ces histoires ? Qu'est-ce que tu racontes à mon fils ? Et pourquoi je suis là comme si je regardais un film ? Sami. Sami ! Sami ! Maman est là. Je suis là mon bébé.

Sami se détourna et fit face au mur.

— Ma mère est partie rejoindre mon père, dit-il réfléchissant à haute voix.

Angelo resta muet.

— Où sont-ils ? continua-t-il inquiet.

Angelo mit la main sur sa bouche et pressa fortement, se retenant avec force de ne pas éclater en sanglots.

— C'est un très malheureux accident qui est arrivé à ta mère.

— Je suis seul maintenant.

— Ne dis pas cela.

— Je n'ai pas de père et je n'ai plus de mère, affirma froidement Sami.

Angelo se leva, fit le tour du lit. Il s'agenouilla face à Sami allongé sur le côté.

— Hey.

Sami resta de marbre.

— Hey. Hey Sami, qu'est-ce que tu racontes là ?

— Je suis seul maintenant. Je n'ai ni frère ni sœur.

— Mais tu as Charlene. C'est ta meilleure amie non ? Puis tu as Lina, Jordan et moi aussi. Crois-tu que nous allons t'abandonner ? demanda-t-il en scrutant le petit visage épuisé.

Il parut apeuré puis s'enferma dans une forme de mutisme. Angelo vint pour lui toucher l'épaule, mais Sami recula. La mine déconfite, le visage d'Angelo s'assombrit. Il s'assit sur le tapis moelleux, frotta ses genoux endoloris et pencha la tête en affichant un demi-sourire.

— Je serai ton papa adoptif si tu le veux.

Stupéfait, Sami le dévisagea.

— Je veux voir ma mère.

Désarmé, Angelo éclata en sanglots, ne pouvant contenir plus longtemps toute la peine qu'il retenait depuis le drame.

— Tu pleures ? dit Sami en le dévisageant à son tour, impuissant devant la tristesse d'Angelo qui lui tendit les bras de nouveau.

Il s'y jeta sans retenue.

— Tu ne seras pas seul, tu comprends? Tu resteras avec nous. Tu seras notre deuxième fils et nous formerons une famille. Tu le veux?

Sami le serra de toutes ses forces en signe d'approbation.

— Tu es là depuis ma naissance, dit-il d'une voix mêlée de détresse, de tristesse et d'angoisse.

— Et je resterai près de toi autant que tu le voudras. Tu comprends ça mon grand? réussit-il à dire en éclatant en sanglots.

Chapitre 33

— Vous avez un billet pour Toronto ?

— Pour le centre-ville ?

— Toronto ! Toronto ! Vous avez de la disponibilité ou non ? dit-elle impatiente.

La préposée la regarda l'air mécontent.

— Un moment s'il vous plaît, répondit-elle poliment.

Elle se leva et se dirigea vers sa collègue travaillant au guichet adjacent. Elles revinrent vers la cliente impatiente.

— Vous désirez un billet aller-retour ? demanda la deuxième préposée.

— Aller seulement.

— Et où désirez-vous aller ?

— Vous ne comprenez pas le français ici ? Je veux aller à Toronto ! répliqua-t-elle énervée.

— Au centre-ville ?

— Toronto un point c'est tout !

Les deux préposées se regardèrent. La plus expérimentée leva l'index vers l'écran cathodique.

— Donne-lui celui-ci.

La première préposée reprit le clavier et débuta la réservation alors que l'autre retourna à son poste de travail, l'air hautain.

— Quel est votre nom ?

— Samantha Diamond.

La préposée entra les informations et imprima le billet.

— Voilà madame Diamond, un aller simple pour Toronto.

L'embarquement se fera à la porte vingt-deux dans une heure. Sans la remercier, Julia lui arracha le billet et le fourra dans son sac à main. Elle déguerpit en vitesse et se dirigea droit vers les toilettes, s'assurant que ses larges verres fumés couvraient bien la quasi-moitié de son visage. Elle jeta son cellulaire dans la poubelle et se farda.

Chapitre 34

Figés dans l'entrée du salon, Marie et Zachary virent s'ouvrir la porte.

— Francis ! Enfin ! cria Zachary, soulagé.

— Tu as vu maman ? lui demanda Marie les yeux exorbités.

Les yeux rougis, Francis les regarda puis inclina la tête. Zachary s'approcha de lui en ouvrant les bras. Francis l'agrippa avec force, accueillant son étreinte avec réconfort.

— Ça va mon gars ?

Secouant négativement la tête, Francis le toisa du regard, le visage défait, le regard éteint. Il se mit à sangloter.

— Mais qu'est-ce qui t'arrive ? Viens t'asseoir. Tu as vu Julia ?

— Maman va bien ?

Il renversa la tête vers l'arrière, étira les bras et se redressa.

— Nous sommes dans la merde Zach.

— Raconte ! Tu as vu Julia ?

— Je veux une bière.

— Quoi ?

— Un cognac ! coupa Francis.

— Tu ne bois jamais. Qu'est-ce qui te prend ?

— Allez Zach. Prenons un cognac et je t'expliquerai tout.

— Tu sais que j'ai horreur de l'alcool, répondit Zachary.

— Pas un mot avant que tu nous aies servi un cognac. Crois-moi, tu en auras besoin après que je t'aurai raconté ce qui s'est passé, insista-t-il.

Francis se laissa choir sur le canapé alors que Zachary leur servit à boire.

— Je peux avoir un cognac aussi? demanda Marie.

— Tu es mieux d'aller jouer avec tes poupées, coupa froidement son frère.

— Elle a le droit de savoir alors raconte, l'interrompit Zachary énervé.

Chapitre 35

— Un double scotch.

— Désolée madame, nous ne servons aucun alcool pour le moment.

— Je veux voir la responsable.

— Je suis désolée madame, nous avons des consignes à respecter avant le décollage.

— Vous allez arrêter de vous excuser et me servir à boire.

— Un verre d'eau vous conviendrait-il ? proposa l'agente de bord.

— Un double scotch, vous avez oublié ? argumenta Julia prenant un air pincé.

L'agente de bord disposa et se dirigea au fond de l'appareil, se préparant pour le décollage. Julia se retourna, cherchant impatiemment du regard l'hôtesse qui avait disparu. Elle se leva.

— Quelqu'un de responsable travaille à bord de ce vol ? demanda-t-elle d'une voix haute.

Les quatre-vingt-trois autres passagers de la classe économique se tournèrent vers elle alors qu'un autre agent de bord apparut au fond de l'allée.

— Veuillez regagner votre siège et boucler votre ceinture madame.

— J'ai soif !

— Je vous apporte de l'eau, mais avant veuillez retourner à votre siège et vous asseoir.

— Un scotch, un double ! insista-t-elle.

— Madame !

— Vous n'avez que ce mot dans votre vocabulaire ici ! Madame ! répéta-t-elle hautaine.

— Regagnez immédiatement votre siège ! ordonna l'agent de bord.

— Ce que vous pouvez être sec ! Je veux seulement à boire.

L'agent de bord retourna au fond de l'appareil. Un grésillement se fit entendre dans l'interphone.

— Mesdames et messieurs ici le directeur de vol, monsieur Saber. Suite à une difficulté avec l'une de nos passagères, nous sommes dans l'obligation de retarder notre départ pour une durée indéterminée. Veuillez s'il vous plaît rester assis à vos sièges jusqu'à ce que de nouvelles consignes vous soient fournies.

— Oh, non ! maugréèrent les passagers en fusillant Julia du regard.

Elle regagna son siège. L'avion effectua un demi-tour sur le tarmac, avança lentement puis s'immobilisa.

— Combien de temps cela durera-t-il encore ? Cela fait un quart d'heure que nous attendons ! demanda un passager à l'agent de bord qui circulait.

Elle se dirigea vers l'avant et activa le mécanisme pour ouvrir la porte de l'appareil qui était retourné à la passerelle d'embarquement.

— Ce n'est pas vrai ! s'exclamèrent quelques passagers.

Au même moment, deux policiers entrèrent.

— Madame Samantha Diamond ? demanda l'un d'eux.

Julia ne bougea point.

— Madame Samantha Diamond ? répéta le policier.

Les passagers se tournèrent vers Julia qui ne réalisa pas qu'on l'appelait. Perplexe, elle regarda toutes les paires de yeux braquées sur elle avant de réaliser que c'était bien elle que l'on réclamait.

— Oui ? dit-elle en se levant de son siège situé près de l'allée.

— Vous pouvez venir avec nous madame ? dit le policier d'une voix autoritaire.

— Et pourquoi ? demanda-t-elle se tenant debout très droite.

Tous les passagers la regardèrent avec étonnement.

— Veuillez nous suivre s'il vous plaît madame.

Prenant un air digne, Julia se pencha avec élégance et prit son sac à main qu'elle avait déposé sous le siège avant. Elle se releva, puis marcha la tête haute jusqu'à l'avant de l'avion. L'un des policiers tendit le bras lui indiquant la porte de sortie. Elle se pencha légèrement vers lui.

— Écoutez…

— Madame, s'il vous plaît veuillez sortir, coupa-t-il froidement.

— C'est que…

— Préférez-vous que l'on vous menotte et vous emmène de force madame Diamond ?

Elle grimaça comme si elle venait de sentir quelque chose de mauvais, elle redressa la tête et sortit dignement. L'un des passagers se mit à applaudir et, rapidement, le bruit des applaudissements s'étendit.

— Hum, laissa échapper une Julia vexée.

Escortée des deux policiers, elle marcha d'un pas assuré, perchée sur ses hauts talons. Regardant droit devant elle, le visage stoïque, elle avança avec la grâce et l'attitude d'une superstar escortée par deux gardes du corps.

— C'est encore loin ? demanda-t-elle après une bonne dizaine de minutes de marche.

L'un des policiers lui toucha le coude, lui signifiant de tourner vers la gauche. Ils pénétrèrent dans une petite salle isolée et éclairée de néons éblouissants.

— Alors madame Diamond, nous pouvons voir vos papiers ?

— Sous quel prétexte ? demanda-t-elle en relevant le menton.

— Selon l'article 33 de la Convention de Varsovie concernant l'indiscipline à bord d'un aéronef. Vos papiers madame, dit l'un des policiers en tendant une main ferme devant elle.

— Vous n'aurez rien sans que j'aie parlé à mon avocat.

Les deux policiers se fixèrent.

— C'est votre droit madame. Toutefois, nous sommes également en droit de vous garder sous surveillance si vous refusez de vous identifier.

— Vous n'avez qu'à consulter la liste des passagers ! répondit-elle sur le ton de l'évidence.

L'un des deux hommes de loi détacha les menottes fixées à sa ceinture et s'approcha de Julia.

— Comment osez-vous ? cria-t-elle offusquée.

— Nous ne faisons que notre métier madame, dit le policier en tentant de passer les menottes à l'ex-passagère récalcitrante.

— Vous n'avez pas le droit. Lâchez-moi sinon je vais porter plainte contre vous pour attouchement et grossière indécence, dit-elle rageusement.

L'autre policier éclata de rire. Julia le foudroya du regard, insultée au plus haut point.

— Allez ma petite dame, par ici.

— Ne m'appelez pas ainsi. C'est madame Schubert ! cracha-t-elle.

— Schubert ? répéta le policier stupéfait.

Julia se mordit la lèvre.

— Zut ! laissa-t-elle échapper.

— Alors madame Diamond-Schubert. Vous voulez vous identifier maintenant ?

— Pas question !

Le policier la prit par le bras et tirant les mains récalcitrantes derrière le dos, menotta Julia qui s'agrippait à son sac à main en refusant net de s'identifier. Ils se dirigèrent vers un autre bureau situé au fond d'un corridor long d'environ un demi-kilomètre. Ils entrèrent tous les trois et furent accueillis par une policière.

— Vous pouvez lui faire une fouille complète ?

— Tout de suite, répondit la jeune stagiaire âgée d'une vingtaine d'années.

— Pas question ! s'objecta Julia.

— Ici, ce sont nos règles qui s'appliquent madame Diamond. En refusant de vous identifier, nous sommes en droit de vous fouiller et de voir le contenu de

votre sac. Est-il nécessaire de vous rappeler que vous êtes dans un aéroport ? expliqua le policier qui ouvrit et retira les menottes à une Julia frondeuse.

Les deux hommes quittèrent la pièce, la laissant en compagnie de leur collègue féminine.

— Donnez-moi votre sac, demanda d'un ton ferme la policière.

Julia ne broncha pas, tenant son sac à deux mains. La policière avança d'un pas et tendit le bras.

— Je m'appelle Julia Schubert, dit la détenue en gardant son sac à main serré contre elle.

— Votre sac madame.

— Écoutez, je suis attendue d'urgence à Toronto et je dois prendre cet avion.

— Sous une fausse identité ?

— Je ne veux pas qu'on me reconnaisse.

— Pour quelle raison?

— Mon mari est un riche exploitant de pétrole et je ne veux pas que l'on me reconnaisse.

— En changeant votre identité et en mentant aux douaniers, vous êtes en infraction, alors donnez-moi votre sac madame.

— Puis-je voir votre supérieur immédiat? demanda Julia trop sûre d'elle-même.

— J'ajoute une amende de cinq cents dollars en plus de vous garder sous surveillance? répliqua du tac au tac la policière qui commençait à s'impatienter.

— Je veux voir un avocat.

La policière pesa sur le bouton de la radio fixée à son épaule.

— Ici agent Parker. Vous pouvez faire des vérifications pour Julia Schubert?

— Non! cria Julia.

— Tout de suite, répondit une voix masculine.

— Vous n'avez pas le droit! hurla Julia hystérique.

Alors que la policière resta à l'observer, moins de trente secondes s'écoulèrent avant que la radio émette un grésillement.

— Agent Parker, vous êtes dans la salle P -11?

— Affirmatif.

— Nous arrivons.

La policière recula d'un pas et mit les mains sur ses hanches, fixant Julia, tel un chien de garde.

— Qu'est-ce qui se passe? Pourquoi me regardez-vous comme cela? cracha-t-elle hors d'elle-même.

La porte s'ouvrit aussitôt et deux policiers apparurent haletants.

— Madame Julia Schubert? demanda l'un d'eux en s'approchant.

— C'est elle! répondit sarcastiquement Julia en pointant la policière du doigt.

Le policier s'approcha de Julia et l'agrippa fermement par le poignet.

— Aïe! Ce que vous pouvez être brusques! Arrêtez! Vous me faites mal!

— Madame Julia Schubert, vous êtes en état d'arrestation pour meurtre. Vous avez le droit de garder le silence. Tout ce que vous direz pourra être retenu contre vous. Déchue, elle s'effondra aux pieds des policiers.

Chapitre 36

— Et là, maman l'a poussée.

— Maman a poussé Sarah ? demanda Marie.

La bouche entrouverte, elle figea. Les coudes sur les genoux, Zachary se couvrit le visage de ses deux mains.

— Et l'autre homme, Rafael, saignait tellement qu'il y avait une flaque de sang d'au moins un mètre, poursuivit Francis.

— Ce n'est pas possible, un vrai cauchemar. Dans quelle histoire d'horreur nous a-t-elle plongés ? dit Zachary d'une voix cassée.

— Tu es certain que c'est maman qui... qui...

— C'est elle.

Zachary avala son cognac cul sec.

— Mais que peut-on faire ? demanda Marie totalement dépassée par les événements.

Le visage de Francis devint rouge de colère.

— Ce qu'on va faire ? Tu veux que je te dise ce que l'on va faire ? On va l'attendre ! On va attendre maman et quand elle rentrera, nous appellerons la police ! hurla-t-il.

Sa sœur se mit à pleurer.

— On ne peut pas faire ça. C'est notre mère, dit-elle en larmes.

— Bien sûr qu'on peut le faire. Elle a tué Sarah. Tu entends ? Elle a tué Sarah ! cria-t-il.

— Hey, hey, on se calme, dit Zachary, saisissant le bras de Francis.

Marie courut vers les toilettes et claqua la porte. Zachary se prit à nouveau la tête entre les mains.

— Elle l'a tuée Zach, répéta Francis.

— C'était un accident, affirma Zachary tentant de se faire une raison.

— Mais elle l'a tuée, répéta encore Francis d'une voix qui crachait le feu.

— Ça suffit ! On doit retrouver ta mère, répliqua Zachary hors de lui.

Francis sursauta.

— On se calme !

— Excuse-moi, répliqua Zachary surpris du ton de Francis.

— Je ne t'ai vu qu'une fois seulement perdre ton calme et c'était lorsque tu as quitté ma mère.

Zachary se leva et fit les cent pas.

— J'essaie de trouver une solution.

— Il n'y en a aucune. Ma mère est une meurtrière !

Zachary lui lança un regard noir.

— Tu restes ici et tu réponds au téléphone s'il sonne tu m'appelles sur mon portable si tu as des nouvelles de ta mère. Je prends la voiture et je vais tenter de la trouver. Tu as le numéro de Donna ?

Francis se leva et alla droit vers le comptoir de la cuisine où il saisit le calepin contenant des numéros de téléphone. Il le tendit à Zachary qui l'ouvrit et nota le numéro. Il s'apprêtait à sortir lorsque Francis le rejoignit.

— Je peux venir avec toi ?

— Dis-moi, as-tu vu ta mère pousser Sarah ?

Francis hésita.

— Euh, pas vraiment, mais…

— Occupe-toi de ta sœur, ordonna Zachary avant de claquer la porte et de démarrer à toute vitesse.

Chapitre 37

— Tu n'as pas fermé l'œil de la nuit ?

Elle ne fit que hausser les épaules. Il se pencha vers elle, l'embrassa sur le front et s'assit à ses côtés sur le divan. Les cheveux en broussailles, les yeux cernés, le visage défait, il souleva lourdement le bras pour poser sa main sur le genou couvert d'un pyjama rose.

— Sami vient à peine de s'endormir. Pauvre petit.

— C'est si injuste, balbutia Lina.

— C'est terrible ce qui lui arrive. En plus de n'avoir jamais connu son père, voilà qu'il devient orphelin.

— Il n'a que huit ans.

— Comment une telle horreur peut-elle se pointer dans la vie d'un môme de huit ans ? Quel stupide accident. Elle est tombée. Tu te rends compte ? Une simple chute et vlan !

— Et l'autre, la Julia qui a l'audace de prendre la fuite. C'est trop injuste, dit-elle en colère.

Angelo laissa couler des larmes qu'elle essuya avec délicatesse.

— Moi je n'ai plus de larmes, dit-elle d'une voix morne.

— Que lui dirons-nous hein ? Comment apaise-t-on un gamin de huit ans qui pleure la mort de sa mère ? Comment lui expliquer ? Que peut-on dire ? Tu le sais toi ? Je me sens si malhabile et tellement impuissant. Il n'a plus de famille, tu te rends compte ? Il a huit ans et n'a plus personne.

— Calme-toi mon amour. Il lui reste des grands-parents tout de même, dit-elle en s'appuyant contre sa poitrine.

Il se redressa, agité.

— Je les avais oubliés ceux-là. Tu crois qu'ils auraient le droit de garde légal ? demanda-t-il l'air totalement perdu.

— T'inquiète. Sarah a toujours dit que s'il lui arrivait malheur, nous serions les personnes désignées à prendre soin de Sami jusqu'à sa majorité. Tu te souviens ? dit-elle en tentant de faire disparaître la panique qui se lisait dans les yeux de celui qui était habituellement calme.

— Ils pourraient revendiquer leur droit en tant que grands-parents.

— Sami est en âge de pouvoir choisir avec qui il veut vivre.

— Mais si la loi dit le contraire ? continua-t-il complètement paniqué.

— Relaxe un peu.

— Mais si…

— Sarah en a décidé ainsi. Ce sera nous qui prendrons soin de Sami d'autant plus qu'il ne voit ses grands-parents qu'une ou deux fois par année. C'est à peine s'il les a vus une dizaine de fois depuis sa naissance.

Les épaules d'Angelo retombèrent vers l'avant.

— Je suis épuisé.

— Et moi donc.

— Tu sais, ce n'est arrivé qu'hier, j'ai l'impression d'être dans un mauvais rêve et que je vais me réveiller d'ici quelques minutes.

— C'est un vrai cauchemar, mais à la différence qu'il est bien réel et que nous ne dormons pas du tout, dit-elle d'un ton morose.

— Qu'allons-nous faire ? lui redemanda-t-il.

— Dring.

Ils sursautèrent tous deux en entendant la sonnerie du téléphone.

— Dring, dring.

Lina tendit le bras.

— Clac.

Elle échappa l'appareil sans fil qui reposait sur la table à café. Angelo se leva rapidement pour le ramasser.

— Allez, dit-elle en appuyant d'un coup sec sur le bouton de réception d'appel.

— Allo ? Allo ! Qui appelle ? Qui ? Oui, oui c'est bien moi. Pardon ?

Quand? Maintenant? Quelle heure est-il? D'accord. J'y serai. Disons dans une heure? Mon mari peut m'accompagner? Est-ce vraiment nécessaire que j'y aille? Les policiers ne pouvaient… Bon. S'il le faut. D'accord.

Elle raccrocha, l'air défait, se perdant dans le les yeux apeurés et interrogateurs de son mari.

— Tu peux appeler la gardienne?

— Il n'est que huit heures.

— Nous allons à la morgue.

— Nom de Dieu.

Il devint blanc comme neige alors qu'elle vira au rouge écarlate.

À la morgue?

Chapitre 38

— J'ai fait aussi vite que j'ai pu.

— Votre nom monsieur?

— Thompson. Zachary Thompson.

— Veuillez signer ici s'il vous plaît, lui indiqua le gardien.

D'une main tremblante, il prit le stylo relié à une chaînette métallique et signa le registre d'entrée/sortie de l'établissement de détention.

— Qui venez-vous voir? demanda le gardien après avoir vérifié la signature.

— Julia Schubert.

Il consulta le registre.

— Vous avez des pièces d'identité?

Zachary s'exécuta rapidement et présenta deux cartes avec photos. Le gardien le fixa à trois reprises, scrutant minutieusement le visage du visiteur, le comparant à celui apparaissant sur les cartes.

— Parfait. Vous pouvez laisser tous vos effets personnels ici. Vous les reprendrez à la sortie.

Le gardien lui présenta un sac de plastique transparent dans lequel Zachary y déposa ses clés, son portable, de l'argent ainsi que sa montre Bulova. Une fois terminé, le gardien lui indiqua de la main la direction à prendre. Rapidement, Zachary se dirigea vers une première porte grillagée. Après avoir subi une fouille et traversé deux autres portes barrées électroniquement, il se retrouva dans une pièce rectangulaire et très éclairée. Un autre gardien lui fit signe de s'asseoir et d'attendre dans la salle ressemblant à une cafétéria que l'on aurait sécurisée.

— Merci, dit-il nerveusement.

Les déclics des portes s'ouvrant et se fermant le firent sursauter. Le gardien le laissa seul. Aux aguets, il attendit. Impatient, il tapa du pied.

— Clac, fit le bruit d'une porte qui s'ouvrit avec force.

— Tu es là ! s'exclama Julia, courant vers Zachary.

— Mon Dieu, laissa-t-il échapper en voyant les poignets et les chevilles enchaînés de celle qu'il aimait.

— Ce que tu es pâle, lança-t-elle.

En s'approchant, le bruit des chaînes qui frappaient contre le sol fit écho.

— Je ne l'ai pas tuée, s'exclama-t-elle.

Il resta de marbre.

— C'était un accident.

Il garda le silence.

— Mais fais quelque chose ? cria-t-elle.

Il sursauta au son de la voix reproduite par l'écho. Voyant qu'il ne réagissait pas, elle s'approcha un peu plus.

— Madame, vous devez rester de ce côté de la table, ordonna le gardien armé.

Elle recula.

— Tu n'es pas venu ici pour me regarder ?

Il ouvrit la bouche sans toutefois prononcer un mot.

— J'ai des chaînes, je suis en prison et je porte une tenue médiocre. J'ai bien résumé ? Alors qu'est-ce que tu peux faire pour me sortir de ce merdier ?

Ébahi, il leva les yeux vers elle, tentant de saisir l'image qu'il refusait de voir.

— Tu connais un bon avocat ? Tu peux payer ma caution ?

Muet, il resta figé, l'incompréhension se lisant sur son visage stupéfait.

— Tu te réveilles Zach ? Nous n'avons pas la journée pour discuter. Il faut te ressaisir et m'aider. Tu m'entends ?

Il secoua la tête comme s'il tentait de se réveiller. Il mit la main sur son front et se pencha vers l'avant.

— Ce n'est pas le temps de flancher, lança telle.

Il respira un bon coup et se leva. Elle l'observa. Constatant qu'il n'avait aucune réaction, elle prit un air minable. Il remarqua son changement d'attitude. Les bras le long de son corps, il serra les poings.

— Ressaisis-toi et aide-moi, tout de suite, insista-t-elle d'une voix implorante.

— La ferme.

À son tour, elle sursauta. Jamais elle ne l'avait vu dans un tel état. Jamais il ne lui avait parlé sur un ton aussi ferme qu'insultant.

— Je vais appeler Peter Clarkson, un très bon avocat et un ami personnel.

— Je ne le connais pas, osa-t-elle.

— C'est tout ce que je peux faire, coupa-t-il d'un ton sec.

— Merci, merci Zachary. Tu peux payer ma caution aussi ?

— Ça, je ne le peux pas et tu le sais.

— Tu vas me laisser pourrir ici ? Tu as une idée de ce qui se…

— C'est tout ce que je peux faire pour le moment.

— Tu oserais me laisser pourrir ici alors que toi…

— Alors que moi je m'occupe des enfants et que je me fais du mauvais sang pour toi.

— Tu es injuste. Je t'ai appelé dès que j'ai pu.

— Tu avais droit à un appel.

— Et c'est toi que j'ai appelé.

— Tu restes ici. Au moins, je saurai où tu es.

— Va te faire voir alors.

Elle frappa un pied par terre et tourna les talons en se dirigeant vers la porte. Le bruit des chaînes résonna à nouveau contre le sol. La porte automatique s'ouvrit. Elle sortit sans se retourner, n'apercevant pas les larmes qui coulaient à flots sur les joues de Zachary.

— Julia… murmura-t-il exténué.

— Buz, clic, fit la porte qui se referma.

Un claquement sec retentit.

— Monsieur ? appela le gardien de sécurité.

Zachary sursauta à nouveau.

— Par ici.

Tel un automate, il se leva, abasourdi.

Chapitre 39

— Étant donné les circonstances, vous avez eu beaucoup de chance, vous savez ?

— Que voulez-vous dire ?

— Vaut mieux prendre une balle dans l'épaule que de perdre la vie.

Il la regarda perplexe.

— Vous pouvez signer ici, lui indiqua l'infirmière.

Rafael prit le stylo et l'échappa aussitôt en grimaçant.

— C'est douloureux ?

— Vous n'avez pas idée !

— Rassurez-vous, d'ici quelques semaines, vous ne ressentirez plus autant de douleur. Pour le moment, il est très important que vous suiviez la posologie indiquée pour votre médication. Ceci vous aidera grandement à récupérer.

— N'ai-je pas besoin de revoir le médecin avant de partir ?

— Il a déjà signé votre congé. Vous pouvez quitter, mais avant j'aurais besoin que vous apposiez votre signature sur ces formulaires.

Le visage crispé de douleur, Rafael tenta de signer au bas des documents retenus à la tablette par une pince. Maladroitement, il s'exécuta de la main gauche.

— J'ai peine à reconnaître ma signature, dit-il en tendant le stylo à l'infirmière.

— Vous reverrez votre médecin dans deux semaines. Le rendez-vous est noté ici, dit-elle en lui tendant les documents autorisés ainsi qu'une carte indiquant la date de son prochain rendez-vous.

— Vous avez des nouvelles de mon amie ?

— Votre amie ? répéta-t-elle l'air surpris.

— Sarah. Sarah Donovan. Est-elle à l'hôpital ?

L'infirmière se retourna et posa la tablette sur la civière. Elle prit les documents signés et les plaqua sous son aisselle.

— Madame Donovan est votre amie ? lui demanda-t-elle l'air mal à l'aise.

Il sourit puis grimaça à nouveau de douleur.

— Disons que c'est mon amoureuse. Nos retrouvailles sont récentes, mais nous nous connaissons depuis plus de vingt-cinq ans ! Nous nous sommes retrouvés récemment. Depuis cet heureux hasard, je ne veux plus jamais la quitter, dit-il les yeux brillants.

— Est-ce que quelqu'un viendra vous chercher, coupa-t-elle.

— Je rentrerai en taxi à moins que Sarah ne soit encore ici ? Je passerai la voir avant. Vous savez si elle est encore ici ? redemanda-t-il.

— Elle n'est pas ici.

— Ah ! C'est une bonne nouvelle ! conclut-il l'air heureux.

— Monsieur Taylor, est-ce…

— Appelez-moi Rafael je vous prie.

— Monsieur Rafael, est-ce que vous avez des amis ou des gens de votre famille qui peuvent venir vous chercher ?

— Pas vraiment. Mais je peux appeler Sarah, euh, madame Donovan. Vous me dites qu'elle n'est pas ici ? Elle pourrait peut-être venir me chercher et, qui sait, prendre soin de moi quelques jours ! ajouta-t-il le regard rempli d'espoir.

Le malaise apparent se traduisit par un haussement d'épaules de l'interlocutrice au sarrau blanc.

— Vous avez des amis ?

— Sarah ! Elle est plus qu'une amie comme je vous l'expliquais…

L'infirmière soupira en baissant les yeux. Elle déposa les documents sur une petite table puis s'approcha un peu plus près en lui prenant l'avant-bras.

— Vous vous souvenez de ce qui s'est passé hier ? lui demanda-t-elle, prenant un ton des plus compatissants.

Son regard changea.

— Je…

Il s'efforça de réfléchir.

— J'avoue que je ne me souviens que vaguement, mais après le coup de feu, c'est le néant. Je me suis réveillé ici et…

— Je vois, dit l'infirmière troublée.

Il l'observa, la scruta un peu plus et soudain, l'horreur se lut sur son visage.

— Où est-elle? demanda-t-il affolé.

— Rafael, vous…

— Où est Sarah?

— Vous avez d'autres amis ou membres de la famille qui peuvent venir vous chercher?

Ses lèvres se mirent à trembler et son visage à blêmir.

— Dîtes-moi, où est-elle? la supplia-t-il.

— Vous ne vous souvenez de rien suite au coup de feu qui vous a atteint?

— Rien du tout. Où est Sarah? redemanda-t-il.

Il commença à s'énerver. Elle inclina la tête et mit la main devant sa bouche.

— Vous savez…

Corpulente, l'infirmière passa ses mains potelées sur ses joues ruisselantes de sueur. Elle se planqua droit devant lui assis sur la civière, les jambes pendantes. Elle ajusta le stéthoscope accroché en permanence à son large cou, puis posa une main sur le genou qui cessa de se balancer. Elle le dévisagea en le regardant droit dans les yeux.

— Je suis désolée.

— Non? dit-il hésitant.

Il la fixa, silencieux, l'implorant du regard. Elle soutint difficilement les yeux affolés de son patient. Intimidé, il inclina le dos et lui adressa un sourire poli. Il demeura dans cette position, observant son interlocutrice durant quelques secondes. Soudain elle vit le visage inquiet se transformer, passant de l'effet de surprise à la stupeur.

— Non? répéta-t-il.

Elle ne bougea que la tête en guise d'affirmation.

— C'est impossible. J'ai mal compris! J'interprète mal votre attitude n'est-ce pas?

Les doigts grassouillets se resserrèrent légèrement sur la rotule immobile.

— Mon petit…

— Non, hurla-t-il de douleur.

Il se laissa choir sur la civière, secoué par la douleur.

— Pauvre enfant, murmura-t-elle.

— Pas Sarah, non pas Sarah. Elle vient de…. Elle revenait vers moi. Non. Non. C'est impossible. Nous étions hier assis ensemble au salon et, et… Elle n'est pas morte hein ? Elle n'est pas…

L'infirmière lui tapota la cuisse. Il fondit en larmes, recroquevillé, écrasé de douleur et de peine. Elle s'approcha et le serra doucement contre elle comme si elle voulait le bercer. Au même moment, deux visages apparurent dans l'embrasure de la porte.

L'infirmière leur fit signe d'entrer.

— Non ! cria Rafael en apercevant les visages abattus de Lina et d'Angelo.

Chapitre 40

— Tu crois que maman ira en prison ?

— Elle y est déjà, répondit le frère renfrogné.

— Comment le sais-tu ?

— Zach a appelé.

— Quand ?

— Peu importe.

— C'est injuste, dit-elle l'air boudeur.

— Tu ne sais aucunement de quoi tu parles.

— C'est un accident, dit Marie en haussant le ton.

— Un accident ! Un accident ? répéta-t-il en se moquant de sa sœur.

— Maman ne voulait pas faire de mal à Sarah.

— Ah non ? Et pourquoi avait-elle un revolver avec un silencieux ? Et pourquoi a-t-elle tiré et blessé Rafael ? Tu crois que c'était simplement pour s'amuser à leur faire peur ?

Elle ouvrit la bouche de surprise, réalisant la gravité de la situation.

— Rafael ? articula-t-elle.

— L'ami de Sarah. T'imagines, il lui apporte des fleurs, ils mangent ensemble puis plus rien, Sarah tombe raide morte. À cause de qui ?

Marie se mit à pleurer.

— Elle peut être colérique, mais pas méchante, dit-elle en essuyant les larmes sur ses joues.

— Vas-tu un jour réaliser qui est vraiment notre mère ?

— Elle n'est pas méchante ! hurla-t-elle.

— Elle est jalouse. Elle est envieuse et elle…

— Arrête.

— C'est cela. Retourne à tes poupées et tes contes de fées. Pendant ce temps, tu peux continuer d'imaginer la vie en rose, croire que tout va à merveille et que tout finit toujours par bien se terminer, mais la réalité est tout autre, crois-moi.

— Elle reste quand même notre mère.

— Elle ne l'est plus pour moi.

— Ne dis pas de telles atrocités, répliqua-t-elle la voix colérique.

— Elle a tué Sarah tu comprends ça, cria-t-il.

— Arrête !

— Encore chanceuse qu'elle n'ait pas deux meurtres sur la conscience.

— Tu es injuste.

— Quoi ? Injuste ? Moi, injuste ?

— C'est notre mère et elle nous aime.

— Comment une mère aimante peut-elle être jalouse au point qu'elle prémédite le meurtre d'une femme qui n'a rien fait pour mériter cela ?

— Elle n'est pas méchante. Elle s'énerve et perd le contrôle par moments, mais elle s'est toujours bien occupée de nous. Elle nous a soignés lorsque nous étions malades, elle nous encourage dans nos projets et nos études, elle…

— Elle est malade de jalousie. Quand le comprendras-tu ? hurla-t-il.

Marie sursauta puis trébucha. Elle courut vers la salle de bain lorsque la porte d'entrée s'ouvrit brusquement.

— Qu'est-ce qui se passe ? C'est toi qui criais ? demanda Zachary en voyant Francis rouge de colère, allongé sur le canapé.

Il se contenta d'acquiescer de la tête.

— Où est ta sœur ?

Il pointa l'index en direction de la salle de bain.

— Qu'est-ce qui se passe ? demanda à nouveau Zachary.

Il n'eut pour réponse qu'un haussement d'épaules. Ils se fixèrent en entendant Marie vomir. Zachary accourut et ouvrit la porte de la salle de bain. Il aperçut sa belle-fille recroquevillée, la joue appuyée contre la cuvette, le visage blême, la bave lui coulant sur le menton. Il lui tendit aussitôt une serviette. Elle la saisit et s'essuya le visage.

— Que se passe-t-il ? lui demanda-t-il en l'attrapant sous l'aisselle pour l'aider à se relever.

Elle se jeta dans ses bras et l'étreignit de toutes ses forces. Passant sa main dans les longs cheveux châtain, il l'étreignit tendrement. Elle se mit à pleurer à chaudes larmes.

— Maman, maman, euh, maman n'est pas une meurtrière, hein Zach ? réussit-elle à lui dire en hoquetant.

Il se contenta de la tenir serrée contre son cœur puis l'embrassa sur la tête. Elle se libéra de son étreinte et le regarda, les yeux enflés et rougis.

— Réponds-moi, insista-t-elle.

Il soupira.

— Dis-moi qu'elle n'est pas une meurtrière ? hurla-t-elle.

Son regard se troubla.

— C'est un accident, répondit-il l'air contrarié.

— Ah !

Ses épaules s'abaissèrent. L'air soulagé, elle lui adressa un demi-sourire, les joues mouillées de larmes.

— Tu l'as retrouvée ? demanda-t-elle.

— Allons-nous asseoir, tu veux bien ? proposa-t-il.

Ils se dirigèrent vers le salon, retrouvant un Francis affalé sur le canapé, les joues rouges de colère. Marie prit place près de Zachary sur la causeuse.

— J'ai vu votre mère.

Deux paires de yeux le fusillèrent du regard, attendant la suite.

— Où est-elle ? demanda Marie.

— En prison.

— Non ! s'époumona-t-elle.

— Tant pis pour elle, murmura Francis.

— Elle reviendra à la maison bientôt ? demanda Marie.

— Je ne crois pas non, répondit Zachary.

— Elle a ce qu'elle mérite.

— Comment peux-tu dire de telles choses de maman ?

— Elle a tué Sarah. Tu comprends ce que cela veut dire ? Elle l'a tuée. Elle est une meurtrière et les meurtrières séjournent en prison. Pour le reste de leur vie ! cracha Francis qui se leva d'un bon.

— Elle est présumée innocente jusqu'à ce qu'elle….

— Elle l'a tuée. J'étais là et j'ai vu Sarah morte, gisant au pied de l'escalier, la nuque brisée.

— Ça suffit ! clama Zachary.

— Tu la défends encore hein ? Quand réaliseras-tu qui est Julia ? Toute sa vie, elle a envié les autres. Elle est une jalouse maladive. Elle a rejeté papa comme s'il était un moins que rien puis, lorsqu'il est mort, elle a voulu récupérer l'argent et la maison qu'il avait acquis sans elle. Elle est injuste. Elle est mesquine. Elle est…

— Ça suffit Francis. Elle est tout de même ta mère.

— Plus maintenant. Vaut mieux ne pas avoir de mère tant qu'à en avoir une comme elle.

— Je te défends de parler ainsi de ta mère.

— Pourquoi ? Parce que je dis tout haut ce que les autres n'osent dire ? Elle est méchante.

— J'en ai assez entendu.

— C'est cela. Va donc la consoler en prison. Au moins là-bas, tu sais où elle crèche et tu n'auras pas à t'inquiéter si elle n'est pas dans les bras d'un autre.

— Clac, fit la main de Zachary au contact de la joue de son beau-fils qui le fusilla du regard.

— C'en est trop, hurla Francis.

Il sortit en claquant la porte. Ahurie, Marie resta figée sur la causeuse.

— Jamais je n'aurais cru que…

— Moi non plus, coupa Zachary dévasté.

Il partit en direction de la salle de bain.

— Je reste avec toi Zach. Nous supporterons maman dans cette épreuve. Tu peux compter sur moi.

— Je t'aime ma grande, dit-il en fermant la porte de la salle de bain.

Se prenant la tête à deux mains, il pleura à chaudes larmes.

— Comment allons-nous nous sortir de ce pétrin ? murmura-t-il en entendant Francis s'éloigner en faisant crisser ses pneus de voiture.

Chapitre 41

— Allez viens. Viens avec nous, insista Angelo en levant le bras, l'invitant à les rejoindre.

— Dîtes-moi que je rêve ? questionna Rafael le regard affolé.

Lina fit un signe négatif de la tête.

— Je venais, je venais, je venais tout juste de la retrouver, bégaya Rafael, fondant en larmes.

— Je sais, murmura Lina en posant la main sur l'épaule qui tressautait.

— C'est trop injuste.

— Parfois, il n'y a rien à comprendre, annonça doucement Angelo d'un ton compatissant.

— Je suis moi aussi dévastée, continua Lina.

— C'est trop bête cet accident. Elle tombe et se brise la nuque puis c'est fini. Plus rien, dit-il en faisant une pression sur ses paupières pour essuyer ses larmes.

— Julia avait tout de même une arme, ajouta Angelo.

— Ne prononcez plus ce nom devant moi, dit Rafael en colère.

— Il n'y a rien à comprendre, continua Lina.

— C'est trop injuste, trop injuste, répéta Rafael.

— C'est vrai. La vie n'est pas toujours juste, acquiesça Angelo.

— Cette chipie ! Si vous saviez combien je suis en colère contre elle, avoua Lina.

— Et moi donc ! Elle nous a enlevé la femme la plus, la plus…

Rafael éclata en sanglots.

— Elle nous a enlevé une amie, ma meilleure amie.

— Et une maman extraordinaire.

— Et un ange, ajouta difficilement Rafael.

— Elle nous manquera beaucoup à tous, dit Angelo.

— Viens. Viens avec nous, insista Lina en prenant Rafael par le bras.

— Vous l'avez vue ? demanda-t-il sans bouger, ignorant la main sur son bras.

Ils répondirent tous deux d'un signe affirmatif.

— Et ?

Lina se laissa choir sur la civière et se mit elle aussi à pleurer.

— Nous l'avons identifiée, bredouilla Angelo.

Rafael se tordit de douleur.

— Identifiée ? Sarah, ma Sarah.

— Vous voulez un cachet ? l'interrompit l'infirmière.

Il refusa net en secouant la tête.

— Mon ange, mon ange. Elle est morte.

— C'est vrai. Elle avait l'air d'un ange endormi, spécifia Angelo.

— Nous partons chez Sarah et ramènerons Sami. Tu veux te joindre à nous ? demanda Lina, tentant de se ressaisir.

Il leva un bras, l'air dévasté.

Je suis morte ?

— Vaut mieux ne pas rester seul, continua Angelo.

— Comment va le petit ? coupa Rafael.

— Pas très bien. Il est sous le choc.

Sami !

— Pauvre enfant, dit Rafael ne pouvant retenir ses sanglots.

— Viens avec nous. Nous pourrons en discuter ensemble plus calmement chez Sarah.

Il se redressa. Grimaçant de douleur, il descendit de la civière.

— Merci pour les soins, dit-il en s'adressant à l'infirmière.

Le dos courbé, il marcha comme si un poids énorme pesait sur ses épaules. Il les suivit et quitta la chambre.

Impossible. Ce n'est pas vrai. Je ne suis pas morte. Impossible. Lina!
Lina! Angelo! Rafael! Vous voyez, je suis ici. Regardez je suis là,
juste à côté de vous.

Angelo soutint Lina sous le bras et posa la main au milieu du dos
de Rafael. Tous trois sortirent de l'hôpital, portant en eux un chagrin
indescriptible. Ils croisèrent un adolescent installé à une petite table
dans le hall d'entrée de l'hôpital.
— Vous voulez faire un don pour un organisme venant en aide aux
victimes d'actes criminels?
Les genoux de Rafael flanchèrent. Lina pencha la tête en ayant un haut-
le-cœur. Angelo se contenta de lever la main en signe de salutation.

Mais que se passe-t-il?

Chapitre 42

— J'ai fait du thé, tu en veux ?

— Volontiers, répondit Rafael.

— Sami s'est endormi ? demanda Angelo.

— Assoupi, répondit Lina tout en versant le thé vert fumant dans les tasses.

Elle posa la théière au centre de la table à café et prit place auprès d'Angelo sur le canapé moelleux. Rafael saisit sa tasse et prit place sur la causeuse.

— Incroyable. Nous étions, Sarah et moi étions… dit-il en sanglotant.

— Le procès de la présumée accusée s'ouvre demain, tenta Angelo.

— Merci de ne plus prononcer son nom, spécifia Rafael.

— Sami semble préférer sa chambre. Au moins, il peut se reposer dans son refuge.

— Sarah était ici, juste ici, assise près de moi, il n'y a pas quarante-huit heures de cela, répéta Rafael visiblement perdu dans ses pensées.

— Qu'allons-nous faire ? demanda Lina complètement dépassée par les événements.

— Et si nous prenions le temps de nous détendre. Nous aurons bien des choses à régler d'ici peu, dit Angelo d'une voix empreinte de compassion.

— Je suis épuisée.

— Et moi exténué, ajouta Rafael.

— Tant de choses sont à faire.

— Lina, repose-toi un peu, suggéra son mari.

— Les funérailles. Nous devrons penser aux funérailles de Sarah, murmura Lina.

Elle éclata en sanglots.

— Comment la vie peut-elle être si injuste, si cruelle? Sarah était… elle était un ange. Elle n'a jamais fait ou dit de mal de qui que ce soit. Elle était une mère exceptionnelle, une femme extraordinaire, une amie précieuse et unique, décrivit Rafael.

— Vous n'étiez que des étudiants lorsque vous vous êtes connus n'est-ce pas? demanda Angelo.

Rafael fit oui de la tête tout en s'essuyant les yeux du pouce et de l'index.

— Elle fut comme une révélation. Au moment où je l'ai vue, j'en suis tombé amoureux. Elle était comme un rayon de soleil brillant à travers les nuages de pluie. Je l'aime tant. Si vous saviez combien je l'aime.

— Et lorsque vous étiez étudiants, vous vous êtes fréquentés? s'informa Angelo.

— Presque deux ans. Par la suite, nos chemins se sont éloignés, mais jamais, jamais je ne l'ai oubliée. Je me disais qu'un jour je la retrouverais. Je n'ai pas cherché à la revoir expressément. Je ne voulais pas arriver sans prévenir et déranger sa vie comme je lui ai dit lorsque nous discutions. Je l'aimais assez pour ne pas intervenir, je n'avais qu'à l'imaginer heureuse et cela me rendait heureux. Et puis l'autre soir, le hasard ou le destin a frappé de nouveau à notre porte et je l'ai retrouvée, si belle, si pleine de vie, expliqua-t-il en fondant de nouveau en larmes.

— Je peux te confirmer que Sarah t'aimait, chuchota Lina.

— C'est vrai? Tu en es certaine? Elle m'aimait?

— Elle m'a raconté votre histoire et je sais qu'elle tenait vraiment beaucoup à toi, juste à la façon qu'elle avait d'en parler. Elle était heureuse de t'avoir retrouvé à ce moment de sa vie. On pouvait le voir dans ses yeux.

— C'est un baume léger sur ma peine si profonde. Mais je suis heureux de l'apprendre.

— Depuis qu'elle t'a revu au restaurant, je l'ai vue rayonner de nouveau. Je l'ai vue s'ouvrir et s'épanouir comme je ne l'avais pas vue depuis très longtemps. Depuis les huit dernières années, Sami occupait toute la place dans sa vie. Elle aimait son fils, mais il n'a jamais pu remplacer l'amour qu'un homme pouvait lui apporter. Elle était ravie de te retrouver, fébrile telle une adolescente se rendant à son premier rendez-vous. Tu apportais une nouvelle dimension à sa vie rangée et entièrement consacrée à son fils, relata Lina.

Une fontaine de larmes se remit à couler sur les joues de Rafael.

— C'était toi son rayon de soleil depuis la dernière semaine, ajouta Angelo.

— Et elle est partie trop tôt, beaucoup trop tôt, dit Rafael en sanglotant.

— Dis-toi que cet amour que vous partagiez sera toujours présent là, au fond de toi. Ce genre d'amour ne peut s'arrêter si brusquement. Même au-delà de la vie, je suis convaincu que cet amour reste bien présent, lui dit Angelo.

Je ne suis pas morte! M'entendez-vous? Je suis là, bien vivante! Et mes sentiments sont bien présents. Rien n'a changé! Pourquoi m'ignorez-vous tous?

— J'aimerais y croire, dit Rafael en relevant la tête.

Les joues mouillées de larmes, il porta la tasse à sa bouche et but une gorgée de thé vert.

— Et le petit? demanda-t-il après avoir difficilement avalé sa gorgée.

Angelo soupira. Une larme coula sur sa joue.

— Nous en prendrons bien soin, dit Lina.

Voyons! Je suis capable de m'occuper de Sami. Qu'est-ce que sont ces histoires?

— Nous l'aimons autant que notre fils. Nous avons assisté à sa naissance et étions présents dès les premiers jours de sa vie. Nous l'adopterons comme notre deuxième fils, c'est indiscutable, confirma Angelo.

Adopter Sami?

— Nous devrons penser aux funérailles, mentionna Lina pour une deuxième fois.

Je ne suis pas morte! Est-ce que quelqu'un m'entend à la fin? Je suis là! Bien vivante!

— En effet, dit Angelo.

Rafael se remit à pleurer à chaudes larmes.

— Le procès de la présumée accusée s'ouvrira demain, annonça de nouveau Angelo.

— Vous avez l'intention d'y assister? demanda Rafael.

Lina jeta un regard apeuré à Angelo.

— Chérie, chérie. Rien ne nous oblige à y aller.

— Je sais.

— Nous avons plusieurs choses à régler.

— Hum.

— Sans oublier Sami qui aura grandement besoin de nous, lui rappela Angelo tout en tentant de la rassurer.

— Quant à moi, qu'elle aille en enfer et moisisse pour le reste de ses jours en prison, cracha Lina.

— Je vais rentrer, dit Rafael en se levant.

— Déjà? Tu ne veux pas manger avec nous? proposa Angelo.

— Merci. C'est très gentil, mais je n'ai aucun appétit. Je préfère rentrer chez moi.

— Tu sais que tu peux compter sur nous?

— Vous pouvez m'appeler si je peux vous être utile pour… pour…, offrit Rafael en inspirant profondément et retenant ses larmes.

— Ça va aller? demanda Angelo.

Il répondit en levant la main.

— Essaie de te reposer et de prendre soin de toi pour bien guérir ta blessure à l'épaule.

— Ce n'est rien comparé à celle du cœur, ajouta-t-il en serrant Lina et Angelo dans ses bras.

Il quitta en refermant délicatement la porte, s'attardant en caressant la poignée que Sarah avait touchée il y a un peu plus de quarante-huit heures, juste avant le tragique événement. Sami l'observa, assis sur la première marche au haut de l'escalier.

Chapitre 43

— Ton beau-père est-il ici ?

— Il est dans sa chambre, répondit Marie en laissant entrer Donna.

Au même moment, Francis revint et freina brusquement.

— Bonjour Francis, fit Donna.

Il entra sans la saluer.

— Zach ? Nous avons de la visite.

Ils entendirent une porte s'ouvrir. Zachary apparut, l'air abattu.

— Tu t'es battu ou quoi ? fit Donna en le voyant.

Elle entra et se dirigea vers le salon, rejoignant Zachary pour lui faire l'accolade.

— Ça n'a pas l'air d'aller toi, fit Donna voyant la mine grave de Zachary.

— Il a vu maman. coupa Marie.

Il se dirigea vers la cuisine. Ils le suivirent.

— Comment va-t-elle ? demanda Donna.

Ils prirent place autour de la table vitrée ronde. Zachary pencha la tête. Il croisa les doigts et les serra si fort qu'ils devinrent blancs. Il se raidit puis se redressa.

— Son procès s'ouvre demain.

— Et comment allait-elle ? s'informa Donna.

— Comme d'habitude, répondit-il d'un ton las.

— Ça veut dire agressive, lança Francis.

— Arrête ! dit furieusement Marie.

— Elle va bien ? demanda Donna.

— Elle m'a laissé en plan lorsque je lui ai dit que je ne pourrais pas la faire sortir de là immédiatement.

— C'est bien ma mère, ajouta Francis.

Marie lui tapa sur l'épaule. Il sursauta et la dévisagea, l'air niais.

— Elle doit être totalement dévastée, dit Donna ébranlée.

— On dirait plutôt un lion en cage, lança Zachary.

— Comment était-elle, je veux dire moralement? demanda Donna.

— Agressive et méchante, répondit Francis.

— Ça ne finira donc jamais, dit Zachary découragé.

Il ignora le commentaire de son beau-fils. Marie se leva et s'approcha. Elle prit Zachary par les épaules et posa son menton contre sa nuque. Elle le serra et appuya sa tête contre le dos de son beau-père. Il mit sa main sur la petite main délicate serrant son biceps.

— Je peux faire quelque chose? Tu as l'air exténué, remarqua Donna.

— Pas pour le moment. Comme je disais, le procès débute demain.

— Veux-tu bien me dire ce qui lui a pris? Je n'ai jamais compris son appel me demandant de l'appeler au milieu de la nuit.

— Elle est complètement folle, lança Francis.

— Ça suffit! dit Zachary en haussant le ton et levant la main.

Francis sursauta de surprise.

— Désolé, s'excusa-t-il aussitôt.

— C'est ta mère et peu importe ce qui arrive, tu vas la respecter. C'est clair? dit-il d'un ton autoritaire.

Francis rougit en prenant un air renfrogné. Marie lui adressa petit rictus arrogant.

— Vous avez regardé les nouvelles? demanda Donna.

— Ils ne parlent que de cela, confirma Francis.

— Ils parlent d'un accident, ajouta Marie.

— Elle risque la prison à vie si elle est reconnue coupable de meurtre prémédité, compléta Zachary.

— Mon Dieu, s'exclama Donna.

Elle mit la main devant sa bouche. Le regard effrayé, elle dévisagea les enfants.

— Je n'aurais jamais cru…, se retint Zachary l'air d'être sur le point d'éclater de rage.

Marie les observa les yeux écarquillés.

— Ça veut dire qu'elle ne vivra plus avec nous? demanda-t-elle péniblement tout en retournant s'asseoir.

Elle fixa Zachary d'un regard implorant. Il se contenta de secouer la tête.

— Les criminels restent en prison petite sœur.

— Sors d'ici, ordonna Zachary.

Francis s'exécuta. Il partit en direction de sa chambre où il claqua la porte. Marie se mit à pleurer.

— Pauvre petite, dit Donna en lui frottant affectueusement le dos.

— Pauvres nous. C'est toute notre vie qui est bouleversée. C'est un vrai cauchemar. Quel gâchis !

— Tu sais que tu peux compter sur moi Zach ? lui fit remarquer Donna. Il répondit d'un signe de tête positif. Il s'aperçut que Marie pleurait à chaudes larmes.

— Comment vivra-t-on sans maman ? articula-t-elle difficilement.

Zachary l'admira, les yeux remplis d'une infinie tendresse et d'une grande compassion.

— Ma puce. Marie, Marie ? Regarde-moi. Je suis là, moi et Donna et ton frère. Nous allons nous y prendre une journée à la fois tu m'entends ? D'accord ? Pour le moment, nous ne savons presque rien et aucun jugement n'a été rendu. Le procès débutera demain et nous verrons le déroulement. Nous ne savons pas si elle sera reconnue coupable ou s'ils en viendront à la conclusion que c'est un accident. Tu comprends ma puce ? Et si c'est un accident, maman reviendra à la maison, comme avant. Pour l'instant, nous devons attendre et ne pouvons rien faire de plus. Ta mère est une combattante, tu le sais ? Elle se défendra. Elle est forte, très forte. Tu le sais ?

Marie s'essuya les joues du revers de sa manche de gilet rose.

— Mais si elle est accusée de meurtre ? dit-elle en hoquetant.

— Nous verrons à ce moment. Pour l'instant, elle n'est coupable de rien.

— Pourquoi est-elle en prison alors ?

— Ce sont les procédures. Elle doit y rester jusqu'à son procès.

— Je peux la voir ? demanda-t-elle.

— Pas maintenant.

— Et demain ? Je pourrai aller à la cour ? insista-t-elle.

— Il ne vaut mieux pas.

— Pourquoi ? hurla-t-elle.

— Marie. Écoute-moi. Tu es beaucoup trop jeune et cela risque de te faire énormément de mal.

— Je veux voir ma mère.

— Tu pourras venir la voir en prison si tu le veux. Je t'y emmènerai, proposa Zachary.

— Je veux la voir demain.

— Tout dépendra du procès.

— Tu iras ?

— Bien sûr que oui, affirma Zachary.

— Et moi je ne peux pas y aller ? insista-t-elle.

— Non, dit-il catégorique.

— Tu veux que nous allions faire les boutiques demain ? lui proposa Donna.

Marie la regarda comme si elle venait de lui proposer d'aller visiter un château hanté.

— Je veux voir ma mère.

— Il n'en est pas question Marie. N'insiste pas.

Elle se leva et partit en trombe vers sa chambre. À son tour, elle claqua la porte.

— Quel merdier, laissa échapper Zachary.

— Courage, lui murmura Donna.

— Je n'ai aucune idée de l'issue de toute cette histoire, mais une chose est certaine, rien ne sera plus jamais pareil.

— Pour cela…

— Qu'allons-nous faire ? Qu'allons-nous devenir ? Les enfants ont besoin de leur mère.

— Ils t'ont toi.

— Je ne suis même pas leur père.

— Tu es aussi bien que leur père pouvait l'être. Ils auront besoin de toi et ils pourront compter sur toi. Tu es là pour eux depuis leur tendre enfance et ils t'aiment.

— Je le vois ! Ils sont tous les deux à bouder dans leur chambre !

— Ça passera. Ils sont sous le choc, tout comme toi. Un peu de repos vous ferait du bien à tous.

— Comment veux-tu que je dorme avec tout ce qui se passe ? Ma femme est en prison, une autre est morte, un homme est blessé et les enfants sont méconnaissables.

— Comme tu le disais à Marie, une journée à la fois. Une chose à la fois et aie confiance.

— Confiance ? Tu vois dans quoi cela m'a transporté de faire confiance ? Ma vie est fichue.

— Hey, hey. Les enfants sont là. Je suis là moi aussi. Tu as ta famille, tes amis.

— J'ai honte Donna.

— Honte ?

— Je suis le conjoint d'une criminelle. Tu te rends compte ?

— Peu importe ce que Julia a pu faire, elle n'est pas qu'une criminelle, non ? Elle est ton amoureuse, elle est une mère, elle est…

— Elle n'est plus ce qu'elle était. Tu ne la voyais plus ces derniers temps. Elle a changé. La jalousie et la haine l'ont détruite. Il ne restait plus qu'une parcelle de la Julia que j'ai connue. Elle en voulait tellement à Sarah, cela l'a obsédée à un point tel qu'elle ne pensait qu'à cela. Elle ne cessait de tenter de trouver des moyens de récupérer ce qu'elle croyait qui lui appartenait. Elle n'avait qu'un but, détruire Sarah Donovan et elle a réussi.

— Ça alors, je suis sans mots.

— Elle négligeait les enfants, elle n'avait que des plans et des astuces pour tenter d'obtenir la maison de Morin-Heights. Elle voulait tous nous entraîner dans ses plans et ne cessait de nous parler du temps où nous serions ensemble dans la maison à profiter de ce qui, à son avis, nous revenait de droit suite à la mort de Gabriel. Nous étions tous mal à l'aise de cela, mais elle continuait, elle s'acharnait jusqu'à ce qu'elle puisse mettre son plan à exécution.

— Je ne croyais pas qu'elle était obsédée à ce point.

— Tu n'as pas idée.

— Tu as tenté de l'en dissuader ?

— Et comment ! Combien de fois ai-je tenté de la raisonner ! Elle ne voulait rien entendre. En plus, en allant la visiter, elle a même eu l'audace de me planquer là et de retourner dans sa cellule sans prendre le temps de discuter ! Madame était en colère contre moi, car je ne pouvais immédiatement répondre à sa demande pour la sortir de là en payant sa caution.

Il se mit à serrer les poings.

— Ce n'est pas la Julia que je connais.

— On dirait que tout ce qu'elle est a disparu. Je ne la reconnais plus.

— Je me répète, mais que puis-je faire pour t'aider ?

— Pour l'instant, il n'y a rien à faire. Nous devons laisser aller les choses.

— Tu veux que je t'accompagne pour le procès.

— Tu ferais cela ? dit-il comme un appel au secours.

— Bien sûr.

— Et Marie ?

— Elle a des amies, elle a son frère, de la famille ?

— Oui.

— Alors je serai avec toi. Tu peux compter sur moi. Je ne te laisserai pas tomber.

— Je ne veux pas que tu te sentes obligée à…

— Je suis avec toi Zachary. Je t'accompagnerai autant de fois que tu le voudras au tribunal, à la prison, tu peux même m'appeler quand tu veux. Tu es mon ami toi aussi.

— Tu es trop gentille.

— Ça peut servir des amis non ? Julia est mon amie et toi aussi. Je ne vous laisserai pas tomber durant une telle crise.

Il laissa s'échapper une larme qu'il essuya aussitôt.

— Merci.

— Ça me fait plaisir. Tu n'hésites pas d'accord ? Tu as besoin, tu m'appelles. Moi, je t'appellerai si je reste sans nouvelles. Tu as besoin de quelque chose, tu me le dis.

— C'est très gentil de ta part.

— Tu veux que je fasse quelque chose là ?

— Non. Ça ira.

— Tu veux que je parle aux enfants ?

— J'y vais. Tu en as déjà assez fait.

— Tu en es certain ? Je peux préparer le dîner ?

— Tu ferais cela ?

— Avec plaisir. Allez, va voir les enfants. Je m'occupe de préparer quelque chose de réconfortant.

Elle se dirigea vers le réfrigérateur alors qu'il montait vers la chambre de Francis.

— Donna?

— Oui?

— Merci d'être là.

Elle lui adressa son plus beau sourire et lui envoya la main en signe de reconnaissance.

Chapitre 44

— Je sais. Oui. C'est vraiment incroyable. Tu viendras avec Lucie? D'accord. Merci Julie. C'est gentil de l'offrir, mais Angelo et moi avons déjà communiqué avec la résidence funéraire. Les funérailles auront lieu dans trois jours. Tu reviens au Québec pour quelques jours? Ah! Tu feras l'aller-retour alors? Tu peux dormir ici tu sais? La maison de Sarah est spacieuse. Sans problème, facilement dix personnes. Parfait. On se voit dans trois jours alors. Salue Lucie de notre part. Merci d'avoir appelé. Malgré les circonstances, j'ai hâte de te revoir.

Les funérailles? Ce n'est pas vrai! Pas les miennes?

Précautionneusement, elle déposa le combiné sur le socle comme s'il avait été de cristal. Les yeux humides, elle se tourna vers la grande fenêtre de la cuisine, admirant le paysage s'offrant à elle.

— À qui parlais-tu? demanda Sami d'une toute petite voix.

Lina sursauta. Se retournant, elle s'efforça de lui adresser un sourire réconfortant.
— Ce sont des amies de ta maman.
— Ma mère n'avait pas d'amies.
— Tu ne les as pas vraiment connues car elles habitent à l'extérieur du pays.
— Elle ne m'en a jamais parlé.

— Ce sont de très bonnes amies de ta mère et moi. Mais tu as raison, nous ne les voyions pas très souvent.

—Tu leur parlais des funérailles de ma mère? demanda-t-il l'air troublé.

Non! Pas ça! Je ne peux être morte! Vous allez cesser de raconter n'importe quoi?

Lina s'approcha de lui et s'accroupit à la hauteur de son filleul.

— Oui, nous devons organiser ses funérailles.

Non Lina! Ne fais pas ça!

— Comment ça fonctionne? dit-il l'air apeuré.

Elle enveloppa les deux petites mains dans les siennes.

— Écoute Sami. Tu sais ce que sont des funérailles?

— C'est lorsqu'ils mettent un cercueil dans la terre?

— C'est un peu cela, mais avant il y a une cérémonie.

— Une cérémonie?

Elle pencha la tête et s'assit par terre, les jambes croisées. Il l'imita. Tenant toujours les deux petites mains entre les siennes, sa lèvre inférieure se mit à trembler, laissant paraître son chagrin. Elle se racla la gorge.

— Voilà. Des funérailles, c'est une cérémonie ou un genre de célébration où nous avons l'occasion de dire au revoir et de prier pour la personne qui nous a quittés. Tu sais ce que c'est que prier?

— C'est quand on demande des choses à Dieu ou que l'on veut le remercier?

— C'est un peu cela, à la différence que les funérailles sont un moment bien particulier pour penser très fort à la personne qui n'est plus là et aussi pour lui souhaiter d'être bien.

Non! C'est trop injuste! Mon petit Sami, tu viens à peine d'avoir huit ans. Lina écoute-moi! Arrête cela tout de suite!

Il fondit en larmes.

Ne pleure pas mon petit ange. Maman est là. Je suis là Sami, je suis là.

— Nous allons pri… pri… prier pour maman? dit-il entre deux sanglots.
— C'est cela. Ce sera l'occasion de nous rappeler tous ensemble combien ta maman était exceptionnelle.
— Mais c'est triste, dit-il en pleurant.
— Effectivement. Ce sera le moment de lui faire nos adieux, dit-elle, se retenant de toutes ses forces pour ne pas s'effondrer en pleurs.
Il se mit à sangloter.

Je suis là mon bébé, maman est tout près.

— Nous pourrions trouver une façon de faire qui soit moins triste? proposa-t-elle.
Il se jeta dans ses bras. Elle ne put retenir plus longtemps ses larmes qui coulèrent abondamment sur ses joues.
— J'ai trop de peine Lina, tu comprends? Elle est partie et elle ne reviendra plus, plus jamais. Et plus jamais je ne pourrai lui parler comme avant.
Angelo les surprit.
— Ta maman sera toujours près de toi Sami. Elle est comme un ange maintenant.

Mais je suis là! Et je suis bien vivante! Quelqu'un va finir par se réveiller ou quoi?

Sami releva la tête et se tourna vers Angelo.

— Si elle est un ange et que je prie, elle pourra m'entendre?
Il vit le regard désapprobateur de sa femme.
— Exact. Tu peux lui parler, lui demander conseil.
— Mais elle ne me répondra pas!
— Peut-être, répondit Angelo.
— Comment le pourra-t-elle? demanda Sami l'air perplexe.

— Comment dirais-je… ce sera comme un signe.

— Un signe ? répéta Sami intrigué.

— Quelque chose arrivera qui fera que tu n'auras aucun doute. Tu sauras que c'est ta maman qui t'a répondu.

Étonné et l'air totalement perdu, Sami le dévisagea.

— Nous devons donc préparer les funérailles, coupa Lina, se montrant insistante dans son regard afin de signifier à son mari de cesser cette conversation.

— Comment s'y prépare-t-on ? demanda Sami.

— Tu aimerais écrire un petit mot ou une pensée que nous pourrions lire ?

Il inclina la tête, s'abstenant de répondre.

— Nous pouvons aussi apporter des fleurs ou quelque chose que ta mère aime, ajouta Angelo.

— Je peux lui écrire ? demanda Sami comme s'il avait réfléchi à la suggestion de Lina.

— Bien sûr.

— Et je devrai le lire ?

— Si tu le veux.

Il prit un air songeur.

— Tu veux écrire quelque chose ? lui demanda Angelo.

Sami parut ne pas l'entendre.

— Je veux lui donner une fleur, dit-il, ayant changé d'idée.

Angelo et Lina se regardèrent.

— D'accord, dirent-ils en chœur.

— Une marguerite.

— Va pour la marguerite, répondit Angelo avec un sourire forcé.

— De quelle couleur ? demanda Lina.

Sami hésita.

— Orange. Non. Jaune. Euh… orange.

— Pourquoi pas une orange et une jaune ? proposa Lina le sentant hésitant.

Il eut un petit éclat dans les yeux.

— Je vais les apporter moi-même, affirma-t-il.

— Tout ce que tu veux, confirma Lina en lui souriant.

— J'écrirai aussi peut-être quelque chose.

— Ah oui ? s'exclama Angelo étonné.

— Peut-être, répéta Sami.

— C'est une bonne idée. Tu fais ce que tu veux mon grand. Tu peux écrire, lire, apporter toutes les fleurs que tu désires. C'est pour ta maman et nous sommes avec toi. Tu sais que nous serons toujours présents pour toi ?

Il haussa les épaules et se leva d'un bond. Il se dirigea vers le grand escalier et monta jusqu'à sa chambre à pas lents. Il y pénétra en prenant soin de fermer la porte à moitié.

— Ça alors ! s'exclama Lina.

— Les enfants m'étonneront toujours. Ils ont cette force qui parfois nous fait défaut à nous les adultes, s'étonna Angelo.

— Il est fort dans sa fragilité.

— Incroyable pour un petit bonhomme de huit ans !

— À nous d'en prendre toujours bien soin, comme s'il était notre fils, murmura-t-elle.

— Pour toujours. Et pour moi, je le considère comme notre deuxième fils, dit-il en regardant sa femme avec amour.

Chapitre 45

— Marie, tu peux venir nous rejoindre dans la chambre de Francis? Francis, je peux entrer? demanda Zachary en frappant à la porte la chambre.

— Ouais.

Étendu, le dos appuyé contre le mur, Francis releva les genoux vers lui, libérant la place afin que Zachary puisse s'asseoir au pied du lit. Marie entra et s'assit près de son beau-père.

— Approche-toi, je veux vous parler, lui demanda Zachary.

Elle s'avança et prit place de l'autre côté du lit. Au milieu, Francis ne broncha point, se contentant de faire tourner un trombone entre ses doigts. Zachary se racla la gorge puis les regarda tour à tour.

— Je sais et je comprends que ce n'est pas facile. Ni pour vous ni pour toutes les personnes touchées par cette histoire. Votre mère est en prison. Sarah est morte et un homme a été blessé. Demain, le procès de votre mère débutera et ce sera une autre épreuve éprouvante pour nous tous. Nous aurons besoin de nous supporter et de compter les uns sur les autres. Votre mère aura, elle aussi, besoin de beaucoup de support. Nous sommes les personnes le plus près d'elle et nous devrons l'aider du mieux que nous pourrons. Vous comprenez?

Ils se contentèrent d'acquiescer d'un signe de tête.

— Surtout, je vous demande de ne pas juger votre mère. Ce sera à un juge et aux membres d'un jury d'en décider. En ce qui nous concerne, elle fait toujours partie de notre famille. Peu importe ce qui a été fait, peu importe la tournure des événements, souvenez-vous que Julia est

273

votre mère. Elle a des défauts, mais qui n'en a pas ? Toutefois, elle a posé un geste très grave et lourd de conséquences. Elle devra en assumer la responsabilité. Pour le reste, nous sommes sa famille, vous êtes ses enfants et elle vous aime. Elle vous a toujours aimés et pour cela vous lui devez votre support et votre amour pour l'aider à traverser cette terrible épreuve.

— Je veux assister au procès, l'interrompit Marie.

Zachary soupira.

— Je vais voir ce que je peux faire.

— Si je suis là, je pourrai la regarder, lui faire des sourires, l'encourager, insista Marie.

— Je comprends ma grande.

Francis continuait à jouer avec le trombone, évitant les regards de sa sœur et son beau-père.

— Tu es toujours en colère Francis ?

Ce dernier rougit. Il haussa nonchalamment une épaule.

— Ne te ferme pas autant mon grand. Vaut mieux exprimer ce que tu ressens.

Francis devint écarlate. Ses yeux se gonflèrent de larmes. Il laissa tomber le trombone sur le sol et se redressa, impatient.

— Une femme est morte à cause de Julia et cette femme, Sarah, ne méritait pas cela. Elle a un petit garçon qui se retrouve orphelin. Il n'a que huit ans. Tu te rends compte ? Julia a rendu un enfant orphelin à cause de son envie et de sa jalousie et tu veux que je la supporte, elle qui a commis l'irréparable ?

Il fondit en larmes. Étonnée, Marie s'approcha spontanément de son frère. Il resta de glace. Elle se colla contre lui, tentant de le serrer dans ses bras alors que Zachary posa sa main sur la jambe repliée de son beau-fils.

— Je sais, ce n'est pas facile.

— Laissez-moi.

— Francis ! s'exclama Marie en retrouvant sa place au pied du lit.

— C'est peut-être un accident, tenta Zachary.

— Tout cela aurait pu être évité. Si j'avais pu…

— Tu n'as rien à te reprocher.

— J'aurais pu repousser maman avant qu'elle ne commette cette,

cette atrocité. J'aurais pu prendre l'arme et…

— Tu n'as aucune responsabilité dans cette histoire. Tu ne pouvais deviner ce qui se tramait.

— J'écoutais de la musique. Si j'avais écouté la télévision, j'aurais entendu qu'il se passait quelque chose de…

— Tu aurais pu être ailleurs aussi.

— Tout ceci est de ma faute.

— Comment peux-tu penser une telle chose ? lui demanda Zachary déconcerté.

— Si je n'avais pas été chez Sarah, tout ceci ne se serait probablement jamais produit.

— Tu penses réellement que Julia n'aurait pas fait ce qu'elle a fait si tu n'avais pas été la visiter ?

— Le fait que je sois parti vivre chez Sarah pour quelques jours n'a sûrement qu'attisé le feu de sa colère. Elle est si possessive.

— Ta mère disait qu'elle voulait protéger ce qu'elle avait de plus précieux, ses enfants.

— Je ne suis plus un enfant. Je suis majeur et je peux aller partout où je le veux !

— Tu savais qu'elle ne portait pas Sarah dans son cœur.

— Raison pour laquelle je vous ai demandé de ne pas lui en glisser mot.

— Maman finit toujours par savoir ce qu'elle veut savoir, dit Marie.

— Tu lui dis toujours tout !

— Arrête ! cria-t-elle.

— Écoutez les enfants, votre mère et toute notre famille sommes dans cette très mauvaise situation et nous devrons affronter les prochaines journées avec courage. L'une des forces sur laquelle nous devons compter, c'est notre alliance. Nous sommes une famille, votre mère a besoin de nous tous.

— Nous ne sommes plus une famille, lança Francis.

— Tu es encore sous le choc.

— Elle n'est plus ma mère ! cria-t-il en reniflant.

Il essuya rapidement les larmes qui lui coulaient involontairement sur les joues. Atterrée, Marie le dévisagea.

— Reste avec nous, dit-elle en implorant son frère.

— De toute façon, je n'ai pas l'intention d'assister au procès.

— Tu es sérieux ? lui demanda Zachary.

— Plus que sérieux. J'en suis certain à cent pour cent.

— C'est ton choix mon grand, répliqua Zachary diminué.

— Et ce, bien que je sois assigné à assister au procès !

— Que dis-tu ?

— J'ai reçu un subpoena.

— Un quoi ? s'informa Marie.

— Une ordonnance de la cour pour comparaître en tant que témoin, expliqua Zachary.

— Tu défendras maman alors ? demanda Marie reprenant un brin d'enthousiasme.

— Tu es folle ou quoi ? répliqua Francis.

— Ne fais pas ça Francis, s'il te plaît.

— Je vais faire ce que je veux.

— Tu te dois de dire la vérité.

— C'est ce que j'avais l'intention de faire si j'y étais allé.

— Je peux aller témoigner moi aussi ? demanda Marie.

— C'est l'avocat qui en décidera, lui expliqua son beau-père.

— Je veux dire à tout le monde que maman est une bonne personne, ajouta-t-elle.

— Je peux compter sur vous les enfants ? J'aurai besoin de vous deux moi aussi.

— Tu as mon appui, confirma Marie.

Francis resta de marbre.

— Vous savez, je serai toujours là pour vous. Vous êtes comme mes enfants et je resterai avec vous, peu importe ce qu'il adviendra du sort de votre mère. Vous pouvez compter sur moi.

Marie s'approcha et se blottit dans les bras de Zachary qui l'étreignit. Il se leva puis frotta la chevelure abondante de Francis.

— Merci Zach, murmura Francis.

— Donna s'affaira à la cuisine pour nous préparer un bon repas, alors je peux compter sur vous pour lui faire honneur ?

— Oui ! s'exclama Marie retrouvant son sourire.

— Elle aussi nous supportera et elle est tout autant bouleversée que nous tous. Julia est sa meilleure amie et elle ne peut rester indifférente à tout ce qui se passe. Nous pouvons lui faire confiance et discuter avec elle si nous en ressentons le besoin.

— Je vais l'aider, proposa Marie en sortant de la chambre.

— Tu viens manger avec nous Francis?

— Ouais.

— Super.

— Hey Zach?

— Oui?

— Merci. Tu es vraiment cool.

Zachary se contenta de lui sourire et sortit de la chambre.

— Ça sent bon! dit Marie en rejoignant Donna à la cuisine.

Zachary fit demi-tour et revint dans l'embrasure de la porte.

— Francis?

— Ouais!

— Malgré tes allures de dur, tu es un gars extra. Ta mère et moi sommes très fiers de toi.

Deux grosses larmes jaillirent des yeux de Francis. Zachary s'éclipsa, rejoignant les filles à la cuisine.

Chapitre 46

— Elle fut, elle est et elle restera pour toujours l'amour de ma vie.

— Tu l'aimais à ce point ?

— Je l'aimerai toujours.

— J'aimerais aimer quelqu'un à ce point un jour.

— Malgré la distance, elle était toujours présente dans mes pensées et dans mon cœur. Chaque fois que je pensais à elle, c'était comme le soleil qui se lève le matin dans toute sa splendeur et son énergie, s'exprima-t-il en regardant Francis avec tristesse.

— Dommage. Tu venais à peine de la retrouver.

— Tu la connaissais depuis longtemps ? lui demanda Rafael.

— Environ une dizaine d'années, mais je ne l'ai vue qu'à quelques reprises. Contrairement à Julia qui la détestait, mon père l'a aimée au point de lui léguer tout ce qu'il possédait. Je comprends mieux aujourd'hui pourquoi.

— Elle est extraordinaire, dit Rafael, retenant ses larmes.

— C'est sympa que tu aies accepté de me voir après ce que Julia a fait.

— Tu n'es coupable de rien.

— J'aurais pu tenter de vous…

— Tu n'y es pour rien. Personne n'aurait pu prédire ce qui est arrivé.

— J'ai l'intention de témoigner contre Julia.

— Tu es sérieux ? C'est ta mère !

— Plus maintenant.

— Peu importe ce qu'elle a pu faire, elle restera toujours ta mère.

— Sarah ne nous a jamais rien fait de mal.

— Je n'ai aucun doute.

— C'est terrible ce qui est arrivé et encore plus pour le petit Sami.

— Cela lui prendra du courage pour traverser cette terrible épreuve.

— J'ai l'intention de veiller sur lui, dit Francis le regard fuyant vers la fenêtre.

Il prit une gorgée de son café latté et balança vers l'arrière sa chaise de bois, gardant l'équilibre sur les pattes de derrière. Rafael but tout en scrutant les cumulus blancs qui traversaient le ciel bleu.

— Lina et Angelo seront de bons parents pour lui.

— J'ai bien l'intention de le protéger, d'être une sorte de grand frère pour lui. À mes yeux, il est très spécial.

— C'est vrai. C'est un charmant petit bonhomme, ajouta Rafael.

— Il me rappelle mon père.

— Pardon ?

— Il a quelque chose dans le regard qui me rappelle mon père.

— Étrange.

— Il m'a raconté qu'il faisait des cauchemars et me voyait le poursuivre.

— Ah !

— Bref, je me dois de le protéger. De toute façon, j'ai toujours voulu avoir un petit frère. Je le fais aussi pour Sarah. Elle était si…

Il tourna la tête, cachant à moitié les larmes qui roulaient sur ses joues.

— Elle est et restera pour moi la femme la plus exceptionnelle que j'aie rencontrée. Je ne peux croire qu'elle est partie pour toujours.

— Tout ça à cause de Julia Schubert.

— La colère n'arrangera rien, tu sais, spécifia Rafael en pesant ses mots.

— Mais elle m'aidera à me souvenir de Sarah et Sami.

— Peut-être ta mère se trouve-t-elle dans tous ses états en ce moment et qu'elle a besoin du soutien de sa famille ?

— Je n'en ai rien à cirer.

— N'es-tu pas un peu trop sévère à son égard ?

— Sarah est morte et tu aurais pu y passer toi aussi.

— Je suis toujours là, c'est ce qui importe non ? Pour Sarah, qui sait, cela est peut-être un accident.

— Je te rappelle que Julia avait une arme.

— Elle ne voulait qu'une signature de la part de Sarah.

— Une signature ?

— Pour la maison.

— Pas encore cette histoire !

— Sarah a refusé de signer.

— Avec raison, approuva Francis rouge de colère.

— Alors pour quelle raison voulais-tu que l'on se rencontre, coupa Rafael, tentant de détendre l'atmosphère.

— J'aurais un service à te demander.

— Je t'écoute.

— Je veux changer de pays.

— De pays ? Et pourquoi me demander cela à moi ?

— Tu as déjà vécu en Écosse ?

— Vécu ? C'est un grand mot. J'y suis allé quelques mois. C'était il y a bien longtemps. Je devais avoir à peu près ton âge.

— Génial. Tu as encore des contacts ?

— Pas vraiment.

— Dommage.

— Mais que veux-tu aller faire là-bas ?

— M'éloigner le plus loin possible de Julia.

— Et de ta sœur, ton beau-père et…

— Si je reste ici, je vais crever.

— Pourquoi dis-tu cela ?

Francis bascula vers l'avant, remettant les quatre pattes de sa chaise bien à plat. Il posa les coudes sur la table et s'approcha légèrement en courbant le dos.

— Mon père est mort, ma mère est sur le point d'avoir une sentence à vie pour meurtre. Zachary veillera sur ma sœur alors moi, je pars. J'ai mieux à faire ailleurs.

— Mais pourquoi si loin ?

— Je veux changer de vie, totalement.

— Pour un changement c'en est tout un. Et pour Sami ?

Il réfléchit.

— Je dois partir, coupa-t-il.

— Je vais voir ce que je peux faire.

— Merci Rafael. Sarah m'avait dit que tu étais sympa.

Il lui sourit et prit la note que la serveuse lui tendit. Il se leva puis salua Francis qui lui tendit la main.

— Tu sais Francis, aussi loin que tu puisses aller, ta vie te rattrapera, et ce peu importe l'endroit où tu atterriras.

— C'est exactement ce que je veux faire, rattraper ma vie.

— Que dis-tu?

— Je dois aller en Écosse, plus précisément à Inverness.

— Qu'y a-t-il là-bas qui peut t'attirer à ce point?

— Ma demi-sœur.

— Quoi?

— Et la famille de mon père.

Perplexe, Rafael se contenta de le dévisager.

Chapitre 47

— Elles sont vraiment sympas tes amies, dit-il en caressant l'abondante chevelure de sa femme.

— Sarah savait s'entourer de bonnes filles, dit-elle la tête appuyée contre l'épaule d'Angelo.

— Que tiens-tu là ? dit-il en pointant un bout de papier.

— Un hommage pour Sarah.

— Les funérailles, mon Dieu, c'est déjà demain, dit-il en se frottant le visage, l'air épuisé.

— Sami, c'est celui de Sami, dit-elle dans un filet de voix.

— Il lui a écrit quelque chose ?

— Tu veux que je te fasse la lecture, proposa-t-elle.

L'air défait, elle déplia la feuille.

— Seigneur. Ça fait des jours que Sami pleure et voilà qu'il écrit un hommage pour sa mère. Tu crois qu'il aura la force de le lire ?

Lina se redressa et toussota. Elle glissa les doigts contre la feuille blanche écrite à la main, en lettres carrées, au crayon de plomb.

— Maman. Même si je n'ai que huit ans, je comprends ce qui est arrivé. Je sais que tu n'es plus là et que tu ne reviendras pas. Je sais aussi que tu es avec papa et que moi je resterai seul ici, mais pas tout à fait seul. Il y a Lina et Angelo qui prendront soin de moi et je crois que c'est une bonne idée. En plus, Jordan sera comme mon petit frère. J'ai beaucoup de peine depuis que tu es tombée dans le bas de l'escalier. Je ne sais pas si toi aussi tu as de la peine. Je crois que oui. Tu es peut-être inquiète. Moi je le suis pour toi, car je ne sais pas vraiment où tu es. On a tenté de me rassurer en me disant que tu devais sûrement être bien là où tu es. Moi, j'ai vraiment de la peine, mais ne t'inquiète pas. Je pleure un peu moins. Lina et Angelo sont vraiment gentils avec moi et disent oui pour tout. Ça me rend un peu joyeux qu'ils disent toujours oui. J'écris ceci en ne sachant pas si c'est ce que l'on doit dire pour des funérailles. Tu resteras toujours ma mère même si tu n'es plus avec moi. J'espère que tu ne m'oublieras pas, car moi je ne t'oublierai jamais. Je t'aime maman.

Elle laissa tomber la lettre par terre, pleurant à chaudes larmes contre l'épaule d'Angelo qui n'avait jamais vu sa femme dans un tel état. Il se contenta de la serrer dans ses bras, mouillant ses cheveux des larmes qu'il laissait lui aussi couler à flots.

Qu'est-ce que c'est que ça ? Mon fils qui m'écrit un hommage ? Enfin, personne ne sait que je suis toujours là ? Hé, oh ! Vous m'entendez ? Je rêve ou quoi ? Depuis près d'une semaine vous faites comme si, comme si… je rêve. Je fais sûrement un cauchemar. Je rêve de mes funérailles, de mes amies et de mon fils. Je vais me réveiller bon sang ! Mais jusqu'où cela va-t-il aller ?

— Je vous dérange ?
— Bien sûr que non Lucie. Allez viens t'asseoir, fit Lina en se redressant. Pendant qu'Angelo s'épongeait les joues avec les manches de son gilet, Lucie prit place sur la causeuse juste à côté d'eux.
— Je suis incapable de trouver le sommeil.
— C'est pareil pour nous.
— Sami est couché ? demanda Lucie l'air inquiet.
— Il dormait lorsque je l'ai bordé il y a environ trente minutes. Il est épuisé. Il n'a pas cessé de pleurer depuis le terrible accident.
Lucie se pencha pour ramasser la feuille blanche.
— Tu as échappé…
Elle remarqua l'écriture et ne put s'empêcher de lire. Ses yeux bougèrent rapidement de gauche à droite, dévorant les phrases écrites avec une certaine pression. Levant les yeux de la feuille à moitié écrite, elle croisa les airs déconfits de ses amis. Émue, elle porta la main à sa poitrine.

— Mon Dieu, réussit-elle à dire les yeux remplis de larmes.

— Incroyable ce qu'un enfant de huit ans peut écrire, bredouilla Angelo.

— Tu es sûrement très fière de lui, n'est-ce pas Lina? fit Lucie visiblement troublée.

D'un air absent, elle se tourna vers son amie.

— Si tu savais Lucie. Je ne peux croire qu'elle ne sera plus là.

— Je comprends qu'il faudra du temps pour reprendre une vie, disons, normale?

— Rien ne sera plus jamais comme avant.

— Tu verras Lina, avec le temps, la vie reprendra peu à peu son cours et graduellement, tu retrouveras ta force, ta combativité et ton sens de l'humour. Tu te souviens quand nous étions tombées dans un fossé en vélo, avec de la boue jusqu'au menton?

Un mince sourire apparut sur le triste visage de Lina.

— Tu vociférais parce que ta mini-jupe blanche était tachée de boue et tu avais la craque, la craque… continua Lucie.

Le visage de Lina se métamorphosa en une grimace puis elle éclata de rire en apercevant le rictus de Lucie.

— Remplie de boue et d'herbes alors que toi tu avais…

— Mon soutien-gorge, réussit à dire Lucie.

— Débordant de boue avec un té, un té… tentait de dire Lina en éclatant de rire.

— Un têtard pris dans la bretelle de mon soutien-gorge rose! réussit à dire Lucie en riant aux larmes.

Mort de rire, Angelo pouffa à son tour en imaginant la scène. Elles se frottèrent le ventre tellement elles riaient.

— Tu sais ce qu'elle a fait ensuite? demanda Lucie à Angelo.

— Elle s'est assise dans la boue? tenta-t-il.

— Elle s'est plongé les mains dans l'eau dégueulasse brune en s'éclaboussant et en criant «voilà! Comme cela, ce sera assorti!» J'ai tellement ri que j'ai glissé et me suis retrouvée assise bien à plat dans la boue, les bulles de la vase me remontant entre les jambes, relata Lucie en mimant la scène.

Ils riaient tellement que plus aucun son ne sortait de leur gorge, seulement des sifflements indiquant qu'ils tentaient de reprendre leur souffle.

— T'imagine notre tête lorsque l'on s'est présenté pour le bal en blanc organisé pour la fête-surprise de Sarah? Ce que les autres ont ri en nous voyant couvertes de boue!

Lina se leva, faisant face à Lucie et Angelo.

— Si tu nous avais vues, couvertes de boue sèche, les cheveux en bataille, le maquillage coulant. Juste à bouger un peu et nous faisions notre chemin avec la boue qui tombait par galettes égrainées par terre partout dans l'appartement.

— Digne d'une soirée d'Halloween, commenta Angelo.

Lucie se leva à son tour mimant l'état de leur tenue en rabaissant son haut de pyjama, laissant découvrir son épaule. Riant aux larmes, Lina se pencha vers l'avant pour reprendre son souffle.

— Seigneur que ça soulage de rire un peu! dit-elle.

— Un peu? Ça fait des années que j'ai autant ri! C'était comme ça quand on se voyait. Tu étais le bout en train à chaque rencontre, ajouta Lucie.

— Vous ne deviez pas vous ennuyer! remarqua Angelo.

— Avec Lina? Jamais. Dieu que tu es drôle chère Lina.

Elle se contenta de regarder son amie l'air moqueur avant de graduellement retrouver un air plus sombre.

— Allez, ce n'est pas mal de rire un peu, insista Lucie en tapotant l'épaule de son amie.

— Étant donné les circonstances… ajouta Lina.

— Sarah serait heureuse de nous voir rire un peu. Les derniers jours n'ont pas été des plus joyeux, un petit moment de répit est bienvenu, tu sais?

— Par respect pour ma plus grande amie…

— Je ne te reconnais plus Lina, toi qui avais toujours le mot pour nous sortir de toutes les situations, même les plus dramatiques.

— Je sais, reconnut-elle en tentant d'afficher un demi-sourire.

— Bon! J'aime mieux cela.

Angelo approuva en souriant à son tour.

— Je ferai un effort surtout pour Sami. Sa vie continue.

— Tout comme la nôtre Lina. Ce ne sera pas tous les jours facile, mais les beaux moments comme ceux que nous avons, vaut mieux les prendre sans trop se questionner. D'accord?

Lina posa sa main sur l'épaule de son amie.

— Merci d'être là Lucie.

— Je ne pouvais rester là-bas, Sarah m'est trop précieuse.

— Finalement, elle n'a que de superbes personnes autour d'elle, lança Lina.

— Extraordinaires tu veux dire! C'est ce qui est si précieux de l'amitié, la qualité de ceux que nous avons choisis pour nous accompagner durant plusieurs années.

— C'est si difficile de laisser partir une amie comme Sarah.

— Elle était magnifique, une merveilleuse amie, une personne extraordinaire, un être humain accompli et sûrement une maman exceptionnelle, décrivit Lucie.

— Comme tu n'en as pas idée, commenta Angelo.

— Bon. Ces fous rires m'ont quelque peu épuisée. Je crois que je pourrai fermer l'œil quelques heures, dit Lucie en s'étirant et bâillant.

— Il nous faudrait tenter de dormir un peu nous aussi, dit Lina en s'adressant à Angelo.

— Demain sera sûrement une journée forte en émotions, dit-il en passant son bras autour des épaules de sa femme.

— Merci de m'héberger, dit Lucie en se dirigeant vers la chambre d'invité.

— C'est un plaisir de t'avoir parmi nous, répondit Angelo.

— Tu peux rester autant que de jours que tu le voudras, ajouta Lina.

Lucie les regarda.

— Vous êtes vraiment beaux, vous savez?

— Oh! répondirent-ils surpris.

— Vous faites vraiment un superbe couple.

— Merci, dit Angelo gêné.

— J'espère connaître cela un jour.

— T'inquiète. Je suis certaine que tu rencontreras un bel Angelo toi aussi!

— Hey! Il n'y en a qu'un!

— Mais tu as plusieurs frères! ajouta Lina l'air taquin.

— Mais ils sont tous mariés! spécifia-t-il.

Lina eut un mouvement d'épaule comme si le fait d'être marié n'était qu'un détail.

— C'est la Lina que je connais! lança Lucie en montant l'escalier.

— Garde espoir! Il peut se trouver très près si tu gardes les yeux ouverts!

— L'espoir! Vraiment, nous devons nous y accrocher n'est-ce pas Lina? dit Lucie d'un ton maternel.

— Sarah nous y aidera, termina Lina en se dirigeant vers la chambre accompagnée d'Angelo.

Serait-ce tout ce qu'il me reste?

Chapitre 48

Il claqua la porte derrière lui en maugréant. Elle le regarda avec un petit sourire en coin. Il s'avança impatient, bousculant la chaise sur laquelle il prit place. Elle se redressa en bougeant le bassin, bien assise sur sa chaise.

— Vaut mieux avoir une très bonne raison pour me faire venir de si bonne heure, dit-il sans façon.

— Écoutez monsieur Clarkson.

— Maître Clarkson, coupa-t-il.

— Peu importe. Si je voulais vous voir, c'est que c'est important, dit-elle avec arrogance.

— Le procès a lieu cet après-midi, alors à moins d'avoir des éléments de preuve supplémentaires, j'ose croire que vous ne m'avez pas fait déplacer pour rien, grogna-t-il en posant sa mallette sur la table qui les séparait.

— Reportez !

— Pardon !

— Je demande que l'on reporte mon procès ! dit Julia avec un sourire charmeur.

— Pas question, dit-il en se levant.

— Attendez ! Vous êtes mon avocat et vous devez m'écouter.

— Je ne vous dois rien. Je tenterai seulement de vous défendre, et ce malgré les mensonges que vous ne cessez de me raconter.

— Je ne peux assister au procès !

— J'aurai tout entendu ! Et sous quel motif ? dit-il, riant en se moquant de son commentaire.

— Je dois aller à des funérailles.

— Pardon! Des funérailles? Mais lesquelles? Celles de votre chat? dit-il avec ironie.

— Sarah Donovan.

— Vous êtes folle à enfermer.

— Elle était mon amie.

— Seigneur, faites-la taire, s'exclama-t-il en se frappant le front de la main gauche.

— Je veux assister aux funérailles de mon amie Sarah.

— Vous êtes soupçonnée de l'avoir tuée et avec préméditation en plus! Qu'est-ce que ce délire?

— C'était un accident. Ce sera ma dernière chance de lui faire mes adieux.

— C'en est assez.

Il se leva et reprit son porte-documents.

— Attendez, dit-elle avec insistance.

Il s'arrêta sans se retourner.

— Allez plutôt vous reposer. Vous en aurez grandement besoin, dit-il en agrippant la poignée de la porte.

— Je dévoilerai tout ce que je sais de vous si vous refusez de reporter mon procès, le menaça-t-elle.

Il lâcha la poignée et se retourna, le visage écarlate.

— Est-ce une menace ou plutôt du chantage madame Schubert?

— Je ne dirai que la vérité, dit-elle l'air victorieux.

Il la fixa d'un regard haineux.

— Vous ne réussirez pas à détruire ma réputation pour en venir à vos fins. Faites ce que vous voulez, je me retire de votre dossier, lui lança-t-il.

Elle recula et s'appuya contre le dossier de sa chaise comme s'il venait de lui assigner un uppercut. Le bruit des chaînes aux pieds résonna dans la petite pièce lorsqu'elle se leva.

— C'est mon dernier avertissement. Je vous ferai perdre votre droit de pratique si vous ne m'aidez pas.

— Vous avez du culot.

— Je sais ce que je veux et je veux assister aux funérailles de mon amie.

— Julia !

— Oui monsieur l'avocat !

— Allez vous faire foutre !

— Vous allez me le payer ! l'attaqua-t-elle.

— Et moi je vais m'assurer que pas un avocat de la défense ne veuille vous défendre et ce ne sont pas des paroles en l'air !

Il sortit en claquant la porte. Elle frappa la table puis la poussa de toutes ses forces, créant un vacarme retentissant. Une agente s'approcha et entra dans la pièce, saisissant Julia par l'avant-bras.

— Lâchez-moi !

— Calmez-vous si vous ne voulez pas vous retrouver en isolation.

— J'ai besoin d'un autre avocat, hurla Julia.

— Vous en avez déjà un ! ironisa l'agente de sécurité qui n'avait rien entendu des échanges musclés entre la détenue et son avocat.

— Plus maintenant ! J'ai besoin d'un avocat, cria Julia.

— Calmez-vous !

— J'ai droit à un appel ! J'y ai droit ! s'époumona Julia en tentant de résister à la poigne ferme de l'agente.

— En isolation, dit-elle dans la radio fixée à son épaule.

— Non ! fulmina Julia en s'écrasant par terre.

Elle se mit à battre des jambes, tentant de frapper l'agente.

— Vous ne faites rien pour améliorer votre sort.

— Vous allez me le payer. Vous allez tous payer ! Tous payer ! cracha Julia en pleine crise.

Chapitre 49

Il sortit de la douche, l'air déconfit. Les gouttelettes pendant au bout de ses cheveux qui tombaient sur ses épaules carrées. Il décrocha la serviette posée sur le crochet et la lança contre son visage.

Il laissa tomber sa tête vers l'avant, laissant glisser la serviette à ses pieds. Il expira avec force et passa sa main droite contre sa tempe.

— Pourquoi as-tu fait cela ? murmura-t-il.

— Zach ? Tu as bientôt fini de la salle de bain ?

Il se redressa d'un coup.

— Oui ma grande. Donne-moi deux minutes.

Marie courut vers sa chambre.

— Clac ! Boum !

— Ça va Marie ?

— Oui ! C'est seulement ma brosse qui est tombée.

Il reprit sa serviette, s'essuya et la passa autour de ses hanches. Il se rasa en un éclair et sortit.

— La place est libre, lança-t-il en se dirigeant vers sa chambre.

— Merci Zach. Hum. Ça sent bon !

— Ce que tu peux être gentille, dit-il l'air attendri.

— Et toi donc ? Tu es toujours là pour nous.

— C'est normal non ?

Elle s'approcha un peu plus de son beau-père.

— Avec ce que maman a fait, tu aurais pu te sauver au pas de course.

— Et pour aller où ?

Elle le considéra.

— Peu importe, tu es là et je t'aime, tu sais?

— Moi aussi ma poupée. Sois rassurée, je ne vous laisserai pas tomber ton frère et toi.

— Même si Francis n'est pas toujours très correct avec toi?

— Nous avons tous nos bons et moins bons jours.

— Il faut dire que ça dure depuis plusieurs jours avec mon frère.

— N'oublie pas qu'il était là quand le drame s'est déroulé. Ça peut être traumatisant.

— Mais il est si dur avec nous, dit-elle en jouant avec l'une de ses mèches.

— Nous ne réagissons pas tous de la même façon à une situation traumatisante.

— J'ai bien hâte de retrouver mon frère d'avant. Il en veut tellement à maman qu'il veut partir et ne plus jamais revenir.

— Laissons-lui un peu de temps. Allez, maintenant va te préparer, Donna devrait…

— Bonjour! Oh! Désolée, fit Donna en apercevant Zachary vêtu d'une simple serviette.

Elle se retourna immédiatement.

— Bonjour Donna! Je vais me doucher. À plus! dit Marie en disparaissant dans la salle de bain.

— Excuse-moi encore Zachary. La porte n'était pas fermée à clé et comme personne ne répondait, je suis entrée.

— Ça va! Mais ne te retourne pas, ma serviette vient de tomber.

— Aïe! s'exclama-t-elle.

Il rit de bon cœur.

— Tu nous prépares du café le temps que j'enfile des vêtements ou tu préfères que je le fasse à moitié nu?

Elle se dirigea d'un pas rapide vers la cuisine alors qu'il marchait vers sa chambre en retirant sa serviette. Il eut le temps de se s'habiller, se coiffer, se parfumer avant que le son de la douche s'arrête. Il se regarda une dernière fois dans le miroir, ajusta sa cravate et tira sur les manches de son veston afin de l'ajuster.

— Ça devrait aller, se dit-il à lui-même en se regardant vêtu d'un complet, d'une chemise noire ainsi que d'une cravate rouge.

Il sortit de sa chambre et frappa deux coups en passant devant la porte de la salle de bain.

— J'achève ! s'écria Marie.

— Tu déjeunes ?

— J'ai très faim. Attendez-moi !

— Donna s'affaire à préparer de délicieuses crêpes !

— J'en veux deux ! dit Marie en entrouvrant la porte.

— Allez ! Nous t'attendons dix minutes et pas une de plus !

Elle s'activa alors qu'il alla retrouver Donna à la cuisine.

— Que ça sent bon !

— C'est un plaisir de cuisiner pour vous, répliqua Donna en versant un peu du mélange dans la poêle chaude.

— Si Francis peut arriver, dit-il l'air préoccupé.

— Je ne l'ai pas vu. Il est encore au lit ?

— Il a passé la nuit je ne sais où, répondit Zachary en préparant la table pour quatre.

— Dring.

— Ce doit être lui, dit-il en prenant le téléphone sans fil posé sur le comptoir.

— Allo. Appel à frais virés ? De qui ? Oui, j'accepte. Allo. Ça pourrait aller mieux. Ça fait un bail. Tu as quelque chose à me demander ?

Un long silence se fit entendre puis son visage devint rouge. Il commença à faire les cent pas en se passant nerveusement la main dans les cheveux.

— Mais qu'est-ce que tu racontes ? Comment le sais-tu ? Tu lui as parlé ? Voyons donc ! Elle n'a pas fait cela ? Pardon ? Tu veux de l'argent parce que tu m'as donné des renseignements ? C'est ridicule. Ça fait des années ! Je te rappelle que c'est toi qui as refusé de me voir. Tu veux quoi ? Non. Oublie ça. Écoute…

Il appuya sur le bouton d'interruption et lança d'une main légère l'appareil qui atterrit sur le siège de la chaise.

— Merde ! maugréa-t-il.

— C'était Julia ?

— C'était ma sœur.

— Debbie ?

Il fit signe que oui. Il se versa un café qu'il but en une seule gorgée.

— Elle a vu Julia.

— Qu'est-ce que tu racontes? Comment ont-elles pu se voir?

— Debbie purge sa peine pour le meurtre de Max.

— C'est vrai. Mon Dieu. Et elle a vu Julia?

— Comme elle est en attente de procès, elle a été incarcérée au même édifice correctionnel que Debbie.

— Et pourquoi t'appelle-t-elle aujourd'hui, le jour du procès de Julia?

— Justement! C'était pour me dire que Julia a remercié son avocat!

— Mais qu'est-ce que tu racontes? Elle a trouvé un autre avocat?

— Je n'en ai aucune idée. Une chose est certaine, Peter est un excellent avocat-criminaliste et un ami d'enfance. Si elle l'a congédié, elle peut dire adieu à sa liberté.

— Ça alors! Tu crois qu'elle se défendra seule?

Il grogna en se passant la main dans le visage.

— Elle en est bien capable.

— Clac, fit la porte d'entrée.

Zachary s'étira le cou pour voir qui arrivait.

— Te voilà toi. Il n'est pas trop tôt, bougonna Zachary l'air découragé.

— Tu veux des crêpes, lui offrit Donna.

— Je n'ai pas faim.

— Il faudra bien que tu manges un peu. Nous risquons de passer la journée au palais de justice.

— Je n'irai pas, coupa sèchement Francis.

— Qu'est-ce que tu racontes? Tu as un subpoena. Tu n'as pas le choix. Tu dois te présenter en cours.

— J'irai aux funérailles de Sarah.

— Tu plaisantes? fit Zachary dépassé par les événements.

— J'y vais.

— Voyons Francis. Tu ne peux décider comme ça de ne pas te présenter en cours. C'est obligatoire sous peine qu'ils aillent te chercher et te foutre une amende ou t'enfermer.

— Ils sauront où me trouver.

— Mais réfléchis un peu. Ta mère subit son procès aujourd'hui et tu pourrais être cité à comparaître.

— C'est tout réfléchi, je n'irai pas.

— Ce que tu peux être têtu par moments! Je ne t'ai jamais vu ainsi. Décidément, je n'y comprends plus rien. Nous sommes dans un beau merdier et toi tu te sauves aux funérailles. Ta place est ici, avec nous. Nous avons besoin de nous soutenir les uns les autres.

— C'est Julia qui en a décidé ainsi. Tout est de sa faute et nous avons toujours fait tout ce qu'elle voulait. Et bien maintenant, c'est terminé. Qu'elle se débrouille.

— Nous avons besoin de toi Francis, insista-t-il.

— Elle, elle a besoin de nous et pas le contraire! répliqua Francis en haussant le ton.

Zachary laissa tomber le bras en signe de résignation. Donna cuisinait toujours, n'osant intervenir.

— Voilà je suis… ah Francis tu es là! dit Marie en montrant ses vêtements.

— Salut petite sœur.

— C'est maman qui sera contente que nous soyons tous là.

— Je n'irai pas, lui spécifia-t-il.

— Mais tu ne peux pas nous laisser tomber. Tu ne peux pas! Dis-lui Zach, il doit nous accompagner.

Elle attendit la réponse qui ne vint pas. Zachary se contenta de se verser une autre tasse de café. Marie les scruta, un à un.

— S'il te plaît, viens avec nous, implora-t-elle à son frère.

Il ne se tourna même pas pour la regarder, se contentant de prendre place à la table.

— Il y a du sirop d'érable? demanda-t-il.

Donna s'affaira à aller en chercher dans l'armoire et le déposa sur la table. Francis se servit immédiatement. Sa sœur prit place près de lui.

— Finalement, je n'ai pas faim, lança Zachary en s'éloignant.

Il quitta la cuisine et se dirigea vers sa chambre.

— Tu es content de ce que tu fais là? marmonna-t-elle à son frère.

— Merci pour ton support. C'est très apprécié Francis. Une belle façon de nous remercier ta mère et moi, dit Zachary avant de s'enfermer dans sa chambre.

Francis tourna les yeux comme s'il ne comprenait pas la réaction de son beau-père.

— Vous savez que vous avez de la chance d'avoir Zachary dans votre vie? Peu d'hommes comme lui seraient restés aussi longtemps dans une telle situation en plus de vous considérer comme ses enfants, osa

Donna.

— Finalement je n'ai plus faim, dit Francis en quittant la table à son tour, laissant sa crêpe encore chaude couverte de sirop d'érable.

— Tu pourrais faire un effort ! grogna Marie.

— Oui, celui de m'éloigner de vous tous, lança-t-il en se dirigeant vers la porte arrière.

— Francis !

Il claqua la porte et démarra en trompe, ne voyant pas Zachary, le front appuyé contre la fenêtre de la chambre, pleurant à chaudes larmes.

Chapitre 50

La clochette de la porte retentit lorsqu'elle se referma. Il entra dans l'immense boutique de fleurs d'un pas rapide.

— Bonjour monsieur Taylor, comment allez-vous aujourd'hui?

— Appelez-moi Rafael s'il vous plaît.

— Alors que puis-je faire pour vous monsieur Rafael?

— J'ai une demande pour une commande très spéciale, dit-il l'air nerveux.

— Nous devrions pouvoir répondre à votre demande. Dites-moi, que cherchez-vous aujourd'hui et pour quel genre d'occasion?

— Des funérailles.

— Oh, je suis désolée, dit la fleuriste en posant sa main contre sa poitrine.

— Vous avez des roses?

— Bien sûr. De quelle couleur?

— Bleues.

— C'est un très bon choix, d'autant plus que cette couleur signifie l'inaccessibilité et la pureté.

À son tour, il porta sa main à son torse comme s'il pouvait retenir la tristesse qui voulait lui sortir de la poitrine. Il se retint pour ne pas éclater en sanglots. Elle eut un geste de compassion en s'approchant d'un pas. Elle posa la main sur son avant-bras afin de le guider vers le présentoir réfrigéré contenant les roses.

— Vous en avez d'autres que celles présentées ici? dit-il en pointant les roses bleues.

— Celles-ci ne vous conviennent pas ?

— Excusez-moi. Je veux dire, est-ce que vous en avez plus que celles qui sont ici ?

— Bien sûr. Nous venons justement d'en recevoir plusieurs et je peux en colorer d'autres si nous n'en avons pas suffisamment. Qu'aimeriez-vous que l'on vous prépare ?

— Je veux des fleurs partout, dit-il le souffle court, l'air perdu dans ses pensées.

— Partout ? Que voulez-vous dire exactement ?

— Je veux une immense gerbe de roses bleues que l'on déposera sur son cercueil de couleur bleu acier, des fleurs sur les onze premiers bancs des deux côtés de l'allée centrale de l'église et une autre gerbe sur le terrain au cimetière.

Surprise, la jeune fleuriste ouvrit la bouche étonnée de l'ampleur de la demande.

— Cela devrait être possible monsieur Rafael. Dites-moi, quand voudriez-vous le tout ?

— Cet après-midi.

— Oh ! C'est que…

— Vous pouvez ou non prendre cette commande ?

— Euh…

— Sinon, j'irai voir d'autres fleuristes pour leur demander de compléter ce que vous ne pourrez faire.

Elle réfléchit en fixant les hautes portes vitrées contenant les fleurs. Elle posa l'index sur ses lèvres et fit quelques pas. Elle pointa l'index vers les fleurs qu'elle comptait mentalement. Il l'observa, l'air nerveux.

— Pour quelle heure ? finit-elle par lui demander.

— Treize heures.

— Ce qui nous donne exactement quatre heures incluant le temps de la livraison. C'est à quel endroit ?

— Environ une heure de trajet.

Elle tenta de cacher son étonnement en serrant les dents.

— Vous pouvez patienter une minute ?

Il fit signe que oui. Elle partit d'un pas rapide en direction de l'arrière-boutique. Il l'entendit discuter dans une langue qu'il ne pouvait comprendre. D'origine vietnamienne, la jeune fleuriste avait immigré il y a un peu moins de deux ans et avait appris rapidement le français. Le regard nébuleux, il patienta, planqué devant les réfrigérateurs vitrés. Perdu dans ses pensées, il n'entendit pas le bruit des chaussures glissant sur le sol. Il sursauta en la voyant près de lui.

— J'ai réussi à réunir tout le personnel et nous ferons votre commande en priorité. Le livreur est avisé. Il ne manque que les adresses pour la livraison.

— Merci, oh merci, dit-il ému.

— Suivez-moi.

Ils se dirigèrent vers un petit bureau spécialement aménagé pour les clients désirant choisir des arrangements floraux à partir d'un catalogue. Elle lui fit signe de prendre place sur l'une des deux chaises capitonnées. Elle contourna la table et s'assit à son tour, prenant un calepin pour noter les détails de la commande.

— Je peux vous offrir une tasse de thé?

— Non merci.

— Ça me fait plaisir, s'il vous plaît, acceptez.

L'air las, il lui fit signe que oui. Elle se tourna vers une petite table derrière elle et lui versa une petite quantité de thé dans une tasse en porcelaine.

— Voilà. Buvez. Cela vous fera un grand bien.

— Vous êtes trop gentille.

Elle lui adressa un sourire compatissant.

— Alors ce sera pour qui?

Il se racla la gorge.

— Sarah. Sarah Donovan.

Elle échappa son stylo bille et leva les yeux vers lui, en entrouvrant la bouche.

— Ce n'est pas Sarah pour qui vous…

Elle ne put terminer sa phrase. L'air défait de Rafael lui confirma ce qu'elle n'osait croire. D'un effort visible, il se retint de ne pas éclater en sanglots. Il lui prit le stylo tombé sur la table et une tablette de feuilles lignées sur laquelle il inscrivit l'adresse du salon funéraire, de l'église et du cimetière. Sa main tremblante lui fit faire quelques gribouillis qu'il biffa en réécrivant lisiblement les informations. Les deux mains bien à plat sur la table, la jeune fleuriste resta de marbre, figée. Lorsqu'il eut terminé, il tourna la tablette vers elle afin qu'elle puisse lire les informations.

— Vous pourrez m'envoyer la facture d'ici quelques jours? Je peux vous verser un acompte maintenant si vous le désirez.

Elle mit la main devant sa bouche et lui fit signe de la tête par la négative. Elle baissa les yeux pour y lire les informations et joignit la feuille au bon de commande qu'elle prépara au nom de Rafael Taylor.

— Je suis désolée, réussit-elle à dire.

— La vie est si injuste parfois.

— Vous l'aimiez beaucoup n'est-ce pas? dit-elle avec beaucoup de sympathie.

— Comme vous ne pourriez l'imaginer. Elle était tout ce que j'ai toujours rêvé de plus beau. Je l'avais perdue durant des années, mais jamais je ne l'avais oubliée. Et il y a moins de deux semaines, nous nous sommes retrouvés et plus jamais je ne l'aurais quittée. Jusqu'à mon dernier souffle, je serais resté auprès d'elle.

Des larmes tombèrent sur la table.

— Je suis désolée. Votre histoire me touche tellement.

Il baissa la tête en signe de reconnaissance.

— Merci pour votre compassion et pour la réponse positive à ma demande de dernière minute.

— Le Paradis des Fleurs est là pour vous. Nous vous ferons les plus beaux bouquets et gerbes que vous aurez vus. Nous sommes de tout cœur avec vous.

— Le Paradis des Fleurs… ma belle Sarah qui aime tant les fleurs. J'espère qu'elle est au paradis entourée des plus jolies fleurs, des plus odorantes…

Il porta la main à ses yeux, cachant les larmes qui montaient.

— Est-ce que je peux faire autre chose pour vous monsieur Rafael?

Il renifla, prit une profonde inspiration et se redressa.

— Vous en avez déjà fait beaucoup. Je vous remercie énormément pour votre collaboration.

— Nous sommes là pour tous les genres de circonstances, des plus joyeuses aux plus tristes. Nous ferons honneur à la profondeur de vos sentiments. Vous l'aimiez beaucoup, cela transparaît dans vos yeux.

— Les mots resteront toujours trop faibles pour décrire un tel amour, celui qui se poursuit même au-delà de la vie.

— Puis-je me permettre de vous dire quelque chose?

— Bien sûr.

— Votre situation est infiniment triste. Elle peut paraître bien injuste comme vous le disiez. Perdre quelqu'un que l'on aime à ce point alors que d'autres couples se disputent sans cesse, c'est à n'y rien comprendre. Mais une chose est certaine, malgré tout, vous avez eu de la chance.

Il l'observa perplexe.

— Vous avez la chance d'avoir connu l'amour, mais encore plus, de l'avoir retrouvé et partagé. Elle vous aimait depuis tout ce temps et vous aussi. Combien de gens donneraient tout ce qu'ils ont pour pouvoir un jour vivre un tel amour réciproque et unique? Elle ne reviendra pas, elle n'est plus. Mais elle sera toujours dans vos pensées et elle aura toujours sa place dans votre cœur. Votre peine, elle est bien réelle, elle est totalement justifiée lorsque l'on perd une personne que l'on affectionne de la sorte. Je vous assure, avec le temps, vous pourrez songer à elle en ressentant dans votre cœur tout l'amour que vous lui portez. Vous pourrez même sourire aux souvenirs que vous avez partagés à ce qu'elle fut pour vous. Vivez votre peine, surtout ne la refoulez pas, car sous elle se cache un grand amour qui vivra toujours au fond de vous, même au-delà de la vie.

Son visage se détendit malgré les coins de sa bouche qui frémissaient. Il se leva en lui tendant la main.

— Merci mademoiselle. C'est votre famille et vos amis qui sont choyés d'avoir une personne telle que vous dans leur vie. Merci encore de pouvoir adoucir cette triste journée avec tant de beauté.

— Nous sommes là pour embellir les événements marquants d'une vie et nous sommes privilégiés de vous avoir comme client. Prenez soin de vous.

Il lui fit signe de la main et sortit d'un pas moins assuré, mais avec l'allure de quelqu'un à qui l'on vient d'alléger un terrible poids sur ses fragiles épaules.

Chapitre 51

— Je veux des fleurs, des centaines de fleurs.

— Calme-toi Lina.

— Sarah adorait les fleurs et je veux qu'il y en ait partout.

— Je veux partager les dépenses, dit Lucie.

— Tu vois Angelo, Lucie est d'accord.

— Ce n'est pas que je suis en désaccord, mais je sais combien tu peux par moments être…

— Excentrique! coupa Lina

— Je propose que l'on aille chez le fleuriste plutôt que de commander par téléphone ou internet, suggéra Lucie.

— Bonne idée. Nous pourrons voir sur place ce qu'ils ont en inventaire. Tu gardes les enfants? demande-t-elle à son mari tout en courant vers la porte d'entrée, le sac à main déjà sur l'épaule.

— Je peux y aller moi aussi? demanda Sami.

Lina s'arrêta sur le pas de la porte, la main sur la poignée. Elle se retourna vers lui.

— Mon poussin, tante Lina doit faire vite, car nous avons beaucoup de choses à préparer. Lucie m'accompagnera. Que dis-tu de rester avec les hommes?

Sami parut réfléchir et finit par lui adresser un signe positif de la tête.

— Dis-moi, tu aimerais que j'achète des fleurs pour toi? Tu pourras les donner à ta maman, dit-elle accroupie devant lui.

— Oui! Je peux choisir lesquelles?

— De quelle couleur les voudrais-tu? lui demanda Lina.

— Je peux en choisir plus d'une?

— Tout ce que tu veux mon ange.

— Alors j'en veux des orange.

— Orange?

— Et des jaunes, ajouta-t-il.

— Des fleurs orange et des fleurs jaunes? confirma Lina.

— Très bon choix! Tu sais que chaque couleur signifie quelque chose? ajouta Lucie.

— Ah oui? Et que veut dire l'orange? demanda-t-il l'air curieux.

— Laisse-moi réfléchir, orange. Hum! Ah voilà, je me souviens. Pour une fleur, la couleur orange signifie la joie, la beauté et la gaieté.

— Ouais, maman était toujours de bonne humeur et très belle. Et le jaune?

— Le jaune. Hum! Elle veut dire plusieurs choses.

— Je veux toutes les connaître.

— Alors les fleurs jaunes signifient le luxe, la gloire, le succès, la prospérité, mais elles évoquent également le soleil, la lumière et l'harmonie. Elles expriment aussi le bonheur d'aimer et d'être aimé.

Le visage de Sami s'assombrit.

— C'est si joli. Je veux des fleurs de couleur jaune, car elles me feront penser à maman et au soleil. Le bonheur d'aimer et d'être aimé, c'est si beau, dit-il avec l'envie de pleurer.

Lina s'approcha et le serra dans ses bras.

— Alors je prendrai des fleurs de couleur orange et aussi des jaunes?

Il fit signe que oui avant de se mettre à sangloter. Au même moment, Jordan arriva en sautillant.

— Sami! Viens. Viens jouer. Ne pleure pas. Viens avec moi.

Il essuya rapidement ses joues mouillées et partit au pas de course avec Jordan.

— Nous y allons? fit Lina en faisant signe à son amie.

— C'est parti!

— À plus tard mon amour, dit Lina en sortant.

— Sois prudente mon ange, répondit Angelo.

— Ce que vous faites un beau couple, dit Lucie en refermant la porte derrière elle.

— Je n'aurais pu trouver un meilleur complice de vie!

— Et Jordan est adorable.

— Une vraie tornade, mais enfin, il est bien en santé ! dit Lina en démarrant la voiture.

— Alors tu as une idée de ce que tu veux acheter ? demanda Lucie tout en poussant le bouton de la radio.

— J'ai déjà fait une commande il y a deux jours.

— Et tu veux acheter d'autres fleurs ?

— Je me suis dit que des lys blancs seraient bien jolis, mais pas assez. J'aime bien l'idée de Sami d'avoir des fleurs orange et jaunes. Ça mettra un peu de vie.

— Et de la couleur.

— J'ai une idée, dit Lina en fixant la route, l'air d'être dans la lune.

— Pas trop extravagante. Ce sont des funérailles après tout.

— Ce sont les funérailles de Sarah, ma meilleure amie, la plus gentille fille et la plus dévouée que j'ai connue.

— Et cela se traduira comment exactement ? demanda Lucie intriguée.

— Un gros bouquet de lys blancs sur le cercueil, des fleurs orange et jaunes en gerbe et aussi, pour Sami et Jordan, des fleurs orange et jaunes avec de longues tiges.

— Longues ?

— Oui. Pas de bouquets pour les enfants. Jordan sera fier d'avoir les mêmes fleurs que Sami.

— Bon, aiors nous n'avons qu'à ajouter des fleurs de couleur orange et jaune à la commande que tu as déjà passée n'est-ce pas ?

— Pas tout à fait !

— Misère ! Tu veux une voiture couverte de fleurs ? commenta Lucie.

— Je n'y avais pas pensé quoi que…

— Nous pourrions songer à quelque chose de plus discret non ?

— Nous verrons une fois rendues sur place. Voilà, c'est ici, dit Lina en tournant rapidement vers la droite, entrant dans la cour du fleuriste.

— Avec tes idées de grandeur, tu videras cette petite boutique en un rien de temps !

— C'est le seul fleuriste du village, spécifia Lina, éteignant le moteur et se précipitant hors du véhicule.

Elle gravit les escaliers cimentés deux par deux.

— On dirait que tu cours acheter une glace. Tu peux ralentir un peu ?

lui demanda Lucie qui sortait à peine de la voiture.

Lina tint la porte jusqu'à ce que son amie la rejoigne. Elles entrèrent dans la minuscule boutique ne contenant qu'un seul étalage de fleurs réparties dans une dizaine de seaux. Elles s'approchèrent de la fenêtre du présentoir.

— Ce ne sera pas suffisant, s'exclama Lina.

— Que veux-tu dire ?

— Bonjour mesdames ! Comment puis-je vous aider ? demanda aimablement la fleuriste.

— Je veux une centaine de fleurs.

— Lina !

— Oh ! D'accord mesdames. Pour quelle occasion et pour quand exactement ?

— Immédiatement pour des funérailles.

Le fleuriste recula d'un pas.

— C'est que…

— Vous avez d'autres fleurs que celles que vous avez ici ? lui demanda Lina en pointant le présentoir réfrigéré.

— Je viens tout juste d'en recevoir, mais elles sont dans l'arrière-boutique. C'est pour un arrangement spécial ? Une couronne, une gerbe ou…

— Cent fleurs seulement, aucun arrangement, coupa Lina.

— Voyons donc ! Qu'as-tu idée de faire avec cent fleurs ? fit Lucie.

— Vous en avez des roses ?

— Vous désirez des roses ou des fleurs de couleur rose ? s'informa la fleuriste.

— Peu importe le type de fleur, je les veux toutes roses. Vous en avez ?

— Certainement. J'ai des roses, des œillets, des clématites, des cœurs de Marie…

— Ce sera parfait, des cœurs de Marie !

— C'est que je n'en ai pas une centaine présentement, expliqua la propriétaire de la boutique.

— Alors ce sera un mélange, mais je les veux toutes de couleur rose. Quels sont les autres types de fleurs que vous auriez ?

— Des marguerites, des hibiscus, des pivoines, des lys, des…

— Ça ira. Vous pouvez me préparer le tout maintenant ? coupa Lina surexcitée.

— Bien sûr ! Quel genre d'arrangement désirez-vous ?

— Seulement avec un embout et un ruban rose. Vous pourriez terminer le tout dans combien de temps ?

— Nous ne sommes que deux alors, environ une heure.

— Et si mon amie et moi vous aidions ?

La fleuriste tout comme Lucie regardèrent Lina, l'air perplexe.

— Attendez-moi. Je vais voir si j'ai suffisamment de fleurs de cette couleur. Si jamais je n'en ai pas...

— Nous pouvons faire le décompte auparavant ? insista Lina qui voyait la propriétaire qui commençait à s'énerver.

Elles se dirigèrent toutes trois derrière le comptoir et se mirent à compter les fleurs de couleur rose alors que l'employée s'affairait à faire de décompte de celles qui étaient dans le présentoir. Deux minutes s'écoulèrent.

— Voilà, j'en ai compté trente-huit commença la propriétaire.

— Et moi trente-deux, fit Lina.

— Vingt-cinq, continua Lucie.

— Quarante-et-une, termina l'employée.

— Bingo ! Les cent plus belles suffiront, fit Lina.

— Mais qu'allons-nous faire avec toutes ces fleurs ? demanda Lucie.

— Tu peux me dire ce que signifie la couleur rose ? s'informa Lina en ignorant la question.

— La douceur, l'affection. Elles sont généralement offertes pour exprimer l'amitié ainsi que l'affection.

— C'est parfait ! Nous commençons si nous voulons terminer ? rétorqua Lina, voulant voir s'activer les autres.

— Écoutez, si vous voulez, vous pouvez revenir d'ici environ une heure trente ? proposa la propriétaire de la boutique.

— D'accord et je voudrais que vous ajoutiez deux marguerites jaune et deux orange. C'est bon ? Nous avons autre chose à faire, fit Lina en se précipitant vers la porte.

Lucie la suivit, saluant la propriétaire.

— Nous reviendrons dans quatre-vingt-dix minutes, lança Lina déjà dehors.

— Tu es certaine de vouloir acheter autant de fleurs ? Ce n'est pas un peu exagéré ?

— Pas pour Sarah. Elle aime les fleurs.

— Tout de même, tu ne crois pas qu'il y aura d'autres gens qui auront pensé lui en offrir ?

— Peu m'importe, il y aura des fleurs partout et chaque personne en aura au moins une.

— Lina. Lina. Puis-je te faire une réflexion ?

Elle regarda son amie du coin de l'œil.

— Hum, hum. Ouais.

— Tu sais, peu importe le nombre de fleurs et tous les bouquets que tu achèteras, cela ne ramènera pas Sarah. C'est peut-être une façon de lui dire que tu l'aimes et que tu ne l'oublieras jamais, mais ne crois-tu pas que tu pourrais utiliser tout cet argent pour Sami ?

Elles entrèrent dans la voiture. Lina se laissa choir la tête contre le volant et éclata en sanglots.

— Bon Dieu, je le sais Lucie. Sarah n'est plus et même si j'achetais toutes les fleurs de la boutique, cela ne changera rien à la situation. Mais Sarah était ma meilleure amie, ma sœur. Alors peu importe ce que cela m'en coûtera, je veux que les plus belles fleurs garnissent tout le trajet, que chaque personne porte une fleur rose entre ses mains en guise de l'affection profonde que nous lui

portions et que nous tenterons de garder en nous pour toujours. C'est terrible ce qui est arrivé et j'ai encore l'impression que le cauchemar se terminera, que nous nous réveillerons tous en réalisant que c'était un mauvais rêve. Mais tu vois, la réalité en est tout autre. Sami est la preuve vivante qu'elle est passée dans nos vies. Tu vois, Gabriel et même Michael ne sont plus. Ils sont partis et avec eux, ils ont emporté une partie de Sarah. Alors je veux que nous lui fassions honneur, que cette journée, aussi triste soit-elle, soit mémorable pour chacun d'entre nous. Elle pleura à chaudes larmes.

Seigneur Lina, dis-moi que ce n'est pas vrai ? Ce n'est pas le jour de mes funérailles. C'est impossible. Je ne crois pas un mot de ce que tu racontes. Fais quelque chose Lucie, dis-lui qu'elle se trompe !

— Je comprends, fit Lucie en posant sa main sur la nuque penchée de son amie.

Lina se redressa et s'essuya le nez du revers de la main alors que Lucie lui tendait un mouchoir.

— Merci. Je suis désolée, fit Lina en séchant rapidement ses larmes.

— Tu n'as pas à l'être, voyons.

— Je me dois de rester forte pour Sami et pour Angelo et aussi Jordan, dit-elle en sanglotant.

— La force, la force, tu es dévastée par la mort de ta meilleure amie, il y a de quoi s'effondrer non ? Arrête un peu. Et s'ils te voient pleurer, ce n'est pas un drame, tu sais ?

— Tu as raison, avoua Lina.

— Allons. Si nous allions acheter des pâtisseries pour les garçons et aussi pour nous ? Nous avons bien droit à une petite douceur non ?

— Bonne idée. Merci de m'accompagner.

— Et si nous achetions des ballons aussi ? proposa Lucie en voyant son amie retrouver un sourire.

— Ce n'est pas toi qui disais que j'exagérais ? répliqua Lina en souriant.

— Bah ! Quelques ballons ! Ils ne seront pas que pour les enfants non ? fit Lucie en lui tapant un clin d'œil.

— Va pour les ballons ! dit Lina en se dirigeant vers une boutique spécialisée pour les occasions spéciales.

Elles restèrent silencieuses jusqu'à l'arrivée au marchand de ballons.

— Hey, ça va aller ? demanda Lucie en voyant de grosses larmes couler sur les joues de son amie.

— Je ne peux pas croire que c'est la dernière fois…

— Elle nous manquera à tous.

— Tu n'as pas idée.

Chapitre 52

Il arriva en freinant brusquement. Il sortit de sa voiture et entra, les apercevant sur le pas de la porte.

— Tout le monde est prêt? demanda Zachary.

Ils firent tous oui de la tête sauf Francis qui se dirigea vers sa chambre en faisant sonner ses clés de voiture. Donna enfila un imperméable, Marie une veste alors que Zachary se contenta de ne porter que son complet.

— Francis?

— N'insiste pas Marie.

— S'il te plaît!

Zachary lui fit signe de laisser tomber et ouvrit la porte pour les laisser sortir. Mal à l'aise, Donna sortit la première. Marie tapa du pied en signe de mécontentement. Étant sur le point de fermer la porte, Zachary sentit une certaine tension.

— Foutu tapis, dit-il en tirant un peu plus sur la poignée.

— Zach? dit Francis qui tirait sur la poignée.

— Hum.

— Je suis désolé.

— Et alors?

— Je suis désolé envers toi seulement. Tu ne mérites pas que je te laisse tomber en ce moment, je le sais. Mais je dois choisir et c'est contre mes convictions que d'aller assister au procès d'une personne pour laquelle je n'ai aucune estime. Elle a franchi l'infranchissable et je suis sincèrement désolé de ne pas te soutenir dans cette épreuve. Tu as toujours été là pour moi et c'est pour cela que je me sens si mal de suivre ce que je crois le mieux dans les circonstances.

Pour la première fois, Zachary ne le regarda même pas. Il restait là, l'écoutant sans réagir, la tête penchée vers le sol. Francis lui donna une petite tape amicale sur le bras comme le ferait un vieil ami.

— Je serai avec toi en pensées.

— C'est tout ? coupa Zachary.

Surpris, Francis recula d'un pas.

— Tu m'en donneras des nouvelles ce soir ? demanda-t-il la mine basse.

Zachary se contenta de tourner les talons et alla rejoindre Marie et Donna qui attendaient qu'il déverrouille les portes de la voiture. En silence, ils montèrent dans la voiture. Il alluma.

— « Stuck on you, I've got this feeling down deep in my soul… » chanta Lionel Ritchie.

Donna se tourna vers Zachary.

— Tu ne l'abandonneras jamais n'est-ce pas ? Peu importe ce qu'elle a fait, peu importe l'issue du procès ?

— Jamais. Je serai toujours là pour elle et pour les enfants.

Assise sur le siège arrière, Marie s'avança et posa sa main sur le bras de son beau-père.

— Moi aussi, je serai toujours là pour toi tu sais ?

L'une de ses mains lâcha le volant et serra celle de Marie. Il la regarda à travers le rétroviseur où Marie put à peine percevoir la lèvre inférieure de Zachary qui sautillait, trahissant son émotion.

— Je peux te poser une question ? lui demanda-t-elle avec une grande délicatesse.

— Bien sûr ma princesse.

— Je ne veux pas te faire de peine, tu sais. Je voudrais seulement savoir si, euh, disons si le procès de maman se termine tôt, est-ce que nous pourrions aller rejoindre Francis ?

— Aux funérailles de Sarah ?

Elle fit signe que oui. Il laissa échapper un profond soupir.

— Je ne sais pas. Nous verrons comment se déroulera le procès d'accord ? Je ne voudrais pas te promettre une chose que je ne ferai pas. Tu comprends ?

— D'accord.

Elle reprit sa place confortablement assise au fond sur la banquette arrière.

— C'est vraiment extraordinaire ce que tu fais, tu sais ? le complimenta Donna.

— Je fais ce que je dois faire.

— Tu as tellement un grand cœur. Tu pourrais prendre une tout autre direction, mais tu restes fidèle à ce que tu crois, peu importe les épreuves. Quelle preuve de courage !

— Tu crois ?

— J'en suis convaincue. Je connais peu d'hommes qui auraient fait la moitié de ce que tu as fait et que tu continues encore de faire pour celle que tu aimes et pour ceux desquels tu te sens responsable. Vraiment, tu es quelqu'un de très bien Zachary Thompson.

— Si tu le dis.

— Tu ne devrais pas tant te sous-estimer. Tu fais preuve de grand courage pour faire ce que tu fais aujourd'hui, comme de rester calme malgré les montagnes russes d'émotions qui s'entrechoquent.

— Tu es gentille.

— Elle en a de la chance Julia.

Il la lorgna et lui adressa un mince sourire. Marie s'approcha de nouveau vers l'avant.

— Je peux te poser une autre question ?

— Oui ma chérie ?

— Tu sais concernant ma demande, si nous en avons le temps, je voudrais que tu saches que j'aimerais bien y aller pour Sarah, mais pas uniquement pour cette raison.

— Ah non ?

— De nouveau, je ne veux surtout pas te faire de la peine.

— Qu'y a-t-il ?

— J'aimerais vraiment aller voir papa.

Un certain froid se répandit. Les épaules de Zachary retombèrent. Donna l'aperçut du coin de l'œil.

— Tu aimerais aller voir ton père au cimetière ? spécifia Donna.

— J'aurais des choses à lui dire, avoua Marie l'air piteux.

Zachary soupira en s'agrippant au volant.

— Ça va ? s'informa Donna en voyant la mine déconfite du chauffeur.

— Marie, je ne voudrais surtout pas te priver de parler à ton père, mais pour aujourd'hui, seulement pour aujourd'hui, je te demande d'être indulgente envers moi et d'attendre après le procès de ta mère pour faire ou décider quoi que ce soit.

— Indulgente? Qu'est-ce que cela veut dire?

— D'être compréhensive, patiente, tolérante envers moi. Tu comprends?

— Bien sûr. Je suis différente de mon frère.

— Ce que tu peux être mature pour ton âge par moments, la complimenta-t-il.

— C'est normal, je suis une fille!

Elle réussit à lui arracher un sourire.

— Tu vois, j'ai réussi à te faire sourire!

— Ce que je t'aime toi!

— Moi aussi Zach!

— Zut! Tu peux me rendre un service Donna?

— Bien sûr, répondit-elle en le voyant se prendre la tête à deux mains.

— Tu peux appeler à la maison et demander à Francis s'il veut regarder sur son subpoena l'adresse du palais de justice?

Elle sortit son cellulaire et s'exécuta.

— Trois, quatre sonneries, murmura-t-elle.

— Ce n'est pas vrai! grogna-t-il.

— Tu as son numéro de cellulaire?

— Le voici, dit Marie en tendant son cellulaire à Donna qui s'exécuta à nouveau.

— Je dois prendre cette sortie ou non? demanda-t-il nerveux.

— Pas de réponse non plus à son cellulaire, fit Donna déçue.

— J'ignore si nous devons aller au Palais de justice de St-Jérôme, Sainte-Agathe-des-Monts ou encore celui de Mont-Laurier.

— Ce n'est sûrement pas celui de Joliette ou de Lachute, répliqua Donna, tentant de le rassurer.

— Quand tout va de travers, s'exclama-t-il.

Il prit à droite et s'arrêta devant la halte routière. Il prit son cellulaire et tenta à son tour d'appeler à la maison puis sur le cellulaire de Francis.

— Il reconnaîtra mon numéro. Allez réponds!

Sans succès, il raccrocha et laissa tomber l'appareil dans le portegobelet central. Les yeux écarquillés, Marie le dévisagea à travers le rétroviseur.

— Nous devons faire demi-tour, décida-t-il en appuyant sur l'accélérateur.

Elles restèrent silencieuses alors qu'il reprit la route, l'air plus contrarié que triste.

— En plus, nous risquons d'arriver trop tard. Nous risquons de manquer Julia. C'est pitoyable. Quel bordel! Quel cauchemar, quel…

Donna se contenta de poser sa main sur son avant-bras, tentant de le calmer.

— Et si nous prenions la chance d'aller au Palais de justice de St-Jérôme, nous avons une chance sur quatre d'être au bon endroit. Si c'est le bon, nous y serons à temps. Sinon, sinon… bredouilla Donna.

— Il peut y avoir d'autres causes, peut-être que ça débutera plus tard, ajouta Marie.

— Avec toute la chance qui nous tombe dessus depuis ces dernières semaines…

— Nous y serons à temps. Allez, nous retournons à la maison et reprenons tout de suite la route. Essaie de ne pas te faire autant de mauvais sang, lui dit Donna en tentant de l'encourager.

— Seigneur que j'ai hâte que tout cela se termine.

— Nous sommes avec toi, lui dit-elle tentant de le rassurer.

— Ne t'en fais pas Zach. Maman comprendra si nous arrivons en retard.

Il la regarda à son tour par le rétroviseur en lui adressa un sourire forcé. Il posa les yeux sur sa montre. Neuf heures dix minutes.

— Je crois que la convocation de Francis indiquait neuf heures trente.

— Peut-être dix heures? tenta Donna.

— Peu importe, si nous ne sommes pas en retard, nous y serons tout juste à l'heure.

Il accéléra puis freina brusquement.

— Dieu du ciel! Mais que t'arrive-t-il? demanda Donna agrippée à la poignée de la porte.

— Ça va? Vous n'êtes pas blessées?

— Qu'est-ce quc tu as Zachary?

— Tu veux prendre le volant? Je suis trop nerveux et trop distrait.

Il se rangea sur l'accotement de droite et ouvrit sa porte.

— Attention, cria Donna.

Zachary se mit à trembler.

— C'est dangereux, dit Marie au bord des larmes.

— Tu peux conduire jusqu'à l'intersection et prendre à droite au carrefour? lui demanda Donna.

Il fit signe que oui. Il reprit prudemment la route puis tourna à droite. Il immobilisa l'automobile dans une cour asphaltée. Donna sortit aussitôt et fit le tour de la voiture. Zachary resta assis sans bouger. Elle frappa à la fenêtre. Il sursauta et finit par ouvrir la porte tout en demeurant assis.

— C'est trop. C'en est trop. Je n'en peux plus, dit-il en fondant en larmes, pleurant tel un enfant abandonné.

Chapitre 53

Il entra dans la chambre et se dirigea vers la penderie. Il ouvrit la porte avec précaution. Ses petits yeux grands ouverts firent un balayage complet en quelques secondes jusqu'à ce qu'ils s'arrêtent sur une boîte posée sur une tablette hors d'atteinte. Il prit la chaise blanche devant la coiffeuse et la transporta à l'intérieur de la garde-robe. Il monta d'un bond et étira les bras jusqu'à ce qu'il atteigne la boîte colorée. Sans effort, il s'en empara et la prit dans ses bras. Appuyée contre son ventre, il la tint fermement tout en descendant de la chaise qu'il remit à sa place. Il déposa la boîte sur le lit et fit glisser son index sur celle-ci, en voyant les mots inscrits. Il lut à voix haute : pour tes dix-huit ans Sami.

— Mais c'est pour moi cette boîte ! s'exclama-t-il à mi-voix.

Il souleva le couvercle avec l'intérêt d'un explorateur venant de découvrir un trésor. Ses yeux s'agrandirent lorsqu'il plongea la main dans la boîte. Il sortit une petite boîte qu'il ouvrit.

— Une mèche de cheveux.

Il en sortit une autre qu'il ouvrit aussi.

— Une dent ? dit-il en l'examinant avec étonnement.

Il passa la main dans la boîte et y découvrit une photo.

— Est-ce papa ? se questionna-t-il la retournant.

— Jamaïque. Michael et Sarah, lut-il.

— Ça alors ! Ce qu'ils sont beaux mes parents !

Il fouilla de nouveau jusqu'au fond de la boîte parmi divers objets et sa main se dirigea vers un petit album photo qu'il ouvrit.

— Ma grand-mère maternelle? Mes grands-parents? Mamie et Papi! Ils ont été jeunes? Ce qu'ils étaient jeunes, se reprit-il à voix basse.

Il réussit à lire la description près des photos.

— Grand-papa et grand-maman, parents de Michael, lut-il.

Il tourna les pages et s'arrêta lorsqu'il vit deux photos de format cinq par sept pouces.

— Ah! Mais c'est, c'est papa? Quel âge pouvait-il avoir?

Il sortit les photos et regarda à l'arrière.

— Huit ans! Il avait huit ans! Comme moi! Il avait mon âge! dit-il en s'exclamant à voix haute.

— Que fais-tu?

— Wouah! cria Sami, en faisant voler la boîte dans les airs!

— Que fais-tu mon petit explorateur? demanda affectueusement Angelo.

— J'ai trouvé un trésor!

— Un trésor? Il y a un trésor caché ici et personne ne me l'avait dit?

— Regarde! montra fièrement Sami en reprenant la boîte et ramassant le contenu éparpillé sur le lit.

— Mais qu'est-ce que c'est? demanda avec curiosité Angelo.

— Ça vient de maman!

Angelo prit le couvercle et lut l'inscription.

— Ça alors! On peut dire que ta maman avait de bonnes idées! Quelle cachotière! Tu crois qu'on peut voir ce qu'elle contient même si nous sommes dix ans à l'avance? lui demanda Angelo en prenant un ton confidentiel comme s'ils venaient de découvrir un secret d'État.

Sami reprit un à un les objets et photos qu'il avait sortis et les lui montra. En silence, ils découvrirent et vidèrent le contenu de la précieuse boîte. Des bijoux, des vêtements d'enfant, des lettres, des cartes d'anniversaire, des jouets, une suce, des dessins. Un autre petit album bleu-marine faisait partie de leurs découvertes. Sami ouvrit la première page où il lut. «À toi mon fils que j'aime de tout mon cœur. Voici des photos de ta maman, de sa naissance jusqu'à aujourd'hui, tes dix-huit ans». Il leva les yeux vers Angelo.

— L'album est incomplet, dit-il, s'apercevant que plus de la moitié de l'album était vide.

Angelo le prit par les épaules et le colla contre lui.

— Tu veux que nous le regardions ensemble?

Il s'assit à côté d'Angelo et lui répondit en ouvrant l'album. Ensemble, ils regardèrent les photos.

— Oh! C'est ta maman elle avait, elle avait 2 mois! Et tu vois celle-ci? Elle devait avoir ton âge non? Et ici elle devait…

— Ce qu'elle était belle, dit-il dans un murmure, tournant les pages en regardant une Sarah tantôt adolescente, jeune adulte et maman.

Les petits doigts tournaient les pages avidement, faisant découvrir chronologiquement la vie de sa mère minutieusement décrite par une écriture fine près de chaque photo. Il tourna la dernière page. Il se mit à pleurer lorsqu'il vit une photo de lui et sa mère lors de son dernier anniversaire.

— Chut. Ça va aller mon grand. Ce n'est pas facile, je sais…

— C'est fini. C'est fini, répéta Sami, laissant l'album ouvert sur le lit.

— C'est un magnifique cadeau cette boîte que ta mère a préparée, tu sais? dit Angelo avec une infinie compassion dans la voix.

Il caressa la chevelure de Sami qui hoqueta en pleurant.

— Pourquoi n'est-elle plus avec nous? dit-il en exprimant une certaine colère.

— Ça, je ne pourrai jamais te l'expliquer mon grand. Je n'ai aucune explication pour justifier ce grand départ tellement imprévu.

— Il y avait encore plein de pages à remplir, répliqua Sami.

— Je sais. Je sais, répondit Angelo ayant peine à contenir ses larmes.

— Pourquoi est-elle tombée? Tu le sais toi?

— C'est probablement un accident, c'est ce que je crois, réussit-il à dire, de plus en plus mal à l'aise.

— Je tombe souvent moi et je ne meurs pas! dit-il la rage au cœur.

— C'est pour cela que l'on dit que c'est un accident.

— Si j'avais été là, j'aurais pu lui dire de faire attention et elle ne serait pas tombée.

— On ne sait trop comment elle est tombée, bredouilla Angelo.

— Si j'avais été là…

— Hey, hey. Cesse de te culpabiliser. Tu n'y es pour rien.

— Culpabiliser?

— Ça signifie de cesser de te faire du mauvais sang. De penser que ça aurait pu être différent si tu avais été là.

— J'aurais pu faire quelque chose, je le sais. J'aurais prévenu ma mère.

— Tu sais Sami, les accidents, ça arrive comme ça, sans prévenir. Parfois, nous nous en sortons avec quelques égratignures et parfois…

— On meurt, cria Sami.

Angelo le serra très fort dans ses bras. Sami se mit à hurler et se débattre.

— C'est bon. Laisse sortir cette colère, dit-il en le serrant encore plus contre lui.

— Je veux ma mère. Je la veux. Je la veux tout de suite ici avec moi.

Angelo desserra son étreinte lorsqu'il sentit qu'il retrouvait un tant soit peu de calme.

— Allez mon grand. Tu es en colère et c'est tout à fait normal. La vie est parfois injuste et je ne comprends pas pourquoi ta maman est partie alors qu'il y a d'autres mamans qui restent. Une chose est certaine, Lina, Jordan et moi serons toujours près de toi. Tu pourras toujours te confier à nous et nous serons ta famille, tu le sais ça ?

— Tu l'as déjà dit.

— Je voulais être certain que tu t'en souviennes, dit Angelo en souriant à moitié.

— Ouais. Mais ce n'est pas comme si maman était là.

— Tu as raison. Nous n'avons qu'une vraie maman et la tienne était vraiment exceptionnelle.

— Tu sais quoi ?

— Je t'écoute.

— Je n'ai pas envie d'aller aux funérailles.

Angelo se raidit.

— Ah bon. Et pourquoi ?

— Je n'ai pas envie de voir maman dans un cercueil.

Le visage d'Angelo se figea.

— Et que voudrais-tu faire à la place ? répliqua-t-il totalement déstabilisé.

Réfléchissant, Sami ramassa les objets épars sur le lit en prenant soin de les déposer un à un dans la boîte.

— J'aimerais donner des fleurs aux gens.

— Voilà. Alors tu donneras des fleurs.

— Des orange ! dit-il d'un ton affirmatif.

— Va pour les orange. Et tu sais quoi ?

— Non! répondit Sami, intrigué par la question d'Angelo.

— Connaissant tante Lina, je suis certain qu'il y aura plus que des fleurs.

— Tu crois?

— J'en suis certain.

— Et qu'y aurait-il d'autre?

— Je ne sais pas. Tu connais tante Lina?

— Elle a toujours de bonnes idées!

— Voilà! dit-Angelo l'air soulagé.

— Nous verrons bien.

— Ta maman aimait énormément les fleurs.

— Je sais. Il y en a partout autour de la maison.

— Tu vois! Alors ce sera une bonne idée que tu donnes des fleurs.

L'air plus calme, il se releva.

— Maman sera contente tu crois?

— Bien sûr. J'en suis convaincu!

— Hey! s'exclama Sami en courant vers la fenêtre.

— Qu'y a-t-il? demanda Angelo.

— Regarde! Des ballons! lui montra Sami.

— Oh! Et en voilà deux autres!

Ils se rapprochèrent un peu plus de la fenêtre.

— Tante Lina a pensé apporter des ballons!

— Je te l'avais bien dit qu'elle n'arriverait pas seulement avec des fleurs!

Sami sortit aussitôt et courut vers le grand escalier qu'il descendit le plus rapidement qu'il le put. Au même moment, la porte avant s'ouvrit, laissant entrer trois bouquets de ballons qui montèrent aussitôt vers le plafond.

— Ballons! cria Jordan en courant dans le salon.

Sami le rejoignit et tous deux tentèrent d'attraper les longs rubans attachés à chaque ballon. Angelo s'approcha de sa femme et l'embrassa sur le front.

— Merci. Tu arrives juste à point, lui murmura-t-il à l'oreille.

— Tu as l'air épuisé toi! Ce sont les enfants?

Il se contenta de la serrer amoureusement dans ses bras.

— Un petit répit pour cette éprouvante journée, murmura-t-elle.

— Si tu savais combien je t'aime, lui dit-il parmi les cris des garçons sautant et courant autour d'eux.

Chapitre 54

Donna conduisit en silence jusqu'à la maison où Zachary s'affaira rapidement à l'intérieur à chercher le subpeona. Il le trouva sur la table de chevet de la chambre de Francis. Il le prit et le fourra dans sa poche intérieure. En moins d'une minute, il ressortit de la maison prenant soin de verrouiller la porte. Il marcha d'un pas rapide et s'engouffra, haletant, dans la voiture.

— Palais de justice de St-Jérôme, lança-t-il quelque peu essoufflé.

Donna reprit la route en conduisant prudemment. Elle haussa légèrement le volume de la radio qui diffusait la populaire chanson du groupe Decyfer Dow, *Forever with you*. Elle lorgna Zachary. Il détourna la tête, cachant sa tristesse apparente.

— Nous n'arriverons jamais à l'heure.

— Nous ne sommes qu'à environ trente minutes du Palais de justice, spécifia Donna se voulant rassurante.

— Si sa cause est la première à être entendue, nous n'y serons pas pour l'entendre.

Donna se ravisa de répliquer et conduisit en direction de l'autoroute où elle emprunta la bretelle. La circulation devint de plus en plus dense.

— Ce n'est pas vrai ! Non ! Nom de Dieu ! s'impatienta Zachary en apercevant les voitures freiner puis s'arrêter.

Marie resta silencieuse presque aux aguets. Donna sélectionna une autre station radiophonique où l'on diffusait l'état de la circulation en permanence.

— ... important accident paralysant complètement l'autoroute. Les véhicules d'urgences sont sur place et une voie sur deux est retranchée.

— Nous aurions dû prendre la route secondaire, pesta Zachary en ravalant sa colère.

Il enfonça fermement le bouton radio, interrompant le contact. Immobilisés, ils patientèrent en silence. Quelques klaxons se firent entendre. Certains conducteurs coupèrent l'alimentation du moteur, arrêtant complètement leur véhicule.

— Zach? Cela fait plus de vingt minutes que nous n'avançons aucunement. Pourrions-nous écouter de la musique s'il te plaît? osa Marie

Il appuya sur le bouton. «*And nothing else matters...*» du groupe Metallica résonna, suivi de «*Does it really matter*» du groupe Theory of a Deadman, de «*Don't matter*» d'Akon et de «*Nothing really matters*» de TyDi.

— Même la radio s'en mêle? rouspéta-t-il.

— Pourquoi dis-tu cela? demanda Marie ne comprenant pas la remarque.

— Rien ne va plus! lança-t-il, totalement découragé de la situation.

— Dring.

Il prit nerveusement son téléphone qu'il échappa à ses pieds. Il le ramassa aussitôt d'un geste impatient.

—Allo. Oui. Oui j'accepte. Ma chérie! Comment vas-tu? Quoi? Que dis-tu? Ne crie pas autant. Je t'entends. Voyons! Julia! Julia, attends! Non, ne raccroche pas. Dis-moi, que s'est-il passé? Et où es-tu? Nous sommes en route. Marie et Donna m'accompagnent, mais nous sommes pris dans un bouchon de circulation. Impossible de sortir et de prendre la route secondaire. Non, attends. Attends Julia! Écoute-moi. Julia? Julia? Elle a raccroché, confirma-t-il en refermant son cellulaire.

— Que disait-elle? demanda Donna l'air nerveux.

— Qu'est-ce que maman t'a raconté Zach?

— Elle est furieuse, dit-il en se prenant la tête à deux mains.

— Elle est en attente pour passer devant le juge? s'informa Donna.

— Son procès est reporté.

— Nous pouvons la voir? demanda Marie.

— Non.

— Pourquoi? dit-elle, terriblement déçue.

— Elle est en attente pour retourner à l'établissement carcéral.

— Et nous ne pouvons aller la voir? tenta Donna.

— Elle doit attendre que les autres détenues soient passées et elles retourneront toutes au pénitencier.

— Pas vrai? dit Donna.

— Je voulais voir maman, dit Marie en pleurant.

Il secoua la tête, se masquant le visage de ses deux mains.

— Quand est-ce que ce foutu cauchemar finira-t-il? grogna-t-il.

— Nous ferons demi-tour à la prochaine sortie? lui proposa Donna.

— Pouvons-nous rejoindre Francis aux funérailles de Sarah? demanda Marie.

Zachary releva la tête, les yeux rouges, les cheveux défaits.

— Au point où nous en sommes, faites ce que bon vous semble, laissa-t-il échapper l'air las, déchu.

Il s'appuya contre l'appuie-tête et tourna les yeux vers la fenêtre de côté. Il fixa l'horizon, le regard vide. Marie lui passa la main dans les cheveux. Donna conduisit à vitesse réduite jusqu'à la sortie suivante où elle fit demi-tour.

— Seigneur, quelle situation ironique! dit-elle en soupirant.

— Se retrouver aux funérailles de la personne que ma femme est soupçonnée d'avoir tuée, vous y pensez? Julia le prendra comme une trahison, réalisa-t-il.

— Ne disais-tu pas que maman voulait y assister?

Zachary se tourna vers Marie puis Donna.

— Qui a dit que la vérité sortait de la bouche des enfants? lança Donna.

— C'est à n'y rien comprendre, finit-il par dire en esquissant un sourire.

Chapitre 55

— … la vie n'est pas faite pour mourir. On meurt souvent bien entendu, car la vie est si fragile, est si fragile, est si fragile, résonna la voix féminine qui chantait alors que les portes de l'église s'ouvraient. Tous sortirent à pas lents, les yeux humides sauf le petit Jordan qui sautillait à la vue des ballons.

— Maman, maman ! Nous pouvons les lancer ? s'exclama-t-il.

Tous se tournèrent vers lui et malgré leurs larmes, il réussit à leur arracher un sourire. Lina le prit par la main et se pencha vers lui.

— Tiens les bien. Nous allons tous les lancer en même temps.

Il regarda sa mère et lui adressa un de ses plus beaux sourires. Sami tenait fermement la main d'Angelo et de Lina, les rubans des ballons emprisonnés entre leurs mains. La petite main libre de Jordan bougeait dans tous les sens, prête à s'ouvrir. Descendant les escaliers, ils s'immobilisèrent sur le parvis de l'église. En silence, ils levèrent la tête vers le ciel d'un bleu pur, sans nuages. Angelo, Sami, Lina et Jordan se tenant droits, serrés les uns contre les autres. Lina toussota et se racla la gorge. Elle poussa un long soupir en levant les yeux encore plus haut vers le ciel.

— À toi ma belle Sarah, réussit-elle péniblement à articuler.

Elle lâcha les deux mains qu'elle tenait et leva le bras. Ouvrant grand la main, elle laissa son ballon s'envoler. Lentement, les mains s'ouvrirent une à une, libérant une cinquantaine de ballons vert lime.

— Partis ! s'exclama Jordan.

— Veille sur nous ma belle, dit Angelo.

— Tu as rejoint notre Michael, dit le beau-père de Sarah.

— Sois heureuse auprès de notre fils et ne nous oublie pas, dit Madame Lester.

— Tu seras toujours dans notre cœur, dit Rafael.

— Je t'aime maman, dit Sami en pleurant.

Les yeux rivés sur les ballons, l'on ne pouvait entendre que la brise qui soufflait telle une caresse sur leurs joues inondées de larmes. Immobiles, les yeux levés vers le ciel, ils scrutaient les ballons verts s'envoler lentement vers l'immensité bleue, symboles de leur message d'amour s'élevant vers Sarah. Lorsque le dernier ballon fut hors de vue, un à un, ils inclinèrent la tête, marchant tristement vers le cimetière. Le vent jouant dans leurs cheveux, plusieurs marchaient en se tenant la main alors que d'autres se tenaient par l'épaule ou la taille. Arrivés à l'endroit assigné, l'on pouvait lire l'épitaphe sous le nom de Michael Lester, *Sarah Donovan, un ange retourné trop vite au paradis*. Une corbeille débordant de fleurs roses de toutes sortes et une autre de roses bleues étaient posées sur deux tabourets près de la pierre tombale.

— Maman, maman regarde plein, plein de fleurs ! dit Jordan, brisant le long silence depuis l'église.

Il réussit à nouveau à décrocher quelques sourires. Les roses bleues et les lys blancs couvraient presque entièrement le cercueil bleu acier. Lina eut une faiblesse. Angelo la retint en l'attrapant sous le bras.

— Ça ira, lui murmura-t-elle, le visage défait par tant de douleur et de peine.

— Je demanderais à chacun de s'approcher et de prendre une fleur, symbole de votre attachement à Sarah. Je vous demanderais par la suite, pour ceux qui le désirent, de venir prononcer quelques mots et de déposer votre fleur sur le cercueil, dit le célébrant visiblement ému en voyant Sami.

Ils s'exécutèrent, retenant péniblement leurs larmes. Sans que personne ne le suggère, ils s'installèrent en formant un immense cercle, tenant chacun une fleur rose à la main. Certains en respiraient le parfum alors que d'autres la tenaient avec fragilité, la main tremblante.

— Maman, je peux prendre celle-là aussi ? demanda Jordan en pointant un pissenlit.

Tous se mirent à sourire, même que quelques-uns laissèrent échapper un rire franc. Lina le regarda, souriant entre les larmes qui coulaient abondamment sur ses joues rosées.

— Tu peux l'offrir à Sarah mon chéri, lui dit-elle en lui souriant.

Il s'agenouilla et arracha le pissenlit d'un coup sec. Il se releva, fier et souriant, tenant une fleur dans chaque main.

— Si vous voulez vous approcher et faire vos hommages, dit l'organisateur en levant la main, indiquant de s'approcher un peu plus près.

Rafael s'avança le premier. Élégant dans son complet noir, chemise blanche et cravate bleu-saphir. Présentant un lys rose de sa main droite tremblante, il pencha la tête puis la releva vers le ciel en inspirant à pleins poumons.

— Ma douce Sarah. Le temps aura été trop court. Ce n'était que le début et nous voilà déjà à la fin. Je te porterai toujours dans mon cœur. La vie est si fragile, mais l'amour sera toujours plus fort. Je t'aime ma belle et je t'aimerai toujours.

Non ! Non !

Chapitre 56

— Non ! Non, Nah, non, hurla-t-elle.

— Mais qu'est-ce qui se passe ? cria Lina sursautant dans l'autre pièce. Elle se leva en titubant. Elle courut vers le salon et la trouva en sueur et tremblante.

— Qu'est-ce que tu as ?

— Non ! continua-t-elle de hurler.

— Que se passe-t-il ?

— Non, continua-t-elle de crier en se débattant.

— Tu vas alerter tout le voisinage. Arrête de hurler comme ça !

— Lâche-moi. Non !

Sa main claqua contre la joue. Elle la prit par les épaules et la secoua. Elle sursauta.

— Arrête ! Non. Non !

Lina courut jusqu'à la cuisine et ouvrit le robinet qu'elle laissa couler. Elle ouvrit une porte puis une autre avant de mettre la main sur un pichet qu'elle remplit à ras bord.

— Tiens ! dit-elle en lui versant le pichet d'eau glacée sur la tête.

Elle sembla reprendre ses esprits. Les yeux vitreux, elle s'aperçut de la présence de Lina.

— Où est Sami, cria-t-elle.

— Sami ?

— Jordan et Angelo sont là ?

— Tu délires ou quoi ?

— Non ! hurla-t-elle de nouveau.

— Arrête. Mais qu'est-ce qui te prend ? Tu deviens folle ?

— Je veux voir Sami.

— Il n'y a pas de Sami ici.

— Tu mens. Où est-il ? Dis-moi où il est ? demanda-t-elle affolée.

Elle se leva et se mit à courir dans tous les sens. Elle se cogna contre le cadre de la porte et tomba par terre. Lina courut vers elle.

— Calme-toi un peu.

— Où sont-ils ?

— Il n'y a que toi et moi ici. Reviens sur Terre pour l'amour du ciel.

Elle se releva en titubant. Elle scruta Lina telle une somnambule.

— Je veux voir mon fils, hurla-t-elle.

— Tu as complètement perdu la tête ?

— Où est Sami ? cria-t-elle.

Lina la gifla de nouveau et l'agrippa fermement par les épaules.

— Tu n'as pas et tu n'as jamais eu d'enfants, tu m'entends, cria à son tour Lina.

— Arrête tes conneries. Où est-il ? cracha-t-elle en se libérant.

Hébétée, Lina la dévisagea.

— Ça ne va vraiment pas. Tu n'es vraiment pas bien. J'appelle les secours.

Elle saisit le téléphone, prête à composer le 911.

— Sami, cria-t-elle en courant dans toutes les pièces.

Avant qu'elle n'ait eu le temps de composer, Lina laissa tomber le téléphone par terre et courut vers son amie. Elle l'attrapa par le bras et la secoua.

— Écoute-moi. Sarah ! Sarah ? Tu m'entends ? Regarde-moi.

Terrifiée, elle finit par croiser son regard.

— Réponds-moi Lina, où sont Sami et Rafael ?

Lina la dévora des yeux, l'air déconfit.

— Et Angelo et Jordan ? Ils sont chez toi ?

— Mais c'est ici chez moi. Qu'est-ce que tu racontes ? Et ne je connais pas d'Angelo ni de Jordan.

— Tu ne reconnais plus ton fils ? lui cracha Sarah les yeux exorbités.

— Mon fils ? Mais tu es malade ?

— Je sais que tu veux me protéger, mais c'en est assez. Allez, dis-moi où ils se trouvent ?

Lina commença à s'énerver.

— Je n'ai aucune idée de quoi tu parles, dit-elle en serrant la mâchoire, le visage rouge de colère.

— Quelle heure est-il ?

Décontenancée, Lina leva le bras et consulta sa montre-bracelet argentée.

— 20 h 11

— Ah ! Ils dorment sûrement confortablement blottis dans leur lit !

Lina s'affaissa, complètement déphasée de la situation.

— Grand Dieu ! L'on m'avait dit que tu aurais une certaine réaction, mais on ne m'avait pas prévenue que ce serait aussi intense !

L'air affolé, Sarah la regarda, reprenant quelque peu son calme.

— Que veux-tu dire ?

— Ça lui a monté au cerveau, murmura Lina se parlant a elle-même.

— Je ne suis pas folle, rétorqua Sarah.

— Ça a fait des ravages ! C'est évident ! lui répondit-elle d'un air contradictoire.

— De quoi parles-tu encore ?

— L'intoxication.

— L'into quoi ?

— L'intoxication a fait des ravages à ce que je vois, fit Lina en souriant bêtement.

— Intoxiquée ? Arrête tes sottises. Je n'ai pas le cœur à rire.

— Je ne ris pas. Je suis dépassée par ta réaction !

— Dis-moi où sont Sami et Rafael.

— Rafael ! Rafael ! Sami ? Tu me lâches avec eux ? Je ne connais pas de Rafael ni de Sami, rétorqua Lina l'air de plus en plus inquiet.

— Arrête de te moquer de moi et dis-moi, où sont-ils ?

— Je ne comprends rien de rien à ce que tu me demandes. Je ne les connais pas !

— Tu as fini de te moquer de moi ?

— Écoute Sarah, je ne peux pas être plus sérieuse. Je ne connais ni Rafael, ni Sami, ni Angelo et encore moins un Jor…

— Jordan ! Ton fils ! hurla-t-elle exaspérée.

— Seigneur, j'appelle les secours. Je ne comprends rien à ton charabia.

Elle chercha l'appareil laissé par terre alors que Sarah la dévisageait, totalement hors d'elle-même. Elle se ressaisit d'un coup.

— Tu ne joues pas avec moi? dit-elle en s'approchant.

Elle s'assit par terre près d'elle et lui retira l'appareil des mains.

— J'ai l'air de rigoler, rétorqua Lina.

— Tu veux m'expliquer ce qui m'arrive? lui demanda Sarah, l'air affolé.

— Tu me fais marcher encore? Tu ne te souviens de rien? répondit Lina décontenancée.

Hébétée, Sarah secoua la tête par la négative.

— J'ai l'air de quelqu'un qui veut faire des blagues? lui demanda Lina qui se leva et se laissa tomber de tout son poids sur le divan.

Sarah la suivit et fit de même.

— Tu ne te souviens pas? Nous sommes sorties toutes les deux! relata Lina.

— Oui, il y a de cela deux semaines.

— Deux semaines? répéta Lina totalement dépassée par les propos de son amie.

— Euh, nous sommes sorties, j'ai rencontré Rafael, mais tantôt j'étais tranquillement assise à la maison à discuter avec lui alors que Sami et Charlene dormaient au deuxième.

Désorientée au plus haut point, Lina regarda son amie, la bouche entrouverte, les yeux en points d'interrogation.

— Décidément, ça a frappé fort. Tu dis que tu as acheté une maison? Toi, tu as acheté une maison dans tes rêves ou quoi?

— Arrête Lina! Ne te moque pas de moi. Explique-moi ce qui est arrivé et ensuite emmène-moi voir Sami.

Lina leva les bras au ciel, roula des yeux et finit par laisser retomber ses mains sur ses cuisses. Elle approcha son visage à deux pouces de celui de son amie.

— GHB! Ça te dit quelque chose? Intoxication sévère au GHB avec effets secondaires prolongés dus à une réaction allergique.

— Tu me fais encore marcher? la critiqua Sarah qui recommençait à s'énerver.

Lina s'approcha à un pouce du nez de son amie.

— Je t'ai conduite à l'hôpital parce que tu ne tenais plus sur tes jambes. Ils t'ont examinée, fait passer une batterie de tests et ont conclu à une intoxication et une sorte d'allergie. Je ne sais trop. Je ne connais pas tous leurs termes savants, expliqua-t-elle en recommençant à perdre patience.

— Quoi ? Tu veux dire que quelqu'un m'a droguée ? déduisit Sarah.

— Et tu as fait comme la belle au bois dormant ! termina Lina comme si elle se moquait de son amie.

Sarah se leva d'un bond, la colère se lisant sur son visage.

— Tu me fais marcher. Ce n'est vraiment pas rigolo, dit-elle hors d'elle-même.

— Tu as passé trois jours et trois nuits dans les vapes !

Elle s'arrêta, se tournant vers son amie pour la dévisager. Au même moment, son visage se métamorphosa, devenant pâle. Elle se raidit, soudain secouée par des tremblements. Elle s'écroula sans retenue. Le regard vitreux, elle tourna la tête vers Lina.

— Tu, tu, tu veux dire que, tu veux…. tenta-t-elle désespérément de dire, effrayée, dépassée par ce qu'elle prenait conscience, réalisant ce qui lui arrivait.

— Ce que je veux dire ? C'est que comme je suis ta meilleure amie, je me suis bien occupée de toi.

— Trois jours ? réussit-elle à dire en tremblant de tous ses membres.

— Voilà ! Enfin ! fit Lina qui vit Sarah, toujours étendue, se tourner et vomir de toutes ses forces.

— Oh là. Ça ne va pas toi, fit-elle en allant la rejoindre.

Elle la releva et lui tendit la boîte de mouchoirs. Sarah se redressa, faible et en sueur.

— Lina, qu'est-ce qui m'arrive ?

— Tu veux que j'appelle les secours ?

— Non. Ça ira.

— Ce que tu es blême ! On dirait que tu as vu un fantôme. Tu es aussi pâle qu'un cumulus perdu sur un fond de ciel d'orage.

— Dring ! Dring !

Lina s'étira le bras et prit le téléphone sans fil près du divan.

— Madame Donovan ? dit une voix féminine.

— Un moment. Sarah ? C'est pour toi. Tu veux que je prenne le message ?

Elle étira le bras, lui signifiant de lui passer l'appareil.

— Oui ?

— Madame Sarah Donovan?

— Oui, c'est moi! Qui êtes-vous?

— Ici l'infirmière Stanfield. Pourriez-vous vous rendre immédiatement à l'hôpital?

— C'est ma Lina? demanda-t-elle totalement perdue dans ses pensées.

— Non, répondit l'infirmière.

Le silence était palpable, son cœur battait à vive allure. Elle reprit son souffle et demanda d'une voix tremblante:

— Mais qui est-ce?

— Gabriel Hart.

Elle échappa le récepteur, les yeux exorbités. Lina le ramassa aussitôt et le lui tendit.

— Vous êtes toujours là? demanda l'infirmière.

— À quel hôpital, finit-elle par dire d'une voix à peine audible.

— Du Sacré-Cœur, chambre 1122.

À la vitesse de l'éclair, elle se leva, attrapa au vol son sac à main laissé sur la table d'entrée.

— Sarah! Mais où vas-tu? cria Lina.

Elle avait déjà démarré, roulant à haute vitesse et faisant le trajet en une vingtaine de minutes, la moitié du temps normalement requis pour s'y rendre. Elle courut tant qu'elle faillit tomber en s'immobilisant devant le poste de réception.

— Les ascenseurs?

— Tout droit au fond du couloir, répondit la préposée à l'information. Se cognant le tibia contre le fauteuil roulant d'une vieille dame lorsque les portes de l'ascenseur s'ouvrirent, elle s'excusa tout en courant vers le poste des infirmières.

— Chambre 1122, demanda-t-elle en reprenant son souffle.

— Dernière au fond du couloir à droite. Qui êtes-vous? demanda l'infirmière.

Comme elle était déjà loin, personne ne l'arrêta. Elle arriva enfin à bout de souffle devant la porte fermée qu'elle poussa avec force. Quatre visages se tournèrent vers elle.

— Qui êtes-vous? demanda Julia.

Stupéfaite, elle la regarda puis reconnut Francis et Marie. Elle ne connaissait toutefois pas l'homme qui les accompagnait. Elle les dévisagea, les scruta comme si, en quelques secondes, leur vie entrelacées défilaient devant ses yeux.

— Comment va Gabriel? demanda-t-elle.

— Il est mort, répondit Julia.

Ils s'écartèrent. Elle s'approcha. Les yeux pleins de larmes. Elle le toucha avec affection. Elle fixa ses lèvres et sentit à peine son dernier souffle.

— Sar…

Elle le regarda avec une tendresse infinie et se pencha un peu plus près. Elle posa les lèvres sur son front, des larmes coulant abondamment sur ses joues, et lui murmura à l'oreille :

— Je sais Gabriel. Je sais que tu m'aimes et que tu m'aimeras bien **AU-DELÀ DE LA VIE.**

Fin